FAÇA ACONTECER

SHERYL SANDBERG
com NELL SCOVELL

Faça acontecer
Mulheres, trabalho e a vontade de liderar

Tradução
Denise Bottmann

20ª reimpressão

Copyright © 2013 by Lean In Foundation
Copyright do prefácio © 2013 by Luiza Helena Trajano

Grafia atualizada segundo o Acordo Ortográfico da Língua Portuguesa de 1990, que entrou em vigor no Brasil em 2009.

Título original
Lean In: Women, Work, and the Will to Lead

Capa
Peter Mendelsund

Foto de capa
Matt Albiani

Preparação
Lígia Azevedo

Índice remissivo
Luciano Marchiori

Revisão
Márcia Moura
Renata Lopes Del Nero

Dados Internacionais de Catalogação na Publicação (CIP)
(Câmara Brasileira do Livro, SP, Brasil)

Sandberg, Sheryl
  Faça acontecer : mulheres, trabalho e a vontade de liderar / Sheryl Sandberg com Nell Scovell ; tradução Denise Bottmann. — 1ª ed. — São Paulo : Companhia das Letras, 2013.

  Título original: Lean in : Women, Work, and the Will to Lead.
  ISBN 978-85-359-2255-4

  1. Administração 2. Liderança em mulheres 3. Mulheres executivas 4. Sandberg, Sheryl I. Scovell, Nell. II. Título.

13-02323   -658.4092082

Índice para catálogo sistemático:
1. Mulheres executivas : Liderança : Administração de empresas 658.4092082

Todos os direitos desta edição reservados à
EDITORA SCHWARCZ S.A.
Rua Bandeira Paulista, 702, cj. 32
04532-002 — São Paulo — SP
Telefone: (11) 3707-3500
www.companhiadasletras.com.br
www.blogdacompanhia.com.br
facebook.com/companhiadasletras
instagram.com/companhiadasletras
twitter.com/cialetras

*A meus pais, que me ensinaram a acreditar que tudo era possível.
E a meu marido, por tornar tudo possível.*

Sumário

Prefácio à edição brasileira, por Luiza Helena Trajano, 9

Introdução — Interiorizando a revolução, 15
   1. O abismo nas ambições de liderança:
      O que você faria se não tivesse medo?, 25
   2. Um lugar à mesa, 43
   3. Sucesso e simpatia, 57
   4. É um trepa-trepa, não uma escada, 72
   5. Você é meu mentor?, 86
   6. Busque e diga a verdade como você a vê, 100
   7. Não saia antes de sair, 117
   8. Faça de seu companheiro um companheiro de verdade, 132
   9. O mito de fazer tudo, 153
  10. Vamos começar a falar disso, 175
  11. Trabalhando juntos pela igualdade, 197

Vamos continuar a falar disso..., 213

Agradecimentos, 215
Notas, 225
Índice remissivo, 273

Prefácio à edição brasileira

Luiza Helena Trajano

Tive o privilégio de nascer numa família de mulheres fortes e empreendedoras, numa época em que trabalhar fora de casa não era comum. Digo, por isso, que cresci num ambiente livre de preconceitos, fato que talvez ajude a explicar por que hoje sou presidente do Magazine Luiza, a segunda maior rede varejista do Brasil, com mais de 20 mil funcionários.

Essa, porém, não é a realidade das mulheres brasileiras no mercado de trabalho. As mulheres são 45% da força de trabalho no Brasil, mas ocupavam, até o fim de 2011, só 7,9% dos cargos de diretoria e 7,7% dos postos em conselhos de administração das empresas de capital aberto do Brasil, segundo dados do Núcleo de Direito e Gênero da Escola de Direito da Fundação Getúlio Vargas em São Paulo. Essa situação não muda há pelo menos uma década, e é uma honra unir-me a Sheryl Sandberg para falar abertamente desse problema — e ajudar a solucioná-lo.

Assim como Sheryl, acredito que parte da resposta está dentro das próprias mulheres. O preconceito pode existir, mas não podemos incorporá-lo. Sou a única mulher entre os quarenta presidentes de empresas de varejo no Brasil, a única no Comitê Organizador dos Jogos Olímpicos de 2016. Mas nem por isso deixo de me fazer ouvir.

Isso desde novinha. Quando eu tinha doze anos, vivia pedindo dinheiro à minha mãe para comprar presentes de Natal. E ela, que tinha uma cabeça avançada para a época, disse: "Vá trabalhar, assim você terá dinheiro para comprar os presentes". Comecei atendendo no balcão da loja que minha tia Luiza tocava com minha mãe e mais duas irmãs. A essa tia devo não só o início da minha carreira, mas também meu nome.

Até me formar no curso Normal, eu trabalhava só nas férias de dezembro, período de maior movimento do comércio. Quando comecei a cursar a faculdade de administração à noite, passei a me dedicar integralmente às lojas.

Era trabalho para valer, e fiz de tudo. Fui vendedora, encarregada da sessão, gerente, compradora e isso me deu uma experiência que nenhuma universidade ensina. Fui para a área comercial e tinha que competir com colegas — todos homens — que, depois do expediente, saíam juntos para comemorar as vendas nas boates da cidade. É claro que eu não era convidada a participar.

Mas não estar no mesmo clube nunca me intimidou ou prejudicou. Sou apaixonada pelo que faço e, talvez por isso, nunca me senti inferior aos homens. Acredito, inclusive, que a economia contemporânea esteja mais voltada para as mulheres.

Hoje, as empresas precisam da capacidade de ensinar, interagir, educar, relacionar-se e trabalhar em equipe. Somos sempre muito mais incentivadas que os homens a desenvolver todas essas características. As mulheres precisam se dar conta disso e agarrar a oportunidade.

Claro que ainda há uma grande pressão para que a gente assuma comportamentos tipicamente masculinos para exercer o poder. Mas é preciso vencer essa imposição, assumir a feminilidade em cargos de chefia e mostrar que é possível ser tão — ou mais — competente sem adotar os padrões convencionais de administração, feitos por homens e para homens. A diversidade é fundamental.

As mulheres que confiam em seu próprio poder, conhecimento, estilo e personalidade conseguem resistir a essa pressão. A insegurança, como bem apontou Sheryl, é uma barreira interna que as mulheres precisam superar para se desenvolver no trabalho.

Sou filha única e sobrinha única, e costumo brincar que a única vantagem disso foi ter desenvolvido uma autoestima ótima. O fato de nunca ter dividido o afeto dos meus pais talvez tenha me dado segurança em minha própria capacidade — até mesmo para admitir o que não sei. Assumo minhas falhas e tranquilamente digo "vou me informar melhor", "não sou boa nisso". Mesmo antigamente, quando ainda não havia a cultura de se levar um pouco de emoção para o mundo do trabalho, eu me permitia chorar.

Não menosprezo a força dos homens. Só quero que eles respeitem o nosso poder e nos apoiem. Meu marido não chegou a trocar fralda dos nossos três filhos, porque isso não acontecia naqueles tempos mesmo. Mas eu viajava muito e ele sempre me ajudou com as crianças — meus filhos gostam de falar que ele os levou ao médico muito mais que eu.

Nenhuma mulher — ou homem — tem a garantia de que está fazendo a coisa certa ao criar seus filhos. Sabemos o quanto é difícil conciliar maternidade e carreira, mas não sinto culpa por sempre ter me dedicado tanto ao trabalho. Acredito que as mulheres devam ter liberdade de escolher e isso não significa que elas serão melhores ou piores mães.

É bom lembrar também que no Brasil, onde a desigualdade social é muito maior que nos Estados Unidos, a maioria das mulheres não pode se dar ao luxo de fazer essa escolha. Muitas delas são responsáveis pelo sustento da família. Na classe operária, esse é o caso de 60% das brasileiras, que, além da culpa, têm que enfrentar problemas como transporte público ineficiente e ausência de creches.

A falta de estrutura e de apoio a essa mãe limita seu desenvolvimento profissional, e é isso que precisamos combater. Para as mulheres de baixa renda, era particularmente difícil alcançar algumas posições. Poucas se candidatavam a ser gerentes de loja, mesmo que fosse uma promoção, porque o cargo exige mudar de cidade com frequência e seus maridos não queriam acompanhá-las.

Por isso, no Magazine Luiza fizemos um programa de incentivo que incluía apoio psicológico para os maridos e, depois de algum tempo, a situação passou a ser tão comum que as famílias começaram a ajudar umas às outras. Hoje temos até maridos que ficam em casa para cuidar dos filhos enquanto as mulheres lideram as lojas.

Conseguir quebrar essa barreira foi fundamental para garantir equilíbrio de gênero em todos os níveis hierárquicos de nosso quadro de funcionários. Aqui nenhuma carreira é "bloqueada" para as mulheres, e elas ganham os mesmos salários dos homens nas mesmas funções.

Segundo números do Instituto Brasileiro de Geografia e Estatística (IBGE), porém, as mulheres brasileiras ainda ganham um salário em média 30% inferior ao dos homens. Dados da FGV mostram que só 3,9% dos presidentes de conselho e 3,4% dos CEOS são mulheres, apesar de serem tão ou mais qualificadas que eles. No Brasil, a maioria dos graduados e pós-graduados já é formada por mulheres, mas isso ainda se reflete pouco no mercado de trabalho.

Por isso, além de superar as barreiras internas, acredito que nós, mulheres, temos de lutar para corrigir algumas distorções externas. Minha atual bandeira são as cotas para mulheres em conselhos de administração.

Pode parecer que as cotas menosprezam a capacidade de ascensão e favoreçam alguém sem mérito. Mas elas são uma ferramenta transitória para corrigir uma situação de desigualdade que, de outro modo, levaria muitas décadas para ser solucionada. É o que está acontecendo agora na Europa, e com sucesso. Vários estudos mostram que a diversidade nos conselhos aumenta a rentabilidade das empresas.

No momento em que essa medida for aprovada no Brasil e fizer parte da política de governança corporativa das principais empresas listadas na bolsa de valores, várias portas se abrirão para as mulheres assumirem cargos de chefia. Nosso tempo chegou, e estamos preparadas para isso.

É evidente que nem todas as mulheres vão querer ser diretoras, presidentes de empresa, mas todas devem almejar participar da história, sair da posição de espectadora. Tente tocar na banda em vez de vê-la passar. Faça acontecer.

Introdução
Interiorizando a revolução

    Fiquei grávida de meu primeiro filho no verão de 2004. Naquela época, eu dirigia os grupos de operações e vendas on-line do Google. Fazia três anos e meio que estava na empresa, a qual ainda era uma iniciante promissora e pouco conhecida, com algumas centenas de funcionários num prédio antigo. Em meu primeiro trimestre, o Google tinha se transformado numa empresa de milhares de pessoas e se transferira para um campus de vários edifícios.

    Minha gravidez não foi fácil. Aquele enjoo matinal típico que costuma acompanhar o primeiro trimestre me pegou por nove meses seguidos. Engordei quase 32 quilos e meus pés dobraram de tamanho, de tão inchados, virando umas coisas de formato estranho que eu só conseguia enxergar quando os colocava em cima da mesa do café. Um engenheiro do Google especialmente gentil declarou que o "Projeto Baleia" recebeu esse nome por minha causa.

    Um dia, depois de uma manhã terrível que passei com a cabeça enfiada na privada, tive de sair correndo para uma reunião com um cliente importante. O Google estava crescendo tão depressa que a questão do estacionamento tinha virado um problema sério, e a única vaga que encontrei ficava bem longe. Saí em disparada pelo estacionamento, o que, na verdade, significava me arrastar um pouco menos devagar do que a absurda lentidão usual da gravidez. Com isso, meu enjoo só piorou, e cheguei à reunião rezando para que da boca só me saísse o discurso de venda. Naquela noite, contei o drama a Dave, meu marido. Ele comentou que o Yahoo, onde trabalhava na época, tinha reservado vagas de estacionamento para grávidas na frente de cada edifício.

No dia seguinte, entrei bamboleando feito uma pata no escritório de Larry Page e Sergey Brin, os fundadores do Google, que na verdade era apenas uma sala grande cheia de engenhocas e brinquedos espalhados pelo chão. Sergey estava numa posição de ioga num dos cantos, e anunciei que precisávamos de estacionamento para grávidas, de preferência logo. Ele me olhou lá de baixo e concordou na hora, dizendo que nunca tinha pensado nisso antes.

Até hoje, fico meio encabulada por só ter percebido que as grávidas precisam de um estacionamento próprio depois de sentir em minha própria carne, ou melhor, em meus pés doloridos. Como uma das mulheres em alto cargo no Google, não era obrigação minha pensar nisso? Mas, como Sergey, a ideia nunca tinha me ocorrido. As outras grávidas deviam ter sofrido em silêncio, sem querer pedir um tratamento especial. Ou talvez não tivessem segurança ou autoridade para cobrar uma solução para o problema. Uma mulher grávida em nível de chefia — mesmo parecendo uma baleia — fazia toda a diferença.

Hoje, nos Estados Unidos e em grande parte do mundo, as mulheres estão numa situação melhor do que nunca. Apoiamo-nos nas conquistas das mulheres que vieram antes de nós, que tiveram de lutar por direitos que hoje consideramos dados. Em

1947, Anita Summers, mãe de meu grande mentor Larry Summers, foi contratada como economista pela Standard Oil Company. Quando ela aceitou o emprego, o novo chefe lhe disse: "Fico muito contente em tê-la aqui. Vou ter a mesma inteligência pagando menos". Ela se sentiu muito lisonjeada com aquilo. Era um tremendo elogio ouvir que tinha a mesma inteligência de um homem. Jamais lhe passaria pela cabeça pedir a mesma remuneração.

Sentimos uma gratidão ainda maior ao comparar nossa vida à de outras mulheres pelo mundo. Ainda existem países que negam os direitos civis básicos às mulheres. Há no planeta cerca de 4,4 milhões de meninas e mulheres no comércio sexual.[1] Em países como o Afeganistão ou o Sudão, as meninas não recebem nenhuma ou quase nenhuma instrução, as esposas são tratadas como propriedade dos maridos, as mulheres que sofrem estupro geralmente são expulsas de casa por trazer desgraça à família. Algumas vítimas de estupro chegam a ser mandadas para a prisão por "crime moral".[2] Estamos séculos à frente do tratamento inaceitável que é dado às mulheres nesses países.

Mas não é por saber que as coisas podiam ser piores que deixaremos de tentar melhorá-las. Quando as sufragistas marchavam pelas ruas, imaginavam um mundo de verdadeira igualdade entre homens e mulheres. Passado um século, ainda temos de forçar a vista para tentar enxergar melhor essa imagem.

A verdade nua e crua é que os homens ainda comandam o mundo. Isso significa que, quando se trata de tomar as decisões mais importantes para todos nós, a voz das mulheres não é ouvida da mesma forma. Dos 195 países independentes no mundo, apenas dezessete são governados por mulheres, incluindo Dilma Rousseff, presidente do Brasil, que tomou posse em 2011.[3] As mulheres ocupam apenas 20% das cadeiras dos parlamentos no mundo.[4] Nas eleições de novembro de 2012 nos Estados Unidos, as mulheres conquistaram um número de assentos no Congresso que ultrapassa todos os anteriores, alcançando 18%.[5] No Brasil, 9,6% das cadeiras no Congresso são ocupadas por mulheres.[6]

A porcentagem de mulheres em papéis de liderança é ainda menor no mundo empresarial. Entre os diretores executivos das quinhentas empresas de maior faturamento dos Estados Unidos, apontadas pela *Fortune*, as mulheres correspondem a magros 4%.[7] Nos Estados Unidos, elas ocupam cerca de 14% dos cargos de direção executiva e 17% dos conselhos de diretoria, números que quase não mudaram em relação à última década.[8] Essa defasagem é ainda pior para as mulheres não brancas, que ocupam apenas 4% do alto escalão das empresas, 3% dos conselhos diretores e 5% das cadeiras no Congresso.[9] Por toda a Europa, as mulheres ocupam 14% dos conselhos de diretoria.[10] No Brasil, as mulheres ocupam cerca de 14% dos cargos executivos nas quinhentas maiores empresas do país.[11] Na América Latina como um todo, apenas 1,8% das maiores empresas tem mulheres na direção executiva.[12]

O avanço é igualmente moroso na questão da remuneração. Em 1970, as mulheres americanas recebiam 59 centavos para cada dólar pago aos homens na mesma função. Em quarenta anos, elas protestaram, lutaram e se mataram de trabalhar e em 2010 a relação era de 77 centavos para cada dólar recebido pelos homens.[13] Como disse a ativista Marlo Thomas, ironizando o *Equal Pay Day* [Dia do Pagamento Igual] de 2011: "Quarenta anos e dezoito centavos. Uma dúzia de ovos subiu dez vezes mais que isso".[14] Na América Latina, as mulheres recebem uma média de 17% a menos do que os homens.[15] No Brasil, as mulheres que trabalham em tempo integral ainda recebem 13% a menos do que os homens.[16]

Tenho acompanhado esses fatos desanimadores sentada nas primeiras filas. Eu me formei na faculdade em 1991 e no mestrado em administração em 1995. Em todos os empregos depois da graduação, no nível inicial, havia entre meus colegas um equilíbrio de homens e mulheres. Eu via que os chefes de escalão mais alto eram quase todos homens, mas pensava que se devia à discriminação histórica contra as mulheres. Em quase todos os setores, a famosa barreira invisível tinha se rompido e eu achava que era apenas uma questão de tempo até que minha geração ficasse com uma parcela justa dos papéis de liderança. Mas, a cada ano que passava, diminuía o número de colegas do sexo feminino. Cada vez mais eu era a única mulher na sala.

Ser a única mulher gera algumas situações incômodas, mas reveladoras. Dois anos depois que entrei no Facebook como diretora de operações, nosso diretor financeiro saiu de repente e tive de ocupar o lugar dele para completar uma rodada de levantamento de capital. Como toda a minha carreira tinha sido em operações, não em finanças, o processo de levantar capital era novidade e me assustava um pouco. Fui com minha equipe para Nova York, fazer o contato inicial com empresas de investimento privado. Nossa primeira reunião foi naquele tipo de escritório que aparece nos filmes, com direito a uma vista enorme de Manhattan. Apresentei uma visão geral de nossos negócios e respondi às perguntas. Até aí, tudo bem. Então alguém propôs que parássemos por uns minutos. Virei para o sócio principal e perguntei onde ficava o banheiro feminino. Ele me olhou perplexo. Ficou simplesmente aturdido com a pergunta. Então perguntei: "Há quanto tempo você está nesse cargo?". Ele disse: "Um ano". Continuei: "E num ano inteiro fui a única mulher a vir fazer negócios aqui?". Ele respondeu: "Acho que sim". E acrescentou: "Ou talvez tenha sido a única que precisou usar o banheiro".

Faz mais de vinte anos que estou no mercado de trabalho, e muita coisa continua igual. É hora de encarar o fato: nossa revolução empacou.[17] Promessa de igualdade e igualdade de fato são coisas diferentes.

Um mundo de fato igualitário seria aquele em que as mulheres comandassem metade dos países e das empresas e os homens dirigissem metade dos lares. Acredito que esse seria um mundo melhor. As leis econômicas e muitos estudos sobre a diversidade nos dizem que, se usássemos todas as fontes de talentos e recursos humanos, nosso desempenho coletivo melhoraria. O lendário investidor Warren Buffett afirmou generosamente que uma das razões de seu sucesso enorme era que concorria com apenas metade da população. Os Warren Buffett de minha geração ainda gozam bastante dessa vantagem. Quando mais gente entrar na disputa, a quantidade de novos recordes vai aumentar. E as conquistas se estenderão para além dessas pessoas e beneficiarão a todos nós.

Na véspera do dia em que Leymah Gbowee ganhou o prêmio Nobel da paz de 2011 por ter ajudado a liderar os protestos das mulheres que derrubaram o ditador da Libéria, ela estava numa festa em minha casa. Comemorávamos a publicação de sua autobiografia, *Guerreiras da paz*, mas a noite foi um pouco triste. Uma convidada lhe perguntou como as mulheres americanas poderiam ajudar as pessoas que viviam os horrores da guerra e dos estupros em massa em lugares como a Libéria. Sua resposta foi muito simples, de quatro palavras: "Mais mulheres no poder". Nossas origens e formações não poderiam ser mais diferentes, mas nós duas, Leymah e eu, chegamos à mesma conclusão. As condições para todas as mulheres vão melhorar quando houver mais mulheres em papéis de liderança, apresentando vigorosamente nossas necessidades e interesses.[18]

Isso nos leva à pergunta óbvia: como? Como vamos derrubar as barreiras que impedem a ascensão de um número maior de mulheres? Nós mulheres enfrentamos obstáculos concretos no mundo profissional, inclusive o machismo descarado ou sutil, a discriminação e o assédio sexual. Ao menos nos Estados Unidos, são raríssimos os locais de trabalho que oferecem flexibilidade e condições de cuidar de nossos filhos e licença-maternidade remunerada, necessárias para seguir na carreira e ao mesmo tempo cuidar dos filhos. Para os homens, é mais fácil encontrar pessoas que os orientem e os recomendem, o que é inestimável para o avanço profissional. As mulheres, por sua vez, precisam provar sua capacidade com muito mais frequência que os homens. E isso não é coisa da nossa cabeça. Um relatório da McKinsey de 2011 destacou que os homens são promovidos com base em seu potencial, enquanto as mulheres são promovidas com base no que já realizaram.[19]

Além das barreiras externas levantadas pela sociedade, nós mulheres também somos tolhidas por barreiras dentro de nós mesmas. Nós nos refreamos de várias maneiras, em coisas grandes ou miúdas, por falta de autoconfiança, por não levantar a mão, por recuar quando deveríamos fazer acontecer. Interiorizamos as mensagens negativas que ouvimos ao longo da vida — as mensagens que dizem que é errado falar sem rodeios, ter iniciativa, ser mais poderosas do que os homens. Reduzimos nossas expectativas do que podemos realizar. Continuamos a cumprir a maior parte do trabalho doméstico e da criação dos filhos. Comprometemos nossas metas profissionais para dar espaço a companheiros e filhos que às vezes ainda nem existem. Em comparação a nossos colegas homens, é menor o número de mulheres aspirando a posições mais altas. E isso não é algo que as outras mulheres fazem. Cometi todos esses erros. E às vezes ainda cometo.

Meu argumento é que, para ganhar poder, é fundamental se livrar dessas barreiras internas. Há quem diga que as mulheres só poderão chegar ao topo quando acabarem as barreiras institucionais. É o caso típico do ovo e da galinha. A galinha: nós mulheres derrubaremos as barreiras externas quando alcançarmos papéis de liderança. Entraremos no escritório de nossos chefes e exigiremos aquilo de que precisamos, inclusive estacionamento reservado para grávidas. Ou, melhor ainda, seremos chefes e garantiremos que todas as mulheres tenham o que precisam. O ovo: precisamos antes eliminar as barreiras externas para que as mulheres assumam esses papéis. Os dois lados estão certos. Então, em vez de entrar em longas discussões filosóficas sobre o que vem primeiro, vamos travar batalha nas duas frentes. São igualmente importantes. De minha parte, dou a maior força para as mulheres assumirem a abordagem da galinha, mas também dou pleno apoio a quem se concentra no ovo.

Os obstáculos internos raramente são discutidos e costumam ser minimizados. Em minha vida toda, sempre me falaram das desigualdades no trabalho e de como é difícil ter carreira e família ao mesmo tempo. Mas quase nunca ouvi falarem das formas como nos refreamos. Esses obstáculos internos merecem atenção muito maior, em parte porque estão sob nosso próprio controle. Podemos remover esses entraves dentro de nós hoje mesmo. Podemos começar já.

Nunca pensei que ia escrever um livro. Não sou acadêmica, nem jornalista, nem socióloga. Mas decidi expor claramente as coisas depois de falar com centenas de mulheres, de ouvir suas lutas, de contar as minhas e perceber que as conquistas que fizemos não são suficientes e podem até estar escorregando entre nossos dedos. O primeiro capítulo deste livro apresenta alguns dos problemas complicados que nós mulheres enfrentamos. Cada capítulo sucessivo se concentra numa mudança ou num ajuste que nós mesmas podemos fazer: aumentar nossa autoconfiança ("Um lugar à mesa"), fazer nossos parceiros ajudarem mais em casa ("Faça de seu companheiro um companheiro de verdade"), não nos prender a modelos inatingíveis ("O mito de fazer tudo"). Longe de mim supor que tenho as soluções perfeitas para esses problemas complicados e arraigados. Baseio-me em dados sólidos, em pesquisas acadêmicas, em minhas observações pessoais e nas lições que aprendi ao longo do tempo.

Este livro não é uma autobiografia, embora eu tenha incluído fatos da minha vida. Não é um livro de autoajuda, embora eu realmente espere que ele ajude. Não é um livro sobre gestão de carreira, embora eu dê alguns conselhos nessa área. Não é um manifesto feminista — bom, até é uma espécie de manifesto feminista, mas espero que também sirva para os homens.

Estou escrevendo este livro, seja ele o que for, para todas as mulheres que queiram aumentar suas chances de chegar ao topo em seu campo ou queiram perseguir uma meta com empenho e dedicação. Isso inclui mulheres em todas as fases da vida e da carreira, desde as que estão apenas começando até aquelas que deram um tempo e talvez queiram voltar. Também estou escrevendo para todos os homens que queiram entender o que uma mulher — colega, esposa, mãe ou filha — está combatendo, e assim eles também possam dar sua contribuição para construir um mundo igualitário.

Aqui defendo que façamos acontecer, que sejamos ambiciosas em nossas metas, quaisquer que sejam. Mas, se acredito que um número maior de mulheres em posições de poder é um elemento necessário para a verdadeira igualdade, por outro lado não acredito que exista uma definição única de sucesso ou felicidade. Nem todas as mulheres querem uma carreira. Nem todas as mulheres querem filhos. Nem todas as mulheres querem as duas coisas. Eu jamais defenderia que todas nós devemos ter os mesmos objetivos. Muita gente não se interessa em conquistar poder, não por falta de ambição, mas porque está levando a vida do jeito que quer. Algumas das contribuições mais importantes para o nosso mundo se deram ao considerar cada pessoa individualmente. Cada uma de nós precisa traçar seu próprio curso e definir os objetivos que condizem com sua vida, seus sonhos e valores.

Também tenho plena consciência de que a grande maioria das mulheres luta para sobreviver e cuidar da família. Algumas partes do livro dizem mais respeito às mulheres que têm a sorte de poder escolher quanto, quando e onde trabalhar; outras partes se aplicam a situações que as mulheres enfrentam em qualquer local de trabalho, dentro de qualquer comunidade e em todos os lares. Se conseguirmos somar outras vozes femininas que estão nos níveis mais altos, ampliaremos as oportunidades e estenderemos um tratamento mais justo para todas.

Algumas mulheres, principalmente no mundo empresarial, me alertaram sobre os riscos de falar de maneira pública e aberta sobre essas questões. Tendo falado mesmo assim, várias pessoas, de ambos os sexos, ficaram irritadas com diversos comentários meus. Sei que alguns acham que, concentrando-me no que as próprias mulheres podem mudar — insistindo que se faça acontecer —, acaba parecendo que deixo as instituições de fora. Ou, ainda pior, que estou culpando a vítima. De jeito nenhum; longe de culpar a vítima, acredito que a liderança feminina é elemento essencial da solução. Outros críticos também apontam que fazer acontecer é muito mais fácil para mim, visto que tenho recursos financeiros que me permitem ter qualquer ajuda de que eu precisar. Minha intenção é dar conselhos que teriam sido úteis para mim muito antes de ter ouvido falar do Google ou do Facebook e que encontrarão ressonância junto às mulheres num amplo leque de circunstâncias.

Já ouvi essas críticas no passado e sei que vou continuar a ouvir no futuro — essas e outras mais. Minha esperança é que julguem minha mensagem por seus próprios méritos. Não podemos nos furtar a essa conversa. A questão é muito maior. É mais do que hora de encorajar outras mulheres a sonhar um sonho que é possível e encorajar outros homens a apoiar as mulheres no trabalho e em casa.

Podemos reacender a revolução interiorizando a revolução. A mudança para um mundo mais igualitário vai se dar nas pessoas, uma a uma. A meta maior da verdadeira igualdade fica mais próxima cada vez que uma mulher faz acontecer.

1. O abismo nas ambições de liderança: O que você faria se não tivesse medo?

Minha avó Rosalind Einhorn nasceu em 28 de agosto de 1917, exatamente 52 anos antes de mim. Como muitas famílias judias pobres nos distritos da periferia de Nova York, ela morava com marido e filhos num apartamento pequeno e apinhado perto dos parentes. Seus pais, seus tios e suas tias tratavam os primos dela pelo primeiro nome, mas chamavam minha avó e minha tia--avó de "mocinha".

Durante a Depressão, tiraram minha avó da escola, o Colégio Morris, para ajudar em casa pregando flores de pano em roupas de baixo que minha bisavó revendia com um lucro pequeno. Ninguém no bairro pensaria em tirar um menino da escola. A formação de um garoto era a esperança da família de conseguir alguma ascensão social e financeira. Já a educação das meninas tinha menos importância, tanto financeira — visto que dificilmente contribuiriam para o orçamento familiar — quanto cultural, visto que dos meninos esperava-se que estudassem a Torá, enquanto das meninas esperava-se que cuidassem de um lar "como se deve". Para a sorte de minha avó, um professor local insistiu que os pais dela a pusessem de volta na escola. Ela não só continuou e terminou o ensino médio mas também se formou na Universidade de Berkeley.

Depois da faculdade, a "mocinha" trabalhou vendendo livros de bolso e acessórios na David's da Quinta Avenida. Quando saiu do emprego para se casar com meu avô, conta a lenda familiar que a David's teve de contratar quatro pessoas para dar conta da vaga. Anos depois, quando a loja de tintas do meu avô passava por dificuldades, ela entrou em cena e tomou medidas duras que ele relutava em tomar, ajudando a salvar a família da ruína financeira. Ela voltou a mostrar seu tino para os negócios na casa dos quarenta anos. Foi diagnosticada com câncer de mama, venceu-o e então se dedicou a levantar fundos para a clínica que a tratara, vendendo relógios falsificados no porta-malas do carro. A mocinha acabou tendo uma margem de lucro de dar inveja à Apple. Nunca conheci ninguém com mais disposição e energia do que minha avó. Quando Warren Buffett fala em concorrer apenas com metade da população, penso nela e fico imaginando como teria sido sua vida se tivesse nascido cinquenta anos depois.

Quando minha avó teve filhos — minha mãe e meus dois tios —, empenhou-se ao máximo na educação de todos eles. Minha mãe estudou na Universidade da Pensilvânia, onde as turmas eram mistas. Depois de se formar em 1965 em literatura francesa, examinou o campo de trabalho que, achava ela, oferecia duas opções para as mulheres: dar aulas ou ser babá. Ela escolheu dar aulas. Começou o doutorado, se casou e, quando engravidou de mim, abandonou o curso. Considerava-se sinal de fraqueza que um marido precisasse da ajuda da esposa para sustentar a família. Assim minha mãe ficou como dona de casa, criando os filhos em tempo integral e participando de serviços voluntários. A divisão do trabalho multissecular prevaleceu.

Portanto, cresci num lar tradicional, mas meus pais tinham as mesmas expectativas em relação a mim, à minha irmã e a meu irmão. Eles nos incentivavam a ir bem na escola, a fazer as mesmas tarefas domésticas e a manter atividades extracurriculares. Nós três também deveríamos gostar de esportes. Meu irmão e minha irmã entraram em equipes esportivas, mas eu era aquela que sempre era escolhida por último. Apesar de minhas insuficiências atléticas, fui criada com a ideia de que as meninas podiam fazer tudo o que os meninos faziam e que *todos* os caminhos profissionais estavam abertos para mim.

Quando entrei na faculdade, no outono de 1987, meus colegas de ambos os sexos pareciam igualmente concentrados nos estudos. Não me lembro de minhas ideias sobre meu futuro profissional serem diferentes das ideias dos rapazes. Também não me lembro de nenhuma conversa sobre precisar algum dia equilibrar carreira e filhos. Nós, minhas amigas e eu, achávamos que teríamos as duas coisas. Homens e mulheres competiam entre si durante as aulas, as atividades e as entrevistas de emprego, de maneira explícita e agressiva. Passadas apenas duas gerações desde os tempos de minha avó, o campo parecia nivelado.

Mas, passados mais de vinte anos desde que me formei, o mundo nem de longe evoluiu o quanto eu achava que evoluiria. Quase todos os meus colegas do sexo masculino trabalham em ambientes profissionais. Algumas de minhas colegas trabalham fora em tempo integral ou meio expediente, e outras são mães que ficam em casa e se dedicam a atividades voluntárias, como minha mãe. É um espelho da tendência dominante em todo o país. Em comparação a seus correspondentes do sexo masculino, as mulheres altamente qualificadas estão descendo na escala profissional e abandonando em grandes contingentes o mercado de trabalho.[1] Por sua vez, esses percentuais divergentes fazem com que as instituições e os mentores invistam mais nos homens, que estatisticamente têm maior probabilidade de ficar no mercado.

Judith Rodin, presidente da Fundação Rockefeller e a primeira mulher a ser reitora de uma universidade da Ivy League, comentou certa vez a uma plateia de mulheres com minha idade: "Minha geração lutou muito para dar escolha a todas vocês. Acreditamos em escolhas. Mas escolher sair do mercado de trabalho não era bem a escolha que achávamos que tantas de vocês fariam".[2]

Então, o que foi que aconteceu? Minha geração foi criada numa época de aumento da igualdade, tendência que achávamos que continuaria. Se olharmos para trás, fomos ingênuas e idealistas. A integração das metas profissionais e pessoais se mostrou uma coisa muito mais complicada do que tínhamos imaginado. Nos mesmos anos em que nossa carreira exigia que investíssemos o máximo de tempo, nossa biologia exigia que tivéssemos filhos. Nossos companheiros não dividiam o trabalho de casa e a criação das crianças, e assim ficávamos com dois serviços em tempo integral. O local de trabalho não evoluiu dando-nos a flexibilidade de que precisávamos para atender a nossas responsabilidades em casa. Não previmos nada disso. Fomos apanhadas de surpresa.

Se minha geração foi excessivamente ingênua, as gerações seguintes às vezes são excessivamente pragmáticas. Sabíamos de menos, e agora as jovens sabem demais. As moças de hoje não são as primeiras a ter oportunidades iguais, mas são as primeiras a saber que nem todas essas oportunidades se traduzem necessariamente em realização profissional. Muitas delas viram suas mães tentando "fazer tudo" e aí decidiram que tinham de desistir de alguma coisa. Essa "alguma coisa" geralmente era a carreira.

Não há dúvida de que as mulheres têm capacitação para cargos de comando. As meninas vêm superando cada vez mais os meninos nas salas de aula, e hoje, nos Estados Unidos, recebem cerca de 57% dos diplomas de graduação e 60% dos diplomas de mestrado.[3] Essa tendência também é visível no Brasil, onde as mulheres têm cerca de 63% dos diplomas de graduação.[4] Esse bom desempenho acadêmico até levou algumas pessoas a se preocuparem com o "fim dos homens".[5] Mas, se o bom comportamento, aquele de levantar a mão e só falar com permissão, até é premiado na escola, no trabalho ele é muito menos valorizado.[6] O avanço na carreira muitas vezes depende de assumir riscos e defender a própria posição — traços que as moças são desestimuladas a mostrar. Isso talvez explique por que as conquistas acadêmicas das jovens ainda não se traduziram num aumento significativo de mulheres em cargos de alto nível. O canal que abastece o mercado de trabalho qualificado está entupido de mulheres no nível da entrada, mas, quando esse mesmo canal abastece as posições de chefia, há um predomínio esmagador de homens.

Existem inúmeras razões para essa filtragem, mas um elemento importante é a enorme diferença de ambição em ocupar um cargo de chefia. É o que vou chamar de "abismo na ambição de liderança". É claro que há muitas mulheres que têm as mesmas ambições que qualquer homem. Porém, indo mais a fundo, os dados indicam claramente que, em todos os campos, o número de homens que almejam os cargos mais altos é maior do que o de mulheres. Uma pesquisa da McKinsey de 2012, com mais de 4 mil funcionários de grandes empresas, revelou que 36% dos homens queriam se tornar diretores executivos, contra apenas 18% das mulheres.[7] Os empregos que são descritos em termos de poder, desafio e alto nível de responsabilidade atraem mais os homens do que as mulheres.[8] E, embora o abismo na ambição seja mais acentuado nos níveis mais altos, a dinâmica por trás disso é visível em todos os degraus da escada profissional. Uma pesquisa com universitários mostrou que é maior o número de homens em comparação ao de mulheres que querem "alcançar o nível de gerência" como prioridade na carreira nos três primeiros anos depois de se formarem.[9] Mesmo entre profissionais altamente capacitados, é uma maioria de homens que se descrevem como "ambiciosos".[10]

Existe alguma esperança de que comece a ocorrer uma mudança na próxima geração. Um estudo da Pew de 2012 mostrou pela primeira vez que, entre pessoas de 18 a 34 anos, as mulheres são maioria (66% delas contra 59% dos homens) na hora de classificar "o sucesso numa profissão ou carreira muito bem remunerada" como algo importante a vida delas.[11] Uma pesquisa recente entre a geração do milênio (ou geração Y)[12] mostrou que as porcentagens de homens e mulheres que se dizem ambiciosos são equivalentes. Ainda que seja uma melhora, o abismo na ambição de liderança permanece, mesmo entre esse grupo demográfico específico. As mulheres da geração Y não concordam tanto quanto os homens da mesma geração que a frase "Almejo um papel de liderança em qualquer campo em que venha a trabalhar" descreva bem o que querem. As mulheres da geração Y também se mostraram menos propensas do que seus correspondentes masculinos a se caracterizar como "líderes", "visionárias", "confiantes", "dispostas a correr riscos".[13]

Como é maior o número de homens que aspiram a papéis de liderança, não admira que os consigam, ainda mais considerando todos os outros obstáculos que as mulheres têm de superar. Esse padrão começa muito antes de ingressarem no mercado de trabalho. A escritora Samantha Ettus e seu marido leram o anuário do jardim de infância da filhinha deles, no qual cada criança respondia à pergunta: "O que você quer ser quando crescer?". Notaram que vários meninos queriam ser presidentes. Nenhuma menina queria.[14] (Os dados correntes sugerem que essas meninas, quando ficarem adultas, vão continuar a sentir a mesma coisa.)[15]

No ensino médio, os meninos almejam mais do que as meninas alcançar papéis de liderança em suas futuras carreiras.[16] Nas cinquenta melhores faculdades, menos de um terço dos presidentes dos diretórios acadêmicos são mulheres.[17]

A ambição profissional é algo esperado para os homens, mas opcional — ou, pior, às vezes até algo negativo — para as mulheres. "Ela é *muito* ambiciosa" não é um elogio em nossa cultura. Mulheres agressivas e que jogam duro transgridem regras tácitas da conduta social aceitável. Os homens são constantemente aplaudidos por ser ambiciosos, poderosos, bem-sucedidos, ao passo que as mulheres com as mesmas características costumam pagar um preço social por isso. As realizações femininas custam caro.[18]

E, apesar de todos os avanços, ainda existe uma pressão social para que as mulheres fiquem de olho no casamento desde cedo. Quando entrei na faculdade, meus pais me davam força nos estudos, mas davam ainda mais força para que eu me casasse. Diziam que as mulheres deveriam se casar cedo para garantir um bom partido. Segui o conselho deles e passei o tempo todo da faculdade analisando cada rapaz com quem eu saía como marido em potencial (o que, podem crer, é um jeito infalível de estragar qualquer encontro aos dezenove anos de idade).

Quando eu estava me formando, meu orientador da monografia de conclusão de curso, Larry Summers, sugeriu que eu me candidatasse a alguma bolsa internacional. Não topei porque um país estrangeiro não parecia um bom lugar para transformar um encontro num casamento. Em vez disso, fui para Washington, onde não faltavam pretendentes aceitáveis. Deu certo. Em meu primeiro ano depois da faculdade, conheci um rapaz que era não só aceitável, mas também maravilhoso, e nos casamos. Eu estava com 24 anos e tinha certeza absoluta de que o casamento era o primeiro — e indispensável — passo para uma vida feliz e produtiva.

Não foi assim que funcionou. Eu simplesmente não tinha maturidade suficiente para essa decisão de toda uma vida, e o relacionamento logo desandou. Aos 25 anos, eu já tinha conseguido me casar... e me divorciar. Na época, isso me pareceu um tremendo fracasso pessoal *e* público. Passei muitos anos sentindo que tudo o que conseguisse realizar profissionalmente se apagaria diante da letra escarlate D costurada em meu peito. (Quase dez anos depois, vi que ainda havia bons pretendentes disponíveis, e tive a sabedoria e a felicidade de me casar com Dave Goldberg.)

Tal como aconteceu comigo, Gayle Tzemach Lemmon, vice-diretora do Programa de Mulheres e Política Internacional do Conselho de Relações Exteriores, foi muito incentivada a pôr o casamento antes da carreira. Ela conta em *The Atlantic*:

> Aos 27 anos, recebi uma bolsa ótima para ir à Alemanha estudar a língua e trabalhar no *Wall Street Journal*. [...] Era, sob todos os aspectos, uma oportunidade incrível para alguém na minha faixa de idade, e eu sabia que ajudaria a me preparar para a pós-graduação e o que viesse depois. Mas minhas amigas ficaram chocadas e horrorizadas que eu fosse deixar meu namorado para ir morar um ano no exterior. Minha família perguntava se eu não tinha medo de nunca me casar. E quando fui a um churrasco com meu namorado, o chefe dele me puxou de lado para me lembrar de que "não existem muitos caras assim lá fora".

A consequência dessas reações negativas, segundo Gayle, é que muitas mulheres "ainda acham que ambição é um palavrão".[19]

Muita gente me diz que o problema não é a ambição. As mulheres são tão ambiciosas quanto os homens, dizem, mas são mais esclarecidas, com metas diferentes e mais significativas. Não descarto nem nego esse argumento. Há muito mais coisas na vida do que subir na carreira, como criar filhos, procurar a realização pessoal, contribuir para a sociedade e melhorar a vida dos outros. E há muita gente profundamente empenhada no trabalho, mas que não sonha — e nem deveria ser obrigada a sonhar — em comandar uma empresa. Um papel de liderança não é a única maneira de exercer grande impacto.

Também reconheço que há diferenças biológicas entre os homens e as mulheres. Amamentei dois filhos e percebi, às vezes muito desapontada, que era uma coisa que meu marido simplesmente não estava equipado para fazer. Será que existem características intrínsecas às diferenças de sexo que tornam as mulheres mais protetoras e os homens mais decididos? É muito provável que sim. Apesar disso, no mundo atual, onde não precisamos mais caçar nosso alimento na selva, nosso desejo de exercer liderança é, em larga medida, um traço culturalmente criado e consolidado. São nossas expectativas sociais que, em grande parte, determinam nossa maneira de encarar o que podemos e devemos realizar.

Desde que nascemos, meninos e meninas recebem tratamentos diferentes.[20] Os pais costumam falar mais com as bebês do que com os bebês.[21] As mães superestimam a capacidade de engatinhar dos filhos e subestimam a das filhas.[22] Refletindo a crença de que as meninas precisam de mais ajuda do que os meninos, muitas vezes as mães passam mais tempo abraçando e acarinhando as bebês, e mais tempo olhando os bebês brincando sozinhos.[23]

Outras mensagens culturais são mais gritantes. Uma vez, a Gymboree pôs à venda macacõezinhos proclamando "Inteligente como o papai" para os meninos e "Bonita como a mamãe" para as meninas.[24] No mesmo ano, a J. C. Penney anunciou uma camiseta para garotas adolescentes que alardeava: "Sou bonita demais para fazer a tarefa de casa; então meu irmão tem de fazer para mim".[25] Isso não aconteceu em 1951. Aconteceu em 2011.

Ainda pior, as mensagens às meninas podem ir além de incentivar os traços superficiais e passar a desestimular explicitamente a liderança. Quando uma menina tenta liderar, muitas vezes é chamada de mandona. Raramente os meninos são chamados de mandões, porque um menino assumindo o papel de chefe não surpreende nem ofende. Como me chamaram muito de mandona durante grande parte de minha infância, sei muito bem que não é um elogio.

Minha família se diverte em contar (e recontar) as histórias da minha mandonice quando criança. Parece que, quando eu estava no ensino básico, ensinei meus irmãos mais novos, David e Michelle, a me seguir por toda parte, ouvir meus monólogos e exclamar "Muito bem!" quando eu terminava. Entre a criançada do bairro, eu era a mais velha e dizem que passava o tempo organizando espetáculos que depois comandava e criando clubes que depois dirigia. As pessoas riem dessas histórias, mas até hoje sempre sinto uma leve vergonha de meu comportamento (o que é notável, visto que agora escrevo um livro inteiro dizendo por que as meninas não devem se sentir desse jeito — mas talvez isso explique em parte minha motivação).

Mesmo quando já estávamos na casa dos trinta, meus irmãos ainda adoravam me atazanar apontando essa minha mandonice. Quando Dave e eu nos casamos, David e Michelle fizeram um lindo e divertido brinde, que começava assim:

> Olá! Alguns de vocês pensam que somos os irmãos mais novos de Sheryl, mas na verdade fomos seus primeiros funcionários — funcionário número 1 e funcionária número 2. No começo, quando tínhamos um ano e três anos de idade, éramos uns imprestáveis. Desorganizados, preguiçosos. Preferíamos regurgitar no babador a ler o jornal de manhã. Mas Sheryl foi capaz de enxergar nosso potencial. Por mais de dez anos, ela nos tomou sob suas asas até que estivéssemos prontos.

Todo mundo riu. Meus irmãos continuaram:

Até onde sabemos, Sheryl nunca *brincou* de verdade quando era criança: apenas organizava as brincadeiras das outras crianças. Ela também supervisionava os adultos. Quando nossos pais saíam de férias, nossos avós costumavam cuidar de nós. Antes que nossos pais saíssem, Sheryl protestava: "Agora vou ter de cuidar do David e da Michelle, e *também* da vovó e do vovô. Não é justo!".

Todo mundo riu ainda mais alto.
Eu também ri, mas ainda há uma parte dentro de mim que sente como era impróprio uma menininha ser considerada tão... dominadora. *Vergonha*.
Desde muito cedo, os meninos são incentivados a se encarregar de alguma coisa e a dar suas opiniões. Os professores interagem mais com eles, chamam-nos mais vezes, fazem-lhes mais perguntas. Também é mais frequente que os meninos perguntem alguma coisa e, nesse caso, os professores costumam ouvi-los. Quando são as meninas que fazem perguntas, muitas vezes levam bronca por não obedecerem às regras, as quais determinam que, se quiserem falar, devem antes levantar a mão.[26]
Pouco tempo atrás, vi que esses padrões persistem mesmo quando somos todos adultos. Num pequeno jantar com outros executivos, o convidado de honra falou o tempo inteiro sem pausa nem para respirar, ou seja, a única forma de fazer alguma pergunta ou comentário era interrompendo. Três ou quatro homens não se avexaram, e o convidado respondeu às perguntas deles com toda a educação e depois retomou a fala. A certa altura, tentei acrescentar alguma coisa ao tema e ele rosnou: "Deixe-me terminar! Até parece que não sabem ouvir!". Depois, mais um ou outro homem interveio e ele permitiu. Aí a única outra mulher executiva presente decidiu falar — e ele fez a mesma coisa! Deu

uma bronca nela por estar interrompendo. Depois do jantar, um dos diretores executivos me puxou de lado e comentou que tinha notado que apenas as mulheres receberam ordem de silêncio. Falou que se solidarizava, pois como hispânico tinha sido tratado assim inúmeras vezes.

O perigo não se resume a esse silêncio que as figuras de autoridade impõem à voz das mulheres. As jovens interiorizam dicas sociais sobre o comportamento "adequado" e, por sua vez, elas mesmas silenciam. São premiadas por ser "bonitas como a mamãe" e também incentivadas a ser protetoras como a mamãe. O disco *Free to Be... You and Me* [Livre para ser... eu e você] foi lançado em 1972 e virou um ícone da minha infância. Minha música preferida, "William's Doll" [A boneca de William], é sobre um menino de cinco anos que pede de presente ao pai um brinquedo que tradicionalmente é de menina e o pai fica relutante. Passados quase quarenta anos, a indústria de brinquedos continua dominada por estereótipos. Logo antes do Natal de 2011, um vídeo apresentando uma menina de quatro anos chamada Riley fez o maior sucesso. Riley entra numa loja de brinquedos, brava porque as empresas estão tentando "forçar as meninas a comprar coisas cor-de-rosa em vez das coisas que os meninos gostam de comprar, certo?". Certo. Aí ela raciocina: "Algumas meninas gostam de super-heróis, outras de princesas. Alguns meninos gostam de super-heróis, outros de princesas. Então por que todas as meninas têm de comprar coisas cor-de-rosa e todos os meninos têm de comprar coisas de outra cor?".[27] Mesmo para uma menina de quatro anos, é preciso quase um ato de rebelião para se desprender das expectativas da sociedade. William continua sem boneca, enquanto Riley se afoga num mar cor-de-rosa. Agora toco *Free to Be... You and Me* para meus filhos e fico na esperança de que, se algum dia tocarem a música para os filhos *deles*, a mensagem pareça uma graciosa peça de antiquário.

Os estereótipos de sexo incutidos na infância são reforçados ao longo de toda a nossa vida e são como profecias que, de tanto serem repetidas, acabam se realizando. Os cargos de liderança são na maioria ocupados por homens, e assim as mulheres não *esperam* alcançá-los, e esta passa a ser uma das razões pelas quais elas não os alcançam. O mesmo se aplica ao pagamento. Os homens, geralmente, ganham mais que as mulheres, e assim as pessoas *esperam* que as mulheres ganhem menos. E então elas ganham.

Outra coisa que se soma ao problema é um fenômeno sociopsicológico chamado "ameaça do estereótipo". Vários cientistas sociais observaram que, quando os integrantes de um grupo são informados de um estereótipo negativo, é mais provável que se comportem de acordo com aquele estereótipo. Por exemplo, segundo os estereótipos, os meninos são melhores em matemática e ciências do que as meninas. Quando as meninas são lembradas do sexo a que pertencem antes de uma prova de matemática ou de ciências, mesmo por algo tão simples quanto marcar o quadradinho indicando M ou F no alto da página, elas se saem pior.[28] A ameaça do estereótipo desestimula as meninas e as mulheres a entrar em áreas técnicas e esta é uma das razões principais pelas quais pouquíssimas estudam ciências da computação.[29] Como me disse certa vez uma estagiária no Facebook: "No departamento de ciências da computação da minha faculdade, tem mais Daves do que meninas".

O estereótipo da mulher que trabalha raramente é atraente. Faz muito tempo que a cultura popular retrata as profissionais bem-sucedidas como mulheres tão consumidas pela carreira que não têm vida pessoal (pense em Sigourney Weaver em *Uma secretária de futuro* e Sandra Bullock em *A proposta*). Se uma figura feminina divide o tempo entre o trabalho e a família, vive quase sempre mortificada e com um grande sentimento de culpa (pense em Sarah Jessica Parker em *Não sei como ela consegue*). E essas caracterizações ultrapassaram o reino da ficção. Um estudo sobre homens e mulheres da geração Y que trabalham numa empresa chefiada por uma mulher mostrou que apenas 20% gostariam de ter uma carreira como a dela.[30]

Esse estereótipo pouco atraente é especialmente infeliz, na medida em que a maioria das mulheres não tem outra escolha a não ser continuar no mercado de trabalho. Nos Estados Unidos, cerca de 41% das mães são as principais provedoras da casa, responsáveis pela maior parte da receita doméstica. Outros 23% das mães participam do orçamento familiar, contribuindo com pelo menos 25% da receita doméstica.[31] O número de mulheres sustentando sozinhas as famílias tem aumentado num ritmo acelerado: entre 1973 e 2006, a proporção de famílias encabeçadas por mães solteiras passou de 10% para 20%.[32] Esses números são expressivamente mais altos em famílias hispânicas e afro-americanas: 27% das crianças latinas e 52% das crianças afro-americanas estão sendo criadas por mães solteiras.[33] As mulheres europeias também são cada vez mais o arrimo de suas famílias.[34]

Os Estados Unidos estão bastante atrás de outros países quanto às formas de ajudar os pais a cuidar dos filhos e a permanecer no mercado de trabalho. Entre todas as nações industrializadas do mundo, apenas os Estados Unidos não têm uma política de licença-maternidade remunerada.[35] Como observou Ellen Bravo, diretora da Associação Family Values @ Work, em sua maioria:

> As mulheres não estão pensando em "ter tudo"; elas estão preocupadas em perder tudo — o emprego, a saúde dos filhos, a estabilidade financeira da família — devido aos conflitos entre ser uma boa funcionária e uma mãe responsável, que surgem constantemente.[36]

Para muitos homens, o pressuposto fundamental é que podem ter uma vida profissional de sucesso e uma vida pessoal completa. Para muitas mulheres, o pressuposto é que tentar fazer as duas coisas é, na melhor das hipóteses, difícil ou, na pior das hipóteses, impossível. As mulheres vivem cercadas de manchetes e notícias alertando que não podem se dedicar às duas coisas, à família e à carreira. Ouvem incessantemente que precisam escolher, pois, se tentarem fazer demais, ficarão esgotadas e infelizes. Pôr a questão em termos de "equilíbrio trabalho/ vida" — como se fossem diametralmente opostos — é quase uma garantia de que o trabalho vai sair perdendo. Quem escolheria o trabalho em detrimento da vida?

A boa notícia é que as mulheres não só podem ter família e carreira, como também ser bem-sucedidas nisso. Em 2009, Sharon Meers e Joanna Strober publicaram *Getting to 50/50* [Chegando à equidade], uma ampla análise de pesquisas governamentais, sociológicas e inéditas que levou as autoras à conclusão de que filhos, pais e casamentos podem prosperar quando os dois pais têm carreiras plenas. Os dados revelam claramente que a divisão das responsabilidades financeiras e da criação dos filhos leva a mães com menos sentimento de culpa, a pais com maior grau de envolvimento e a crianças felizes.[37] A professora Rosalind Chait Barnett, da Universidade Brandeis, fez um amplo levantamento de estudos sobre o equilíbrio trabalho/ vida e descobriu que as mulheres que desempenham múltiplos papéis na verdade mostram níveis mais baixos de ansiedade e níveis mais altos de bem-estar mental.[38] As mulheres empregadas colhem frutos que incluem maior segurança financeira, maior estabilidade matrimonial, melhor saúde e, de modo geral, maior satisfação existencial.[39]

Um filme sobre uma mulher que ama o trabalho e a família talvez não seja tão dramático ou engraçado, mas refletiria melhor a realidade. Precisamos que se retratem mais as mulheres como profissionais competentes e mães felizes — ou mesmo profissionais felizes e mães competentes. As imagens negativas habituais podem nos fazer rir, mas também geram um receio desnecessário nas mulheres ao apresentar os desafios da vida como dificuldades intransponíveis. Nossa cultura continua perplexa: *Não sei como ela consegue.*

O medo está na base de muitas das barreiras enfrentadas pelas mulheres. Medo de não ser apreciada. Medo de fazer a escolha errada. Medo de atrair uma atenção negativa. Medo de ser uma fraude. Medo de ser julgada. Medo do fracasso. E a santíssima trindade do medo: o medo de ser má filha/ esposa/ mãe.

Sem o medo, as mulheres podem procurar o sucesso profissional e a realização pessoal — e ter a liberdade de escolher um ou outro, ou ambos. No Facebook, nós nos esforçamos para criar uma cultura que encoraja as pessoas a correr riscos. Temos cartazes por todo o escritório reforçando essa atitude. Um deles diz em letras vermelhas: "A sorte favorece os ousados". Outro reforça: "Avance e arrisque". Meu favorito diz: "O que você faria se não tivesse medo?".[40]

Em 2011, Debora Spar, diretora da Faculdade Barnard, escola feminina de artes liberais em Nova York, me convidou para fazer o discurso de formatura. Foi a primeira vez que tratei abertamente do abismo na ambição de liderança. Lá na tribuna, eu estava me sentindo nervosa. Falei às formandas que deviam ser ambiciosas não só para seguir seus sonhos, mas também para almejar a liderança em seus campos de atuação. Eu sabia que podiam interpretar mal minha mensagem, achando que estaria criticando as mulheres por não fazerem as mesmas escolhas que fiz. Nada estaria mais longe da verdade. Acredito que escolha significa escolha para todas nós. Mas também acredito que precisamos fazer algo mais para incentivar as mulheres a almejar papéis de liderança. Se não pudermos dizer às mulheres que mirem alto durante uma formatura, quando poderemos?

Enquanto discursava para as jovens entusiasmadas, fiquei lutando para conter as lágrimas. Isso durou o discurso todo e terminei assim:

> Vocês são a promessa de um mundo mais igualitário. Assim, o que desejo a todas aqui presentes é que, depois de subir ao palco, pegar o diploma, sair à noite para comemorar, então façam sua carreira acontecer. Encontrarão alguma coisa que gostam de fazer e farão com entusiasmo. Encontrem a carreira certa e subam até o topo.
>
> Ao sair daqui hoje, vocês começam a vida adulta. Comecem mirando alto. Empenhem-se — e muito.
>
> Como todas as pessoas aqui presentes, tenho grandes esperanças nas jovens que estão se formando. Espero que vocês encontrem um significado autêntico, alegria e paixão em suas vidas. Espero que, ao atravessar tempos difíceis, vocês saiam com mais força e determinação. Espero que encontrem o equilíbrio que buscam mantendo os olhos bem abertos. E espero que vocês — sim, vocês — tenham a ambição de fazer sua carreira acontecer e comandem o mundo. Porque o mundo precisa de vocês para transformá-lo. As mulheres de todo o mundo estão contando com vocês.
>
> Então perguntem a si mesmas: o que eu faria se não tivesse medo? Aí vão e façam.

Quando as formandas foram chamadas ao palco para pegar seus diplomas, dei a mão a todas. Muitas pararam para me abraçar. Uma jovem chegou a me dizer que eu era uma "aberração" (o que, depois de conferir com outra pessoa, descobri que era um elogio).

Sei que a intenção do discurso era motivá-las, mas na verdade elas é que me motivaram. Nos meses seguintes, comecei a pensar que devia falar mais vezes e mais publicamente sobre essas questões. Devia insistir com mais mulheres que acreditassem em si mesmas e aspirassem à liderança. Devia insistir com mais homens que participassem da solução apoiando as mulheres no trabalho e em casa. E não devia falar apenas para plateias receptivas como em Barnard. Devia procurar plateias maiores e talvez mais refratárias. Devia seguir meu próprio conselho e ser ambiciosa.

Este livro não sou eu só encorajando os outros a fazer acontecer. Sou eu fazendo acontecer. Este livro é o que eu faria se não tivesse medo.

2. Um lugar à mesa

Alguns anos atrás, organizei uma reunião para o secretário do Tesouro Tim Geithner no Facebook. Convidamos quinze executivos de todo o Vale do Silício para um café da manhã e um debate sobre a economia. O secretário Geithner chegou com quatro mulheres de sua equipe, duas de escalão mais alto e duas de escalão médio, e todos ficamos em nossa sala de reuniões. Depois das habituais perambulações, convidei os presentes a se servir no bufê e tomar um assento. Nossos convidados, homens na maioria, pegaram os pratos, se serviram de comida e sentaram à ampla mesa de reuniões. A equipe do secretário Geithner, só de mulheres, foi a última a se servir e elas sentaram em cadeiras num dos lados da sala. Pedi que sentassem à mesa, acenando com a mão para mostrar que seriam bem-vindas. Hesitaram um pouco e continuaram no mesmo lugar.

As quatro mulheres tinham todo direito de estar nessa reunião, mas, pelo lugar que escolheram para sentar, pareciam mais espectadoras do que participantes. Eu sabia que tinha de dizer alguma coisa. Assim, depois da reunião, chamei as quatro para conversar. Comentei que deviam ter sentado à mesa mesmo sem convite, mas, quando receberam em público minhas boas-vindas, sem dúvida deviam ter se juntado a nós. De início ficaram surpresas e depois concordaram.

Para mim, aquele momento foi um divisor de águas. Foi o momento em que vi como uma barreira interna pode afetar o comportamento das mulheres. Foi o momento em que percebi que, além de enfrentar obstáculos institucionais, as mulheres travam uma batalha interior.

Quando dei uma palestra no TED falando como as mulheres podem ter sucesso no mercado de trabalho, contei esse episódio para ilustrar como as próprias mulheres se retraem, escolhendo literalmente assistir às coisas de lado. E que, por mais desapontada que eu ficasse com aquela escolha, também entendia plenamente as inseguranças que as obrigaram a se pôr de lado, grudadas naquelas cadeiras.

Em meu último ano de faculdade, fui introduzida na Sociedade Honorária Phi Beta Kappa. Naquela época, Harvard e Radcliffe tinham sedes separadas e por isso minha cerimônia foi apenas para mulheres. A oradora principal, dra. Peggy McIntosh, dos Centros Femininos Wellesley, deu uma palestra chamada "Sentindo-se uma fraude".[1] Ela explicou que muitas pessoas, mas principalmente as mulheres, se sentem uma fraude quando são elogiadas pelo que fizeram. Em vez de se sentirem merecedoras de reconhecimento, sentem-se indignas e culpadas, como se tivesse ocorrido um engano. Apesar de terem realizado grandes feitos e até serem sumidades em suas áreas, parece que as mulheres não conseguem se libertar da sensação de que é só uma questão de tempo e serão desmascaradas, mostrando o que realmente são — impostoras com capacidades ou qualificações limitadas.

Parecia-me o melhor discurso que tinha ouvido em toda a

minha vida. Fiquei inclinada para a frente na cadeira, assentindo vigorosamente com a cabeça. Carrie Weber, minha colega de quarto, brilhante e que nada tinha de fraude, fazia a mesma coisa. Até que enfim alguém dizia exatamente o que eu sentia. Toda vez que me chamavam na classe, eu achava que ia dar alguma mancada. Toda vez que fazia uma prova, achava que tinha ido mal. E toda vez que não dava mancada — ou até ia bem —, achava que mais uma vez tinha enganado todo mundo. Mas, um dia, eu seria pega no flagra.

Na recepção que reunia homens e mulheres depois da cerimônia — uma festa para nerds, de forma que eu me encaixava bem —, comentei com um de meus colegas de turma sobre o discurso fantástico da dra. McIntosh, explicando como todas nós nos sentíamos uma fraude. Ele me olhou, meio perdido, e perguntou: "E o que tem de interessante nisso?". Depois, Carrie e eu brincamos que o discurso feito para os homens provavelmente foi algo na linha "Como competir num mundo onde nem todos são tão inteligentes como você".

Esse fenômeno de se sentir atormentada pela dúvida em relação a si mesma tem um nome: a síndrome do impostor. Homens e mulheres são suscetíveis à síndrome do impostor, mas as mulheres têm propensão de senti-la com maior intensidade e ficar mais tolhidas.[2] Até Tina Fey, atriz e escritora de incrível sucesso, reconheceu que sentia essas coisas. Uma vez, ela explicou a um jornal inglês:

> A beleza da síndrome do impostor é que você oscila entre uma extrema egomania e uma sensação total de: "Sou uma fraude! Meu Deus, vão me descobrir! Sou uma fraude!". Então, quando a egomania vem, você tenta simplesmente embarcar nela e aproveitar, e depois passar numa boa pela ideia de fraude. Falando sério, percebi que quase todo mundo é uma fraude, então tento não me sentir muito mal a respeito.[3]

Para as mulheres, sentir-se uma fraude é sintoma de um problema maior. Nós nos subestimamos sistematicamente. Múltiplos estudos em múltiplas áreas mostram que as mulheres costumam julgar seu desempenho pior do que ele realmente é, enquanto os homens julgam seu desempenho melhor do que realmente é. Avaliações de residentes de cirurgia mostraram que, diante da solicitação de avaliar a si mesmos, as alunas se deram notas mais baixas do que os alunos, apesar das avaliações dos docentes mostrando que as moças tinham ido melhor do que os rapazes.[4] Um estudo com milhares de possíveis candidatos políticos revelou que, apesar das credenciais parecidas, os homens tinham uma tendência 60% maior de achar que eram "muito qualificados" para concorrer a cargos políticos.[5] Um estudo de quase mil estudantes de direito em Harvard mostrou que, em quase todas as categorias de qualificações referentes ao exercício do direito, as mulheres se atribuíram notas mais baixas do que os homens.[6] Ainda pior, quando as mulheres se avaliam na frente de outras pessoas ou em campos estereotipicamente masculinos, elas podem se subestimar de maneira ainda mais acentuada.[7]

Peçam a um homem para explicar seu sucesso e normalmente ele o atribuirá a suas próprias capacidades e qualidades inatas. Façam a mesma pergunta a uma mulher, e ela atribuirá seu sucesso a fatores externos, insistindo que se saiu bem porque "realmente me esforcei muito", "tive sorte" ou "recebi ajuda de outras pessoas". Os homens e as mulheres também dão explicações diferentes para o fracasso. Um homem, quando fracassa, aponta fatores como "não estudei o suficiente" ou "o assunto não me interessava". Já a mulher, quando fracassa, tem uma tendência maior a acreditar que foi por causa de uma incapacidade intrínseca.[8] E em situações onde ambos, um homem e uma mulher, recebem um retorno negativo, a mulher sente uma queda muito maior em sua confiança e amor-próprio.[9] A interiorização do fracasso e a insegurança resultante prejudicam o desempenho futuro, de modo que esse padrão traz graves consequências para o longo prazo.[10]

E não são só as mulheres que são duras consigo mesmas. Os colegas e os meios de comunicação não hesitam em atribuir as realizações de uma mulher a fatores externos. Quando o Facebook abriu seu capital, o *New York Times* publicou um artigo lembrando gentilmente a mim — e a todo mundo — que eu tinha "tido sorte" e "contado com mentores importantes ao longo do caminho".[11] Jornalistas e blogueiros se manifestaram denunciando o duplo critério e apontando que o *New York Times* raramente atribuía o sucesso masculino à sorte. Mas o jornal não disse nada que eu mesma já não me tivesse dito mil vezes. Em todas as etapas de minha carreira, tenho atribuído meu sucesso à sorte, ao esforço no trabalho e à ajuda dos outros.

Minha insegurança começou, como costuma começar a maioria das inseguranças, no ensino médio. Eu estudava em uma grande escola pública em Miami — pensem em *Picardias estudantis* — que estava muito mais preocupada em impedir as brigas nos corredores e não deixar os alunos usarem drogas nos banheiros do que em ensinar. Quando fui aceita em Harvard, muitos colegas do ensino médio me perguntavam por que raios eu queria ir para uma escola cheia de nerds. Mas aí paravam de repente, lembravam com quem estavam falando e iam embora com o rabo entre as pernas, sem esperar resposta, entendendo que já a tinham.

Meu primeiro ano na faculdade foi um tremendo choque para mim. No primeiro semestre, fiz um curso chamado "O conceito de herói na civilização helênica", que o pessoal apelidou de *Heróis gregos para leigos*. Eu não morria de vontade de estudar mitologia grega, mas era o jeito mais fácil de cumprir a obrigatória de literatura. O professor começou a primeira aula perguntando quem já tinha lido aqueles livros. Cochichei para minha amiga ao lado: "Que livros?". Ela respondeu: "A *Ilíada* e a *Odisseia*, claro". Quase todos levantaram a mão. Eu não. Aí o professor perguntou: "E quem leu esses livros no original?". Perguntei à minha amiga: "Que original?". Ela respondeu: "O grego homérico". Um bom terço da classe continuou com a mão levantada. Parecia bem evidente que eu era um dos leigos.

Algumas semanas depois, meu professor de filosofia política mandou escrever um texto de cinco páginas. Entrei em pânico. Cinco páginas inteiras! A única vez em que eu tinha escrito um texto daquele tamanho tinha sido no colégio, e era um projeto para o ano todo. Como é que alguém ia conseguir escrever cinco páginas numa semana? Virei todas as noites, me esforcei ao máximo e, pelo tempo que aquilo me tomou, merecia um A pelo esforço. Tirei C. É praticamente impossível tirar um C em Harvard, se a gente entrega a tarefa. Não é exagero — era o equivalente a uma reprovação. Fui falar com minha supervisora de alojamento, que trabalhava no setor de matrículas. Ela me disse que eu fora admitida em Harvard por minha personalidade, não por meu potencial acadêmico. Grande consolo.

Respirei fundo, redobrei o empenho e no final do semestre já conseguia escrever textos de cinco páginas. Mas, por melhor que eu fosse em sala de aula, sempre me sentia prestes a ser flagrada por não saber realmente nada. Foi só quando ouvi o discurso na Phi Beta Kappa sobre a dúvida em relação a si mesmo que a ficha caiu: a verdadeira questão não era eu me sentir uma fraude, era que eu pudesse sentir algo tão intensamente, tão profundamente, e estivesse totalmente errada.

Eu devia ter entendido que esse tipo de dúvida era mais frequente entre as mulheres, já que tinha crescido com um irmão. David é dois anos mais novo do que eu e uma das pessoas que mais amo e respeito no mundo. Em casa, ele divide com a esposa, meio a meio, as obrigações com os filhos; no trabalho, é um neurocirurgião infantil que passa os dias tendo de tomar decisões dificílimas de vida ou morte. Tivemos a mesma criação, mas David sempre foi mais confiante. Uma vez, também no ensino médio, nós dois tínhamos encontros no sábado à noite, e nossos respectivos pares cancelaram no final da tarde. Passei o resto do fim de semana vagueando apática pela casa, imaginando o que havia de errado comigo. David riu do bolo que tinha levado, anunciando: "Aquela garota perdeu um programão", e saiu para jogar basquete com os amigos. Por sorte, eu tinha minha irmã menor, de uma sabedoria e compreensão muito além de sua idade, que me consolou.

Alguns anos depois, David me alcançou na faculdade. Eu era veterana e ele calouro, mas fizemos juntos um curso sobre a história intelectual europeia. Minha colega de quarto, Carrie, também estava no curso, o que foi de uma tremenda ajuda, pois sua área era literatura comparada. Carrie assistiu a todas as aulas e leu os dez livros indicados — nas línguas originais (na época, eu já sabia quais eram). Eu assisti a quase todas as aulas e li todos os livros — em inglês. David assistiu a duas aulas, leu um livro e então foi ao nosso dormitório para se preparar para o exame final. Sentamos todos juntos na hora do exame, escrevendo freneticamente nossas respostas durante três horas. Quando saímos da sala, um perguntou ao outro como tinha ido. Eu estava nervosa. Tinha me esquecido de apresentar a relação do id freudiano com o conceito de vontade de Schopenhauer. Carrie também estava preocupada e confessou que não tinha explicado direito a distinção de Kant entre o belo e o sublime. Viramos para meu irmão. Como tinha ido na prova? Ele anunciou: "Gabaritei". E nós: "Gabaritou?". Ele: "É, tirei A".

Ele estava certo. David realmente tirou A. Na verdade, nós três tiramos A na prova. A confiança dele não era exagerada. Exagerada era a minha insegurança e a de Carrie.

Essas experiências me ensinaram que eu precisava de um ajuste intelectual e também emocional. Aprendi com o tempo que, embora fosse difícil eliminar os sentimentos de dúvida, conseguia entender que era uma distorção. Nunca teria a confiança fácil de meu irmão, mas poderia contestar a sensação de estar sempre no rumo do fracasso. Quando eu sentia que não era capaz de fazer alguma coisa, lembrava a mim mesma que não tinha sido reprovada nos exames da faculdade. Em nenhum deles. Aprendi a desdistorcer a distorção.

Todos nós conhecemos gente extremamente confiante que não tem o menor direito de se sentir assim. Todos nós conhecemos gente que seria capaz de fazer muita coisa se confiasse em si mesma. Como tantas outras coisas, a falta de confiança pode se tornar uma profecia que se cumpre sozinha. Não sei convencer ninguém a acreditar que é a melhor pessoa para aquele trabalho, nem mesmo a mim. Até hoje, digo brincando que adoraria passar algumas horas me sentindo tão confiante como meu irmão. Deve ser tão, mas tão gostoso — como gabaritar tudo, todos os dias.

Quando me sinto insegura, uma tática que aprendi, e que às vezes ajuda, é fingir. Descobri isso quando era instrutora de aeróbica nos anos 1980 (o que significava um maiô prateado, polainas de lã e uma faixa cintilante na cabeça, tudo combinando maravilhosamente com meu cabelão). Por influência do evangelho de Jane Fonda, a aeróbica também significava ficar sorrindo uma hora inteira. Em alguns dias, o sorriso vinha naturalmente. Em outros dias, eu estava de péssimo humor e tinha de fingir. Mas, depois de uma hora de sorriso forçado, muitas vezes eu ficava bem alegre.

Já aconteceu a muitos de nós ficarmos chateados com alguém e depois ter de fingir em público que está tudo ótimo. Meu marido e eu de vez em quando brigamos e, antes que a coisa desande, é hora de ir jantar na casa de algum amigo. Pomos nossos sorrisos de "está tudo ótimo" e muitas vezes acontece que, depois de algumas horas, está mesmo.

As pesquisas comprovam a eficácia dessa estratégia de "fingir até sentir". Um estudo mostrou que, quando as pessoas adotavam uma pose de muito poder (por exemplo, tomar espaço estendendo pernas e braços) por meros dois minutos, os níveis do hormônio de dominância (a testosterona) subiam e os níveis do hormônio do estresse (cortisol) diminuíam. Em decorrência disso, sentiam-se mais poderosas e capazes e mostravam maior tolerância a riscos. Uma simples mudança na postura física levava a uma mudança significativa na atitude.[12]

Não estou sugerindo que ninguém passe da sensação de confiança para a arrogância ou o exibicionismo. Ninguém gosta disso, nem em homens nem em mulheres. Mas se sentir confiante — ou fingir que se sente confiante — é necessário para aproveitar as oportunidades. É um clichê, mas as oportunidades não caem do céu: a gente é que as agarra. Nos seis anos e meio que trabalhei no Google, contratei uma equipe de 4 mil funcionários. Não conheci todos pessoalmente, mas os cem em posições mais altas sim. O que percebi ao longo dos anos foi que, de modo geral, os homens aproveitavam as oportunidades muito mais rápido do que as mulheres. Quando anunciávamos a inauguração de um novo escritório ou o início de um novo projeto, logo os homens estavam derrubando minha porta para explicar por que eram eles que deviam tomar a frente. Os homens também tendiam mais a procurar uma oportunidade de crescimento, antes mesmo que se anunciasse qualquer iniciativa nova. Ficavam impacientes em crescer logo na carreira e achavam que eram capazes de fazer mais. E muitas vezes tinham razão — exatamente como meu irmão. Já as mulheres eram muito mais cautelosas na hora de mudar de função e procurar novos desafios. Peguei-me várias vezes tentando persuadi-las a trabalhar em novas áreas. Em inúmeras dessas conversas, as mulheres reagiam a esse incentivo dizendo: "Não tenho certeza se me sairia bem nisso". Ou: "Parece muito legal, mas nunca fiz nada parecido antes". Ou: "Ainda tenho muito o que aprender em minha função atual". Raramente ou nunca ouvi esse tipo de comentário sair da boca de um homem.

Com a rapidez com que hoje se move o mundo, mais do que nunca é importante agarrar as oportunidades. Poucos gerentes têm tempo de avaliar cuidadosamente todos os candidatos a um emprego, e muito menos de convencer gente mais reticente a se candidatar. E cada vez mais as oportunidades não são muito bem definidas; pelo contrário, elas surgem de alguém aparecendo para fazer alguma coisa. Então essa alguma coisa passa a ser seu trabalho.

Quando comecei no Facebook, estava trabalhando com uma equipe para responder à pergunta crucial sobre a melhor maneira de ampliar nossos negócios. As discussões se acaloravam, com muita gente se acirrando na defesa de suas posições. A semana acabou sem chegarmos a um consenso. Dan Rose, chefe de nossa equipe de negociações, passou o fim de semana reunindo dados de mercado que nos permitiram reenquadrar a discussão no plano analítico. A iniciativa dele rompeu o impasse. Depois aumentei as responsabilidades de Dan, passando a incluir marketing de produtos. Tomar a iniciativa compensa. É difícil enxergar alguém como líder se a pessoa fica sempre esperando que lhe digam o que fazer.

O *Huffington Post* perguntou a Padmasree Warrior, diretora de tecnologia de informática da Cisco: "Qual foi a lição mais importante que você aprendeu com um erro que cometeu no passado?". Ela respondeu:

> Recusei um monte de oportunidades quando estava começando porque pensei: "Não é nisso que sou formada" ou "Não conheço essa área". Olhando para trás, a gente entende que, em certo mo-

mento, o que mais importa é a capacidade de aprender rápido e contribuir rápido. Uma coisa que eu digo às pessoas hoje é que elas não vão se encaixar perfeitamente em nada se estiverem procurando qual é a próxima grande coisa a ser feita. É preciso pegar as oportunidades e fazer com que uma delas se encaixe com você, e não o contrário. A capacidade de aprender é a qualidade mais importante que um líder pode ter.[13]

Virginia Rometty, a primeira diretora executiva da IBM, contou ao público da Cúpula das Mulheres Mais Poderosas da *Fortune* de 2011 que lhe ofereceram no começo da carreira um "grande emprego". Ela ficou preocupada se teria a experiência adequada e disse ao entrevistador que precisava pensar sobre a proposta. À noite, conversando com o marido, ele disse: "Você acha que um homem algum dia responderia dessa maneira?".

"O que isso me ensinou foi que você tem de ser muito confiante", disse Ginni. "Mesmo que por dentro seja muito autocrítica sobre o que sabe ou não sabe. E isso, para mim, leva a aceitar riscos."[14]

Continua a me espantar não só como nós mulheres não nos pomos em evidência, mas também como não percebemos e não corrigimos essa diferença. E eu me incluo neste "nós". Alguns anos atrás, falei sobre questões de igualdade sexual a algumas centenas de funcionários do Facebook. Depois de minha fala, abri para perguntas durante o tempo estipulado. Naquela mesma tarde, voltei para minha mesa e lá estava uma moça esperando para falar comigo. Ela disse: "Hoje aprendi uma coisa". Perguntei: "O quê?", já me sentindo bem, pois imaginei que ia me dizer como minhas palavras tinham mexido com ela. Mas a moça respondeu: "Aprendi a continuar com a mão levantada", e explicou que, no final da sessão, eu disse que só aceitaria mais duas perguntas. Foi o que fiz, e ela então abaixou a mão, junto com todas as outras mulheres. Mas vários homens continuaram com a mão levantada. E como diversas mãos ainda estavam acenando no ar, aceitei mais perguntas — apenas dos homens. Não foram minhas palavras que mexeram com a moça, foram as palavras dela que me atingiram feito um tijolo. Fiz um discurso sobre *questões de igualdade sexual* e eu mesma fiquei cega a uma dessas questões.

Se quisermos um mundo mais igualitário, precisamos admitir que as mulheres tendem a abaixar a mão. Precisamos de instituições e indivíduos que percebam e corrijam esse comportamento dando força, defendendo e promovendo um maior número de mulheres. E as mulheres têm de aprender a continuar com a mão levantada, porque, se abaixarem a mão, nem os gerentes com as melhores intenções do mundo vão perceber.

Quando comecei a trabalhar para Larry Summers, que então era o economista-chefe do Banco Mundial, ele era casado com uma advogada tributarista, Vicki. Larry dava muito apoio a Vicki em sua carreira e costumava insistir para ela "cobrar feito um homem". A ideia dele era que os homens consideravam todo e qualquer tempo que gastassem pensando sobre um assunto — mesmo debaixo do chuveiro — como hora a ser cobrada. Já a esposa dele e suas colegas do sexo feminino, se julgassem que em determinado dia não haviam se desempenhado muito bem, para ser justas com o cliente, descontavam as horas que tinham trabalhado. Quais os advogados que seriam mais valiosos para aquela firma? Para ilustrar o que dizia, Larry lhes contava o caso de um famoso professor da Escola de Direito de Harvard. Um juiz pediu que ele discriminasse os itens dos honorários. O professor respondeu que não poderia, porque passava muito tempo pensando em duas coisas ao mesmo tempo.

Mesmo agora, estou longe de dominar a arte de me sentir confiante. Em agosto de 2011, a *Forbes* lançou sua lista anual das Cem Mulheres Mais Poderosas do Mundo.[15] Não sou tão ingênua assim e sei que a lista não se baseava em fórmulas científicas e que as revistas adoram essas matérias de destaque, pois geram uma montanha de visitas à página quando os leitores clicam cada nome. Mesmo assim, fiquei chocada — não, aterrorizada — ao saber que a *Forbes* me pôs como a quinta mulher mais poderosa do mundo, depois da chanceler alemã Angela Merkel, da secretária de Estado Hillary Clinton, da presidente brasileira Dilma Rousseff e da diretora executiva da PepsiCo, Indra Nooyi. Fiquei na frente da primeira-dama Michelle Obama e da política indiana Sonia Gandhi. Até minha mãe ligou para dizer: "Bem, querida, acredito que você seja mesmo muito poderosa, mas não sei se é mais poderosa do que Michelle Obama". *Jura?*

Longe de me sentir poderosa, eu me senti constrangida e exposta. Quando os colegas do Facebook me paravam nos corredores para me dar parabéns, eu declarava que a lista era "ridícula". Quando os amigos postavam o link no Facebook, eu pedia para tirarem. Uns dias depois, minha assistente executiva, Camille Hart, que está comigo faz um bom tempo, me chamou para uma sala de reuniões e fechou a porta. A coisa parecia séria. Ela me falou que eu estava lidando muito mal com a matéria da *Forbes* e precisava parar de impingir a todo mundo que mencionava a lista uma diatribe sobre o absurdo que era. Eu estava mostrando demais como me sentia pouco à vontade e revelava minha insegurança. Eu devia apenas dizer "Obrigada".

Todos nós precisamos de colegas como Camille, que teve honestidade suficiente para criticar minha reação não muito educada. Ela tinha razão. Se a lista era ridícula ou não, não fui eu que fiz e não precisava reagir negativamente a ela. Duvido que um homem se sentisse tão esmagado pela imagem de seu poder diante dos outros.

Sei que meu sucesso vem de muito esforço, da ajuda dos outros e da sorte de estar na hora certa no lugar certo. Sinto profunda e constante gratidão pelos que me deram apoio e me abriram oportunidades. Reconheço o feliz acaso de ter nascido em minha família nos Estados Unidos, e não em algum dos inúmeros lugares no mundo que não reconhecem os direitos básicos das mulheres. Acredito que todos nós, homens e mulheres, devemos reconhecer nossa boa sorte e agradecer às pessoas que nos ajudam. Ninguém faz nada sozinho.

Mas também sei que, para continuar a crescer e superar meus limites, preciso acreditar em minhas capacidades. Ainda enfrento situações que receio estarem além de minhas qualificações. Há dias em que ainda me sinto uma fraude. E às vezes ainda há situações em que os outros falam mais alto e não me ouvem, enquanto respeitam os homens sentados a meu lado. Mas agora sei respirar fundo e continuar com a mão levantada. Aprendi a tomar meu lugar à mesa.

3. Sucesso e simpatia

Certo, então o que uma mulher tem de fazer é ignorar as expectativas da sociedade, ser ambiciosa, tomar seu lugar à mesa, trabalhar muito e aí fica tudo tranquilo. O que poderia dar errado?

Em 2003, Frank Flynn, professor da Escola de Administração da Universidade Columbia, e Cameron Anderson, professor da Universidade de Nova York, montaram uma experiência para estudar as percepções de homens e mulheres no local de trabalho.[1] Começaram com um estudo de caso da Escola de Administração de Harvard sobre uma empresária real, chamada Heidi Roizen. O estudo dizia que Roizen teve sucesso como investidora de risco usando sua "personalidade extrovertida [...] e uma vasta rede pessoal e profissional de contatos [que] incluía muitos dos líderes empresariais mais poderosos no setor de tecnologia digital".[2] Flynn e Anderson mandaram metade dos alunos ler o caso de Heidi e a outra metade ler o mesmo caso, mas com uma diferença — trocaram o nome "Heidi" por "Howard".

Então Flynn e Anderson fizeram um questionário para os

estudantes darem suas impressões sobre Heidi ou Howard. Heidi e Howard foram classificados como igualmente competentes, o que fazia sentido, já que as realizações "deles" eram absolutamente idênticas. Mas, embora os alunos respeitassem igualmente Heidi e Howard, Howard apareceu como um colega muito mais agradável. Heidi, por seu lado, foi tida como egoísta e não era "o tipo de pessoa que você contrataria ou para quem gostaria de trabalhar". Os mesmos dados com uma única diferença — o sexo — geraram impressões profundamente diferentes.

Essa experiência reforça o que as pesquisas já mostravam com muita clareza: o sucesso e a simpatia mantêm uma correlação positiva para os homens e negativa para as mulheres.[3] Quando um homem é bem-sucedido, homens e mulheres gostam dele. Quando uma mulher é bem-sucedida, ambos os sexos não gostam tanto dela. É um fato ao mesmo tempo chocante e esperado: chocante porque ninguém jamais admitiria estereotipar com base no sexo; esperado porque é evidentemente o que fazemos.

Décadas de estudos em ciências sociais confirmam o que o caso Heidi/ Howard demonstra de modo tão nítido: avaliamos as pessoas com base em estereótipos (sexo, raça, nacionalidade, idade, entre outros).[4] Em nosso estereótipo dos homens, eles são os provedores, decididos e motivados. Em nosso estereótipo das mulheres, elas são as protetoras, sensíveis, que pensam nos outros. Como caracterizamos os homens e as mulheres em mútua oposição, a realização profissional e todas as características associadas a ela são postas na coluna masculina. Por se concentrar na carreira e adotar uma abordagem calculada para acumular poder, Heidi transgrediu nossas expectativas estereotipadas das mulheres. Já Howard, conduzindo-se exatamente da mesma maneira, atendia às expectativas estereotipadas dos homens. Resultado? Gostaram dele, não gostaram dela.

Acredito que esse viés discriminatório está no próprio cerne da razão pela qual as mulheres se refreiam. Para os homens, o sucesso profissional ganha um reforço positivo a cada passo do processo. Já as mulheres, mesmo quando suas realizações são reconhecidas, costumam ser vistas a uma luz desfavorável. O jornalista Shakar Vedantam catalogou certa vez as descrições depreciativas de algumas das primeiras líderes mundiais. Ele escreveu:

> Margaret Thatcher, da Inglaterra, era chamada de "Átila, a fêmea". Golda Meir, a primeira mulher a ocupar o cargo de primeiro-ministro em Israel, era "o único homem no gabinete ministerial". O presidente Richard Nixon se referia a Indira Gandhi, a primeira mulher a ocupar o cargo de primeiro-ministro na Índia, como "a bruxa velha". E Angela Merkel, a atual chanceler da Alemanha, ganhou o apelido de "a *frau* de ferro".[5]

Tenho assistido constantemente à dinâmica desse jogo. Quando uma mulher se destaca no trabalho, os colegas de ambos os sexos vão dizer que ela até pode estar fazendo grandes coisas, mas "não é muito estimada por seus pares". Provavelmente também dirão que é "agressiva demais", "não sabe trabalhar em equipe", é "muito política", "não dá para confiar nela", é uma pessoa "difícil". Pelo menos são as coisas que dizem sobre mim e sobre quase todas as mulheres em altos cargos que conheço. O mundo parece estar perguntando por que não podemos ser menos Heidi e mais Howard.

A maioria das mulheres jamais ouviu falar do estudo Heidi/Howard. Nunca nos falaram, à maioria de nós, desse lado negativo da realização profissional. Mesmo assim, percebemos que somos penalizadas por nosso sucesso. Temos consciência de que, quando uma mulher age de maneira enérgica ou competitiva, está se desviando do comportamento esperado. Se uma mulher se empenha em ter o serviço pronto, se tem alta competência, se se concentra mais nos resultados do que em agradar os outros, está agindo como um homem. E, se age como homem, as pessoas não gostam dela. Em resposta a essa reação negativa, reduzimos nossos objetivos profissionais. O escritor Ken Auletta sintetizou esse fenômeno na *New Yorker*, ao observar que, para as mulheres, "a dúvida sobre si mesma se torna uma espécie de autodefesa".[6] Para nos proteger do desapreço, questionamos nossas capacidades e minimizamos nossas realizações, sobretudo na presença dos outros. Nós nos depreciamos antes que os outros nos depreciem.

No verão entre o primeiro e o segundo ano na Escola de Administração de Harvard, recebi uma carta me cumprimentando por ganhar uma verba da Henry Ford por ter o melhor boletim acadêmico entre os calouros. Era um cheque de 714,28 dólares, número quebrado que indicava imediatamente que o prêmio fora dividido entre vários alunos. Quando voltamos para nosso segundo ano, seis rapazes alardeavam que tinham ganhado esse prêmio. Multipliquei o valor de meu cheque por sete e deu um número praticamente redondo. Mistério esclarecido. Tinham sido sete — seis homens e eu.

Ao contrário dos outros seis ganhadores, não deixei que a notícia se espalhasse. Contei apenas a meu amigo mais próximo, Stephen Paul, e sabia que ele guardaria segredo. À primeira vista, essa decisão pode ter sido prejudicial para mim, já que 50% das notas na Escola de Administração de Harvard se baseiam em participação nas aulas. Os professores falam por noventa minutos e não conseguem anotar nada; assim, eles precisam se basear na memorização dos debates em classe. Quando um aluno faz um comentário a partir de algo que outros colegas disseram — "Se eu puder desenvolver o que disse Tom..." —, isso ajuda os professores a lembrar os pontos críticos e quais os estudantes que os levantaram. Tal como na vida real, o desempenho depende muito das reações mútuas entre as pessoas. Os outros seis ganhadores da verba Ford logo se tornaram os participantes mais citados, visto que sua posição acadêmica lhes deu uma credibilidade instantânea. Também logo receberam propostas de emprego de firmas importantes, antes sequer que começasse o período oficial de recrutamento. Um dia na classe, um dos seis incensados fez um comentário que, a meu ver, demonstrava que ele nem sequer tinha lido o caso em discussão. Todo mundo se derreteu em bajulações. Fiquei imaginando se eu não tinha cometido um erro enorme ao não deixar que os outros soubessem que eu tinha sido a sétima. Teria sido fácil passar tranquilamente todo o segundo ano sem nem ler o material do curso.

Mas nunca pensei realmente em trazer o fato a público. Sabia instintivamente que anunciar meu desempenho acadêmico não era uma boa ideia. Anos depois, quando li o estudo de caso Heidi/ Howard, entendi por quê. Para meus colegas homens, o fato de serem os primeiros da turma pode ter facilitado a vida, mas, para mim, dificultaria ainda mais.

Não foi à toa que cheguei a essa conclusão. A vida toda, recebi sinais e reforços culturais que me alertavam para evitar ser tachada de muito inteligente ou bem-sucedida demais. Isso começa cedo. Quando garota, você sabe que ser inteligente é legal num monte de aspectos, mas não te faz especialmente popular nem atraente para os garotos. Na escola me chamavam de "a garota mais inteligente da classe". Eu odiava aquilo. Quem quer ir ao baile de formatura com a garota mais inteligente da classe? No último ano, a turma votou em mim como "a mais propensa a ter sucesso", junto com um garoto. Eu não queria comprometer o meu baile, por isso convenci um amigo, que trabalhava no anuário, a retirar meu nome. Arranjei um par para ir comigo, um garoto que era divertido e adorava esportes. De fato, adorava tanto os esportes que, dois dias antes do baile, cancelou dizendo que ia a um jogo de basquete: "Sei que você vai entender, pois assistir às finais é uma oportunidade única na vida". Não retruquei que, no último ano do ensino médio, eu achava que ir ao baile de minha formatura era uma oportunidade única na vida. Por sorte, encontrei outro par que não era tão fanático por esportes.

Realmente nunca pensei por que eu me empenhava tanto em abafar minhas realizações desde cedo. Então, uns dez anos depois que me formei em administração, estava sentada num jantar ao lado de Deborah Gruenfeld, professora de liderança e comportamento empresarial em Stanford, e nossa troca de amenidades logo se transformou numa conversa animada. Tendo estudado o assunto, a professora Gruenfeld podia explicar o preço que as mulheres pagam pelo sucesso. Como disse ela:

> Nossas ideias culturais muito entranhadas associam os homens às qualidades de liderança e as mulheres às qualidades de proteção, e criam um dilema para as mulheres. Acreditamos que as mulheres não só são, mas *devem* ser protetoras acima de qualquer outra coisa. Quando uma mulher faz qualquer coisa indicando que talvez não seja acima de tudo boazinha e agradável, isso dá má impressão e nos incomoda.[7]

Se uma mulher é competente, não parece uma pessoa muito agradável. Se uma mulher parece uma pessoa realmente agradável, é considerada mais agradável do que competente. Como as empresas querem contratar e promover pessoas que sejam competentes *e* agradáveis, isso cria um enorme entrave para as mulheres. Ao agir com as atitudes do estereótipo feminino, fica difícil que a mulher consiga as mesmas oportunidades de um homem, mas, ao desafiar as expectativas e aproveitar tais oportunidades, a mulher passa a ser julgada egoísta e indigna. As coisas não mudam nada após o ensino médio; a inteligência e o sucesso não são caminhos fáceis para a popularidade em nenhuma faixa etária.

Ao mesmo tempo em que as mulheres precisam sentar à mesa e expor seu sucesso, isso faz com que os outros não gostem tanto delas, o que é bastante complicado.[8]

As pessoas em geral, inclusive eu, realmente querem que os outros gostem delas — e não só porque a gente se sente bem. Gostarem de nós é também um fator central para o sucesso profissional e pessoal. A disposição de apresentar, defender ou promover alguém depende dos sentimentos positivos que se tem em relação àquela pessoa. Precisamos acreditar em sua capacidade de fazer o serviço e, ao mesmo tempo, de se dar bem com todo mundo. É por isso que muitas de nós sentimos instintivamente uma pressão para abafar nossas realizações.

Em outubro de 2011, Jocelyn Goldfein, uma das diretoras de engenharia do Facebook, reuniu nossas engenheiras para encorajá-las a contar os progressos que tinham feito nos produtos que estavam desenvolvendo. Silêncio. Ninguém quis se manifestar. Quem haveria de se gabar se a autopromoção nas mulheres é vista como defeito? Jocelyn mudou de tática. Em vez de pedir às mulheres que falassem de si mesmas, pediu que contassem casos alheios. Todo mundo participou e ficou à vontade.

Expor o próprio sucesso é fundamental para ter mais sucesso. Para obter um avanço profissional, é preciso que as pessoas acreditem que o funcionário está contribuindo para os bons resultados. Os homens não têm nenhum constrangimento em reivindicar crédito pelo que fazem, desde que não caiam na arrogância. Para as mulheres, pegar esse crédito tem um custo social e profissional muito concreto. Na verdade, uma mulher que explica por que é qualificada ou menciona sucessos anteriores numa entrevista de emprego pode reduzir suas chances de ser contratada.[9]

Como se esse dilema não bastasse, os estereótipos sexuais também podem fazer com que as mulheres tenham mais serviço sem a remuneração respectiva. Quando um homem ajuda um colega, o beneficiado se sente em dívida com ele e é altamente provável que lhe retribua o favor. Mas, quando é uma mulher que ajuda, a sensação de dever alguma coisa é menor. Ela é uma pessoa que pensa nos outros, certo? Ela *quer* ajudar os outros. É o que o professor Flynn chama de "desconto de gênero", e significa que as mulheres estão pagando uma espécie de penalidade profissional devido a seu suposto desejo de ajudar os outros.[10] Por outro lado, quando um homem ajuda um colega de trabalho, isso é considerado uma imposição e ele é compensado com avaliações mais favoráveis de seu desempenho e recompensas como bônus e aumentos salariais. E, ainda mais frustrante, quando uma mulher não topa ajudar um colega, geralmente recebe avaliações menos favoráveis e menos recompensas. E se um homem não topa ajudar? Não sofre nenhuma penalidade.[11]

Devido a essas expectativas desiguais, as mulheres se veem na típica situação do "se correr, o bicho pega; se ficar, o bicho come".[12] Isso se verifica principalmente em negociações sobre remuneração, benefícios, ações e outros mimos. De modo geral, os homens negociam mais do que as mulheres.[13] Um estudo sobre os salários iniciais de estudantes recém-egressos do mestrado na Universidade Carnegie Mellon mostrou que 57% dos rapazes, mas apenas 7% das moças, tentaram negociar propostas mais altas.[14] Porém, em vez de criticar as mulheres por não negociarem mais, precisamos reconhecer que elas muitas vezes têm boas razões em relutar na defesa de seus próprios interesses, visto que o tiro pode sair pela culatra.[15]

O lado negativo pesa menos quando são homens a negociar em seu favor. As pessoas esperam que os homens defendam seus próprios interesses, mostrem suas contribuições e sejam reconhecidos e recompensados por elas. Para os homens, realmente não há problema nenhum em pedir mais. Mas, como se espera das mulheres que elas se preocupem com os outros, quando elas defendem seus interesses ou apontam seu próprio valor, homens e mulheres têm uma reação desfavorável. Uma coisa interessante é que as mulheres sabem negociar tão bem ou ainda melhor do que os homens quando é para os outros (para sua empresa ou um colega), pois nesses casos a defesa delas não parece interesseira.[16] No entanto, quando negocia em favor próprio, ela transgride a norma tácita dos sexos. Quando uma mulher negocia um salário mais alto, é muito frequente que seus colegas de ambos os sexos resistam a trabalhar com ela, pois é vista como uma mulher mais exigente do que outra que se absteve de negociar.[17] Mesmo quando consegue uma boa negociação para si, a mulher pode pagar um preço em longo prazo, em termos de boa vontade e promoção futura.[18] Infelizmente, nós mulheres somos todas Heidi. Por mais que tentemos, simplesmente não conseguimos ser Howard.

Quando eu estava negociando minha remuneração com Mark Zuckerberg, fundador e diretor executivo do Facebook, ele me fez uma proposta que achei justa. Tínhamos jantado juntos várias vezes por semana, por mais de um mês e meio, discutindo a missão e as perspectivas do Facebook. Eu estava pronta para aceitar o emprego. Não, eu estava *morrendo de vontade* de aceitar o emprego. Dave, meu marido, me dizia para continuar a negociar, mas eu tinha medo de fazer qualquer coisa que pudesse estragar. Eu podia negociar duro, mas aí talvez Mark não quisesse trabalhar comigo. Valeria a pena, já que no fundo eu sabia que ia aceitar a proposta? Concluí que não valia. Mas, logo antes de fechar o trato, Marc Bodnick, meu cunhado, ficou exasperado e explodiu: "Pô, Sheryl! Por que você vai ganhar menos do que qualquer homem ganharia para fazer o mesmo serviço?".

Meu cunhado não sabia os detalhes da negociação. A questão, para ele, era simplesmente que nenhum homem em meu nível sequer pensaria em aceitar a primeira proposta. Motivador.

Voltei ao Mark e disse que não podia aceitar, mas abri a conversa dizendo: "Claro que você entende que está me contratando para dirigir suas equipes de negociação e, portanto, quer que eu seja uma boa negociadora. Esta é a única vez em que estaremos em lados contrários da mesa". Então iniciei uma negociação pesada, e passei a noite toda nervosa pensando se tinha estragado tudo. Mas Mark me ligou no dia seguinte. Ele solucionou a questão melhorando a proposta salarial, ampliando os prazos do contrato de quatro para cinco anos e permitindo também que eu comprasse ações da empresa. Sua solução criativa não só levou à assinatura do trato, mas também permitiu um alinhamento de nossos interesses por um tempo maior.

A meta de uma negociação bem-sucedida é atingir nossos objetivos de modo que as pessoas continuem a gostar de nós. A professora Hannah Riley Bowles, que estuda gênero e negociação na Escola de Governo Kennedy, de Harvard, acredita que as mulheres podem aumentar suas chances de alcançar um resultado desejado fazendo duas coisas.[19] Primeiro, as mulheres precisam se mostrar agradáveis, preocupadas com os outros e "devidamente" femininas. Quando adotam uma abordagem mais instrumental ("É isso o que quero e mereço"), a reação dos outros é muito mais negativa.

Existe um ditado: "Pense em termos globais, aja em termos locais". Para negociar: "Pense em você, aja pelos outros". Tenho aconselhado muitas mulheres a abrirem suas negociações explicando que sabem que as mulheres costumam receber menos do que os homens, e por isso vão negociar em vez de aceitar a proposta inicial. Com isso, elas já se colocam vinculadas a um grupo e não apenas em posição individual; de fato, estão negociando por todas as mulheres. E por mais bobo que pareça, os pronomes são importantes. Sempre que possível, as mulheres devem trocar o "eu" por "nós" e conjugar o verbo no plural. A reivindicação de uma mulher terá acolhida melhor se ela disser "Tivemos um ano ótimo", em vez de "Tive um ano ótimo".[20]

Mas só a abordagem coletiva não basta. Segundo a professora Bowles, a segunda coisa que as mulheres devem fazer é apresentar uma explicação legítima para a negociação.[21] Os homens não precisam legitimar suas negociações; já se espera deles que batalhem. As mulheres, porém, precisam justificar suas reivindicações. Uma maneira é sugerir que foi por incentivo de alguém em nível mais alto ("Meu gerente sugeriu que eu viesse conversar sobre minha remuneração") ou citar os padrões vigentes no setor ("Pelo que entendo, os serviços que envolvem esse nível de responsabilidade são remunerados na faixa tal"). Mesmo assim, cada negociação é única, e as mulheres devem adaptar sua abordagem de acordo com a situação.

Dizer ao atual empregador que outra empresa fez uma proposta é uma tática habitual, porém funciona mais para os homens do que para as mulheres. Admite-se que os homens estejam concentrados em suas próprias realizações, mas das mulheres espera-se lealdade. E só ser simpática e agradável não é uma grande estratégia. Passa a mensagem de que a mulher está disposta a sacrificar sua remuneração para que os outros gostem dela. É por isso que uma mulher precisa combinar simpatia e insistência, estilo que Mary Sue Coleman, reitora da Universidade de Michigan, chama de "incansavelmente agradável".[22] Esse método exige que a mulher sorria com frequência, manifeste interesse e simpatia, invoque interesses comuns, enfatize os objetivos mais amplos, trate uma negociação como solução de um problema e não como uma posição de crítica.[23] A maioria das negociações envolve uma sucessão de pequenos avanços, de modo que as mulheres precisam manter o foco... e sorrir.

Não admira que as mulheres não negociem tanto quanto os homens. É como tentar atravessar um campo minado, de salto

alto e andando de costas. Então como fazer? Jogar segundo as regras estabelecidas pelos outros? Continuar agradável e simpática sem ser boazinha *demais*, mostrar os níveis certos de lealdade e usar a linguagem do "nós"? Entendo como é paradoxal aconselhar as mulheres a mudar o mundo seguindo regras e expectativas discriminatórias. Sei que não é uma resposta perfeita, mas é um meio possível para um fim desejável. Também é verdade, como sabe qualquer bom negociador, que entender melhor o outro lado permite chegar a um resultado mais favorável. Então, o mínimo é que as mulheres entrem nessas negociações sabendo que, se mostrarem interesse pelo bem comum mesmo negociando em favor de si mesmas, isso vai fortalecer suas posições.

Além disso, são enormes os benefícios de um empenho mais geral, em si e por si. Todas as empresas, por definição, consistem em pessoas trabalhando juntas. Concentrar-se no trabalho em equipe gera melhores resultados pela simples razão de que os grupos que funcionam bem são mais fortes do que os indivíduos. As equipes que trabalham bem em conjunto têm desempenho melhor do que as outras. E o sucesso dá mais prazer quando é compartilhado. Então, um possível resultado positivo de termos mais mulheres no comando é que nossas lideranças terão aprendido a se preocupar mais com o bem-estar dos outros. Minha esperança, claro, é que não tenhamos de jogar segundo essas regras arcaicas pelo resto da vida e que algum dia possamos simplesmente ser nós mesmas.

Ainda temos um longo caminho pela frente. Em novembro de 2011, a revista *San Francisco* publicou uma matéria sobre empresárias no Vale do Silício; como ilustração, fez uma montagem com a cabeça das mulheres citadas num corpo de homem.[24] O único tipo de corpo que podiam imaginar para empresas de sucesso usava gravata ou moletom. Nossa cultura precisa encontrar uma imagem vigorosa de sucesso feminino que, em primeiro lugar, não seja masculina e, em segundo lugar, não seja uma caucasiana ao telefone com um bebê chorando no colo. De fato, essas imagens de "mãe negligente de pastinha na mão" são tão generalizadas que a escritora Jessica Valenti reuniu várias delas numa postagem no Tumblr, ao mesmo tempo engraçada e penosa, chamada "Pobres bebezinhos brancos com mamães feministas ruins".[25]

Até chegarmos lá, receio que as mulheres continuarão a sacrificar o sucesso, preferindo que as pessoas gostem delas. Quando comecei no Facebook, um blog local gastou uma boa quantidade de pixels me avacalhando. Postaram um retrato meu e botaram um revólver na minha mão. Escreveram "mentirosa" na minha cara, em letras vermelhas garrafais. Fontes anônimas me tacharam de "falsa" e "pronta para arruinar o Facebook para sempre". Chorei. Perdi horas de sono. Fiquei aflita achando que minha carreira tinha se acabado. Aí disse a mim mesma: não faz mal. E então todo mundo me disse: não faz mal — o que apenas me lembrou de que eles também estavam lendo aqueles comentários horrorosos. Fiquei fantasiando todos os trocos que eu podia dar, mas, no final, minha melhor resposta foi ignorar os ataques e continuar a fazer meu trabalho.

Arianna Huffington, fundadora do *Huffington Post*, acredita ser absolutamente necessário que as mulheres aprendam a enfrentar críticas. No começo da carreira, Arianna percebeu que o preço de dizer o que pensava era inevitavelmente ofender alguém. Não que seja realista ou desejável que não nos importemos quando somos atacadas. Ela nos aconselha a reagir emocionalmente e sentir toda a raiva ou tristeza que as críticas nos causam. E que então sigamos em frente. Arianna dá como modelo exemplar as crianças. Uma criança pode estar chorando e, no momento seguinte, sair correndo para brincar. Tem sido um bom conselho para mim. Gostaria de ter força suficiente para ignorar o que os outros dizem, mas a experiência me diz que muitas vezes não consigo. Agora, me permitir ficar furiosa, e até realmente furiosa, e depois seguir em frente — isso eu consigo fazer.

    O apoio mútuo também ajuda. Podemos nos consolar sabendo que os ataques não são pessoais. Podemos brincar dizendo, como fez Marlo Thomas, que "um homem precisa ser um Joe McCarthy para ser chamado de implacável. Para uma mulher, basta ter um pouco de poder". A verdadeira mudança virá quando as mulheres com poder deixarem de ser exceção. É fácil não gostar de mulheres em cargos altos porque são pouquíssimas. Se as mulheres ocupassem 50% dos cargos mais altos, simplesmente seria impossível desgostar de tanta gente.

    Sharon Meers se sentiu motivada a escrever *Getting to 50/50* depois de observar ao vivo esse ponto de inflexão. No final dos anos 1990, Amy Goodfriend foi escolhida para comandar a equipe de derivativos americanos da Goldman Sachs (e depois se tornou a primeira sócia mulher na Divisão de Ações). Foi um evento cataclísmico e levou quatro homens de alto escalão a sair do grupo. Amy enfrentou muito ceticismo e um monte de críticas. Antes que Sharon ingressasse na equipe, um amigo lhe disse: "Amy é uma vaca, mas uma vaca honesta". Sharon descobriu que Amy era uma ótima chefe e, nos cinco anos seguintes, o grupo de derivativos se transformou sob seu comando. Quando passaram a ser mais de cinco diretoras na divisão — formando uma massa crítica —, o negativismo e a má vontade começaram a sumir. Passou a ser normal ter mulheres na chefia, e em 2000 o estigma parecia ter desaparecido. Infelizmente, quando essas mulheres de alto escalão saíram e a massa crítica se reduziu, reduziu-se também a crença de que as mulheres podiam ter o mesmo sucesso dos colegas homens.

    Todos precisam ficar mais à vontade com chefias femininas — inclusive as próprias chefes. Desde 1999, Pattie Sellers, editora da revista *Fortune*, tem supervisionado uma conferência anual que ela chama de Cúpula das Mulheres Mais Poderosas. Em minha primeira noite lá, em 2005, estava na sala de espera com duas grandes amigas, Diana Farrell, então diretora do Instituto Global McKinsey, e Sue Decker, então diretora financeira do Yahoo. Comentávamos o nome da conferência e contei que, quando vi o título no calendário empresarial do Google, fui correndo falar com Camille para pedir que mudasse o nome para Conferência das Mulheres da *Fortune*. Diana e Sue riram e disseram que tinham feito exatamente a mesma coisa.

Mais tarde, Pattie explicou que ela e suas colegas tinham escolhido o título de propósito, para forçar as mulheres a encarar o poder que têm e se sentir mais à vontade com o termo. Ainda me incomoda um pouco. Não tenho problemas em aplicar a palavra "poderosa" a outras mulheres — e quantas mais, melhor —, mas recuso o epíteto quando aplicado a mim. A vozinha de censura lá no fundo da cabeça continua a me advertir, como fazia no curso de administração: "Não alardeie seu sucesso nem deixe que os outros saibam. Do contrário, não vão gostar de você".

Menos de seis meses depois de entrar no Facebook, Mark e eu tivemos uma reunião para minha primeira avaliação formal. Uma das coisas que ele me disse foi que minha vontade de ser apreciada por todos me refreava. Disse que, quando a gente quer mudar as coisas, não tem como agradar a todo mundo. Se de fato consegue agradar a todos, é porque não está avançando quanto deveria. Mark tinha razão.

4. É um trepa-trepa, não uma escada

Mais ou menos um mês depois de entrar no Facebook, recebi uma ligação de Lori Goler, uma respeitadíssima alta diretora de marketing do eBay. Eu conhecia Lori por cima, socialmente, mas ela deixou claro que era um telefonema de negócios e foi direto ao assunto. "Quero me candidatar a trabalhar com você no Facebook", disse. "Então pensei em te ligar e expor todas as coisas em que sou boa e tudo o que gosto de fazer. Mas aí me ocorreu que era isso que todo mundo estava fazendo. Então resolvi te perguntar: qual é seu maior problema, e como posso resolvê-lo?"

Fiquei de queixo caído. Eu tinha contratado milhares de pessoas nos últimos dez anos e nunca ninguém disse nada remotamente parecido. As pessoas em geral se concentram em encontrar o papel certo para elas, tendo como implícito que suas qualificações vão ajudar a empresa. Lori pôs as necessidades do Facebook na frente e no centro. Abordagem magnífica. Respondi: "Meu maior problema é recrutar gente. E, sim, você pode resolvê-lo".

Lori nunca sonhou em trabalhar no recrutamento, mas não

vacilou. Até concordou em descer um nível, pois era um campo novo para ela e estava disposta a trocar esse nível na hierarquia pela aquisição de novas qualificações. Ela fez um trabalho excelente dirigindo o setor de recrutamento e meses depois foi promovida a seu cargo atual, comandando o People@Facebook. Pouco tempo atrás, quando lhe perguntei se algum dia gostaria de voltar ao marketing, ela respondeu que acha que os recursos humanos lhe permitem exercer um impacto geral maior.

A metáfora mais usual de ascensão profissional é a escada, mas essa analogia não se aplica mais à maioria dos trabalhadores. Em 2010, o americano médio teve nada menos que onze empregos desde os 18 até os 46 anos.[1] Ou seja, acabaram-se os tempos quando a pessoa entrava numa empresa e lá permanecia subindo a tal escada. Lori gosta de citar Pattie Sellers, que bolou uma metáfora muito melhor: "Carreira é um trepa-trepa, não uma escada".

Como diz Lori, a escada é limitante — a pessoa só pode subir ou descer. Já o trepa-trepa pode ser explorado de maneira mais criativa. Existe apenas uma maneira de chegar ao alto de uma escada, mas existem muitas maneiras de chegar ao alto de um trepa-trepa. O modelo do trepa-trepa beneficia a todos, principalmente às mulheres que podem estar iniciando a carreira, trocando de área, sofrendo o bloqueio de barreiras externas ou voltando ao mercado de trabalho depois de ficar fora por algum tempo. A possibilidade de criar um caminho único, com ocasionais descidas, desvios e mesmo becos sem saída, oferece uma melhor oportunidade de realização. Além disso, um trepa-trepa fornece ótimos panoramas para muita gente, não só para quem está no topo. Numa escada, quem está subindo geralmente fica com os olhos presos no traseiro da pessoa logo acima.

A escalada de um trepa-trepa é a melhor descrição de minha carreira. Volta e meia, estudantes e colegas mais novos me perguntam como planejei meu caminho. Quando digo que não foi planejado, costumam reagir com surpresa e depois com alívio. Parecem se animar ao saber que as carreiras não precisam ser traçadas desde o começo. Isso é especialmente reconfortante num mercado difícil, onde muitas vezes os interessados precisam aceitar o que estiver disponível, na esperança de que aquele trabalho aponte numa direção desejável. Todos queremos um emprego ou um cargo que realmente nos entusiasme e no qual a gente possa se engajar. Para isso, é preciso ter foco e flexibilidade, de forma que recomendo que se adotem duas metas simultâneas: um sonho em longo prazo e um plano de dezoito meses.

Eu jamais poderia adivinhar o caminho que percorreria desde meu ponto de partida até onde estou hoje. Entre outras coisas, Mark Zuckerberg tinha apenas sete anos de idade quando me formei na faculdade. Além disso, naquela época, minha relação com computadores não era propriamente muito boa. Só usei o sistema de informática de Harvard uma vez na graduação, para fazer uma análise de regressão para meu trabalho de final de curso sobre a dinâmica dos abusos conjugais. Os dados ficavam armazenados em fitas magnéticas grandes e pesadas, que eu tive de arrastar numas caixas enormes por todo o campus, xingando pelo caminho inteiro e chegando suada e descabelada no único centro de computação, povoado exclusivamente por estudantes do sexo masculino. Então tive de virar a noite rodando as fitas para incluir os dados. Quando tentei executar os cálculos finais, derrubei todo o sistema. Verdade. Anos antes de Mark dar o famoso pau naquele mesmo sistema de Harvard, fui pioneira.

Ao me formar na faculdade, tinha apenas uma vaguíssima ideia do rumo que tomaria. Essa indefinição contrastava tremendamente com a plena clareza de meu pai sobre o que ele queria desde cedo. Aos dezesseis anos, ele sentiu uma dor forte no abdômen durante um jogo de basquete. Minha avó — boa mãe judia que era — imaginou que fosse fome e o entupiu com um lauto jantar. Só piorou. Meu pai acabou no hospital, onde diagnosticaram apendicite aguda, mas, como ele havia jantado, tiveram de esperar doze horas de dor excruciante antes de operar. Na manhã seguinte, um cirurgião removeu o apêndice e, junto, a dor. Meu pai escolheu sua carreira naquele dia, decidindo que ia ser médico para ajudar a diminuir o sofrimento dos outros.

Minha mãe também tinha esse mesmo desejo de ajudar os outros. Aos onze anos, ouviu o rabino pregar sobre a importância dos direitos civis e de *tikkun olam*, expressão judaica que significa "consertar o mundo". Ela respondeu ao chamado pegando uma caneca de alumínio e indo de porta em porta, para apoiar os militantes dos direitos civis no sul do país. Desde então, continuou a ser uma apaixonada voluntária e ativista dos direitos humanos. Cresci vendo minha mãe trabalhar incansavelmente em favor dos judeus perseguidos na União Soviética. Ela e sua amiga Margery Sanford escreviam apelos comoventes pleiteando a libertação de presos políticos. À noite, meu pai também ajudava. Graças ao empenho coletivo de gente do mundo todo, salvaram-se muitas vidas.

Durante toda a minha infância, meus pais sempre ressaltaram a importância de ter uma vida dotada de significado. Ao jantar, as conversas costumavam girar em torno da injustiça social e dos que combatiam por um mundo melhor. Quando criança, nunca pensei no que queria ser, mas pensava muito no que queria fazer. Por mais tolo que pareça, eu queria mudar o mundo. Minha irmã e meu irmão escolheram a medicina e, de minha parte, sempre imaginei que ia trabalhar numa organização sem fins lucrativos ou no governo. Esse era meu sonho. E, embora não acredite em planejar todos os passos de uma carreira, acredito que é bom ter um sonho ou um objetivo em longo prazo.

Um sonho em longo prazo não tem de ser realista nem mesmo específico. Pode refletir a vontade de trabalhar em determinado campo ou de viajar pelo mundo. O sonho pode ser a autonomia profissional ou certa quantidade de tempo livre. Pode ser criar algo duradouro ou ganhar um prêmio cobiçado. Alguns objetivos requerem caminhos mais tradicionais; quem quer ser juiz do Supremo Tribunal faz bem em começar com um curso de direito. Mas mesmo um objetivo vago pode oferecer um rumo, uma referência distante que oriente o caminho.

Sem perder de vista meu sonho de infância, meu primeiro emprego saindo da faculdade foi no Banco Mundial, como assistente de pesquisa de Larry Summers, que naquele momento era economista-chefe. Sediado em Washington, o Banco tinha como missão reduzir a pobreza mundial. Passei meus primeiros nove meses entre as estantes da biblioteca do banco na esquina da rua 19 com a Pennsylvania, pesquisando fatos e números para os textos e discursos de Larry. Depois, Larry providenciou generosamente que eu participasse de uma missão de campo na Índia, na área da saúde, para ver mais de perto o que o Banco Mundial efetivamente fazia.

Essa viagem à Índia me apresentou um mundo totalmente diferente. A equipe estava trabalhando para erradicar a lepra, que era endêmica nas regiões mais pobres e remotas do país. As condições eram pavorosas. Devido ao estigma da doença, geralmente os pacientes eram removidos de suas aldeias e acabavam deitados em chãos imundos, em lugares terríveis que passavam por clínicas. Fatos e números jamais teriam me preparado para essa realidade. Tenho o mais profundo respeito pelas pessoas que põem a mão na massa para ajudar em tais crises. É o trabalho mais difícil do mundo.

Voltei a Washington com o plano de fazer um curso de direito, mas Lant Pritchett, economista do escritório de Larry que dedicou sua vida ao estudo da pobreza, me convenceu de que o curso de administração seria uma alternativa melhor. Voltei a Cambridge. Procurei manter minha consciência social ativa entrando no Nonprofit Club, extremamente impopular. Também passei meu segundo ano estudando marketing social — como o marketing pode ser usado para resolver problemas sociais — com o professor Kash Rangan. Um dos casos com que trabalhamos dizia respeito à escassez de doação de órgãos, o que resulta em dezoito mortes por dia, só nos Estados Unidos. Nunca esqueci esse caso e, dezessete anos depois, o Facebook passou a trabalhar com agências de registros de órgãos em todo o mundo, para lançar uma ferramenta incentivando o registro de doadores.

Depois da pós em administração, fui trabalhar como consultora na McKinsey & Company em Los Angeles. Não me adaptei muito ao trabalho; assim, fiquei apenas um ano e voltei a Washington para trabalhar de novo com Larry, que agora era vice-secretário do Departamento do Tesouro. Comecei como sua assistente especial. Depois, quando ele foi nomeado secretário, passei a chefe de seu gabinete. Meu serviço consistia em ajudar Larry a gerenciar as operações do departamento e a administrar seu orçamento de 14 bilhões de dólares. Isso me deu a oportunidade de participar da política econômica em nível nacional e internacional. Também dirigi alguns projetos menores, entre eles a proposta do governo de fomentar o desenvolvimento de vacinas para doenças infecciosas.

Durante meus quatro anos no Tesouro, presenciei à distância a primeira explosão da tecnologia digital. Seu impacto era evidente e muito instigante, e você ainda podia trabalhar de jeans. A informática estava transformando a comunicação e mudando a vida das pessoas não só nos Estados Unidos e nos países desenvolvidos, mas em todo o mundo. Isso reacendeu meu instinto do sonho de longo prazo. Quando terminou o governo Clinton, fiquei sem emprego e decidi me mudar para o Vale do Silício. Olhando agora, é claro que foi uma boa ideia, mas em 2001 era no mínimo questionável. A bolha da internet tinha estourado, e o setor ainda cambaleava sob o rescaldo da crise. Eu me dei um prazo de quatro meses para encontrar um trabalho, mas esperava conseguir em menos tempo. Levou quase um ano.

Minha procura de emprego no Vale do Silício teve alguns pontos altos, como conseguir falar com a diretora executiva do e-Bay, Meg Whitman, minha "ídola" em termos profissionais. Também teve alguns pontos baixos, como falar com uma alta executiva que começou a entrevista me dizendo que a empresa nunca pensaria em contratar alguém como eu, porque a experiência no governo não dava nenhum preparo para trabalhar no setor tecnológico digital. Eu podia ter agradecido a franqueza e saído do escritório dela numa boa. Mas eu nunca levava numa boa. Fiquei ali gaguejando até acabar com a última molécula de oxigênio da sala. Fiel à sua palavra, ela nunca pensou em me contratar.

Felizmente, nem todos pensavam como ela. Eric Schmidt e eu tínhamos nos encontrado diversas vezes durante meus anos no Tesouro, e fui vê-lo logo que se tornou o diretor executivo do Google, então relativamente desconhecido. Depois de várias rodadas de entrevistas com os fundadores do Google, ofereceram-me uma vaga. Meu saldo bancário estava diminuindo rapidamente, de modo que era hora de voltar a um emprego remunerado, e logo. No estilo mais autêntico — e sim, bem chatinho — de uma mestre em administração de empresas, montei uma planilha com minhas várias oportunidades nas colunas horizontais e meus critérios de seleção nas verticais. Comparei as funções, os níveis de responsabilidade e assim por diante. Minha vontade era entrar no Google e participar de sua missão de oferecer ao mundo amplo acesso à informação, mas, pela planilha, o emprego no Google era, de longe, o pior de todos.

Voltei para falar com Eric e expus meu dilema. As outras empresas estavam me recrutando com serviços de verdade, equipes a dirigir e objetivos a atingir. No Google, eu ia ser a primeira "gerente geral da unidade de negócios", o que parecia ótimo, não fosse o detalhe gritante de que o Google não tinha nenhuma unidade de negócios e, portanto, não havia *nada* para gerenciar de verdade. Não só o cargo era em nível mais baixo do que minhas outras opções, como também não dava para fazer a mínima ideia do que seria o trabalho.

Eric respondeu com um conselho que talvez tinha sido o melhor que já ouvi na vida. Tampou a planilha com a mão e me disse para não ser idiota (ótimo conselho também). E então explicou que havia apenas um critério importante na hora de escolher um emprego — a rapidez no crescimento. Quando as empresas crescem rápido, há mais coisas a fazer do que gente para fazê-las. Quando as empresas crescem mais devagar ou param de crescer, há menos coisas a fazer e gente demais fazendo coisa nenhuma. A politicagem e a estagnação se instalam, e todo mundo perde o pé. Ele disse: "Se te oferecem um lugar num foguete, você não pergunta qual é. Você simplesmente entra". Eu me decidi na hora. O Google era pequenininho e desorganizado, mas era um foguete. E, ainda mais importante para mim, era um foguete com uma missão na qual eu tinha fé.

Ao longo dos anos, tenho repetido o conselho de Eric a uma quantidade enorme de gente, incentivando as pessoas a reduzir suas planilhas de carreira a uma coluna só: potencial de crescimento. É claro que nem todos têm a oportunidade ou a vontade de trabalhar num setor como a tecnologia digital. Mas em qualquer campo existem empregos com maior potencial de crescimento do que outros. Quem trabalha em setores mais estabelecidos pode procurar os foguetes dentro de sua empresa — divisões ou equipes que estejam se expandindo. E, em carreiras como a docência ou a medicina, o corolário é procurar posições onde haja uma grande demanda por tais qualificações. Por exemplo, no campo de neurocirurgia infantil de meu irmão, em algumas cidades há excesso de profissionais, em outras há falta. Meu irmão sempre escolhia trabalhar onde havia demanda pela especialidade, de modo que podia gerar alto impacto.

Assim como acredito que todos devem ter um sonho no longo prazo, também acredito que todos devem ter um plano de dezoito meses. (Digo dezoito meses porque dois anos parecem demais e um ano parece pouco, mas não precisa ser nenhum prazo muito exato.) Em meu plano de dezoito meses, geralmente estabeleço objetivos em duas frentes. Primeiro e mais importante, coloco metas que minha equipe possa realizar. Os funcionários que se concentram no impacto e nos resultados são os mais valiosos — como Lori, que muito sabiamente se concentrou em resolver o problema de recrutamento do Facebook antes de se concentrar em si mesma. Isso não é apenas pensar nos outros — caminho inteligente e esperado para uma mulher —, é simplesmente um bom negócio.

Segundo, procuro estabelecer objetivos mais pessoais de adquirir novas capacitações nos dezoito meses pela frente. Muitas vezes é penoso, mas eu me pergunto: "Como posso melhorar?". Se tenho medo de fazer alguma coisa, geralmente é porque não sou boa naquilo ou talvez tenha medo até de tentar. Depois de trabalhar no Google por mais de quatro anos, administrando bem mais da metade da receita da empresa, fiquei constrangida ao admitir que nunca tinha fechado um acordo de negócios. Nenhum. Então reuni coragem e fui direto a meu chefe, Omid Kordestani, que na época era o chefe de vendas e desenvolvimento de negócios. Omid estava disposto a me dar uma chance de comandar uma pequena equipe de negociação. Na primeira vez que tentei, quase estraguei tudo fazendo uma proposta a nosso parceiro em potencial antes de entender plenamente suas atividades. Felizmente, havia um talentoso negociador em minha equipe, Shailesh Rao, que interveio para me ensinar o óbvio: para chegar a termos favoráveis, muitas vezes é fundamental deixar que a outra parte abra com a primeira proposta.

Todos têm espaço para melhorar. Muita gente tem um estilo no trabalho que exagera numa direção só — agressiva demais ou passiva demais, faladora demais ou tímida demais. Naquela primeira negociação, falei demais. Quem me conhece não se espantaria. Depois de identificar esse ponto fraco, procurei ajuda para corrigi-lo. Recorri a Maureen Taylor, instrutora de comunicação, que me deu uma tarefa. Durante uma semana, eu não poderia dar minha opinião, a não ser que pedissem. Foi uma das semanas mais compridas de minha vida. Se tivesse mordido minha língua a cada vez que comecei a dar minha opinião, teria ficado sem língua.

Quando queremos nos corrigir, tentar exagerar no sentido contrário pode ser uma ótima maneira de encontrar um meio-termo. Para falar o tanto certo numa reunião, tenho de sentir que estou falando muito pouco. Quem é tímido tem de sentir que está falando muito, pelos cotovelos. Conheço uma mulher que fala naturalmente em voz baixa e se obriga a "berrar" nas reuniões de negócios para conseguir falar num volume médio. É muito difícil superar nossas tendências naturais. Nesses anos todos em que venho tentando, só consigo me lembrar de duas ou três vezes em que alguém me disse: "Sheryl, gostaria que você tivesse falado mais naquela reunião". Omid disse uma vez e lhe dei um abraço.

Eric se demonstrou absolutamente certo em relação ao Google, e serei eternamente grata a ele, a Larry Page e a Sergey Brin por terem apostado em mim. Meu plano de passar dezoito meses na empresa se estendeu para seis anos e meio, e aprendi trabalhando com autênticos visionários muito mais do que poderia ter esperado algum dia na vida. Mas, no fim, senti que era hora de dar mais um passo no trepa-trepa.

Em minha vida pessoal, não sou muito fã das incertezas.

Gosto das coisas em ordem. Guardo os documentos em pastas coloridas (é, ainda) e Dave sempre fica perplexo com meu entusiasmo em reorganizar meu guarda-roupa. Mas, em minha vida profissional, aprendi a aceitar e até a prezar a incerteza. Foi o risco — e muita sorte — que me levou ao Google. A coisa deu tão certo que decidi me lançar a um novo risco, o que me levou ao Facebook. Na época, outras empresas queriam me contratar como diretora executiva, mas entrei no Facebook como diretora de operações. No começo, as pessoas me perguntavam por que aceitei um emprego "de nível mais baixo", trabalhando para um rapaz de 23 anos. Hoje ninguém mais me pergunta isso. Como fiz quando entrei no Google, dei prioridade ao potencial de crescimento rápido e à missão da empresa, e não ao título do cargo.

Já vi homens e mulheres perderem grandes oportunidades por se concentrar demais nos níveis da carreira. Uma amiga minha trabalhava como advogada fazia quatro anos quando percebeu que, em vez de conseguir se tornar sócia na firma, preferia entrar no departamento de vendas ou de marketing de uma empresa. Um de seus clientes queria contratá-la nessa nova função, mas ela teria de começar por baixo. Como tinha recursos para bancar esse período de remuneração menor, dei força para que tentasse, mas ela acabou recusando um emprego que seria um "retrocesso de quatro anos". Eu entendia como seria doloroso perder o terreno arduamente conquistado. Mesmo assim, meu argumento era que, se ela ia trabalhar por mais trinta anos, que diferença realmente faria esse "retrocesso" de quatro anos? Se esse outro rumo lhe dava mais satisfação e lhe oferecia a oportunidade de aprender coisas novas, isso significava que, na verdade, ela estaria avançando.

Em muitos casos, as mulheres precisam ser mais abertas ao risco em suas carreiras.[2] Quando saí do Google para entrar no Facebook, o número de mulheres que quis me acompanhar foi, em termos percentuais de minha equipe, menor do que o de homens. Como sempre, eles se interessaram mais em novas oportunidades de beta mais alto, como dizemos em informática — onde os riscos eram mais altos, mas o potencial de retorno era ainda maior. Muitas mulheres de minha equipe acabaram mostrando interesse em ir para o Facebook, mas isso foi anos depois, quando a empresa estava mais estabelecida. O custo da estabilidade muitas vezes consiste em menores oportunidades de crescimento.

Claro, existem épocas na vida em que a aversão ao risco é uma boa coisa: os adolescentes e adultos do sexo masculino se afundam em números muito mais altos do que as mulheres da mesma idade.[3] Mas, nos negócios, não gostar de riscos pode resultar em estagnação. Uma análise das nomeações para cargos de gestão nas empresas mostrou que as mulheres são significativamente mais propensas do que os homens a continuar na mesma função, mesmo quando assumem novas obrigações. E quando as gerentes sobem, isso se dá com mais frequência dentro da mesma empresa do que se mudando para outra empresa.[4] Às vezes, continuar na mesma área e na mesma empresa cria inércia e reduz a oportunidade de crescer. Procurar experiências diversas é uma boa preparação para a liderança.

Entendo as pressões externas que obrigam as mulheres a apostar na segurança e na estabilidade. Os estereótipos de sexo podem dificultar o ingresso em posições tradicionalmente ocupadas por homens. As mulheres tendem mais a se adaptar à carreira do companheiro do que o inverso.[5] Se a mudança de emprego inclui a mudança para outra cidade, pode ser um impedimento para uma mulher que esteja num relacionamento. O resultado é a infeliz tautologia de que a tendência de ficar leva a ficar. Não gostar de riscos no trabalho também pode levar as mulheres a uma maior relutância em aceitar desafios. Segundo minha experiência, são os homens que procuram tarefas além de suas atribuições e assumem projetos de alta visibilidade, enquanto as mulheres tendem mais a recuar. As pesquisas sugerem que isso se aplica especialmente quando as mulheres estão em ambientes que valorizam o desempenho individual ou quando estão trabalhando junto com homens.[6]

Uma das razões pelas quais as mulheres evitam tarefas além de suas atribuições e novos desafios é que elas se preocupam demais se, naquele momento, dispõem ou não das qualificações necessárias para uma nova função. É o tipo de coisa que se reproduz sozinha, já que muitas qualificações são adquiridas no próprio trabalho. Um relatório interno da Hewlett-Packard revelou que as mulheres só se candidatam a novas funções se acharem que atendem integralmente a todos os critérios arrolados. Já os homens se candidatam se acharem que atendem a 60% dos requisitos.[7] Essa diferença tem um enorme efeito cascata. As mulheres precisam parar de pensar "Não estou preparada para fazer isso" e passar a pensar "Quero fazer isso — e vou aprender fazendo".

Em meu primeiro dia de trabalho no Banco Mundial, Larry Summers me pediu para fazer alguns cálculos. Eu estava perdida, sem saber como proceder e pedi ajuda a Lant Pritchett. Ele disse: "Só ponha em Lotus 1-2-3". Eu disse que não sabia como fazer isso. Ele exclamou: "Nossa, não acredito que você chegou tão longe, e não sei como você compreende o básico de economia, sem saber usar o Lotus". Fui para casa certa de que ia ser demitida. No dia seguinte, Lant me fez sentar. Meu coração disparou. Mas, em vez de me despedir, ele me ensinou a usar o programa. Este é um grande chefe.

As mulheres também relutam mais em se candidatar a promoções, mesmo quando merecem, muitas vezes acreditando que o bom desempenho no trabalho será naturalmente recompensado.[8] Carol Frohlinger e Deborah Kolb, fundadoras do Negotiating Women, Inc., chamam esse fenômeno de "Síndrome da Coroa", em que as mulheres "esperam que, se continuarem a fazer bem o serviço, alguém vai notar e pôr uma coroa na cabeça delas".[9] Numa meritocracia perfeita, as coroas seriam distribuídas aos merecedores, mas ainda estou para ver alguma coroa flutuando por um escritório. O empenho e os resultados *deveriam* ser reconhecidos pelos outros, mas, quando não são, torna-se necessário defender os próprios méritos. Como disse antes, isso tem de ser feito com muito cuidado. Mas tem de ser feito.

Aceitar riscos, optar pelo crescimento, desafiar a nós mesmas e pedir promoção (com um sorriso no rosto, claro) são elementos importantes para gerir nossa carreira. Uma de minhas citações favoritas é da escritora Alice Walker, que observou: "A maneira mais habitual de renunciar ao poder é pensar que não se tem nenhum poder".

Não espere que lhe ofereçam poder. Como aquela coroa, talvez ele nunca se materialize. De qualquer forma, quem usa coroa num trepa-trepa?

5. Você é meu mentor?

Quando eu era criança, um de meus livros prediletos era *Você é minha mãe?*, a história de uma avezinha que sai do ovo e vê que o ninho está vazio. O passarinho vai procurar a mãe, e pergunta ansioso a um gatinho, a uma galinha, a um cachorro e a uma vaca: "Você é minha mãe?". Todos respondem: "Não". A avezinha vai ficando desesperada e acaba gritando sua pergunta a um carro, um barco, um avião e até a uma escavadeira mecânica, que só responde com um "brrrum". Preso nas pás da escavadeira, o passarinho parece condenado até que, miraculosamente, a escavadeira o devolve ao ninho. A mãe volta e o passarinho anuncia: "Você é uma ave, e é minha mãe".

Esse livro infantil reflete muito bem a pergunta profissional: "Você é meu mentor?". Se é preciso perguntar, a resposta provavelmente é não. Quando alguém encontra o mentor certo, é óbvio. A pergunta se torna uma afirmativa. Procurar ou forçar essa ligação raramente funciona, e no entanto vejo as mulheres tentarem isso o tempo todo. Quando dou palestras ou participo de um encontro, é impressionante a quantidade de mulheres que se apresentam e, no mesmo instante, me pedem para ser mentora delas. Não consigo me lembrar de um único homem que tenha me pedido a mesma coisa (embora me peçam para ser mentora da esposa ou da namorada).

A pergunta é totalmente brochante — é como se virar para o cara com quem você está saindo, calado e pensativo, e perguntar: "No que você está pensando?". Todas as mulheres de alto escalão com quem conversei sobre isso recebem uma enxurrada de solicitações assim. A reação delas é unânime: "Ah, nunca sei o que dizer quando gente que não conheço me pede para ser sua mentora". A interação pode ser lisonjeira, mas incomoda. Mesmo a magnata dos meios de comunicação Oprah Winfrey, que tanto ensinou a uma geração inteira, admite que se sente pouco à vontade quando alguém lhe pede orientação. Uma vez ela explicou: "Oriento quando vejo alguma coisa e digo: 'Quero ver isso crescer'".

Em parte, fomos nós que atraímos isso. Nos últimos dez anos, a questão de orientar e se responsabilizar por alguém tem sido o tema principal em qualquer seminário sobre a carreira das mulheres. É tema central de blogs, artigos de jornal e relatórios de pesquisas. Muitas dessas jovens estão seguindo o conselho tão repetido de que, se quiserem subir na empresa, precisam encontrar "mentores" (pessoas que lhes deem conselho e orientação) e "patrocinadores" (pessoas que utilizarão sua influência para recomendá-las).[1]

A ênfase em encontrar um orientador ou mentor ficou especialmente clara para mim quando voltei à Escola de Administração de Harvard para uma apresentação na primavera de 2011. Fui convidada pelo diretor Nitin Nohria, que subiu comigo ao palco e conduziu a entrevista. Em suas primeiras perguntas, ele se concentrou no Facebook e em como era trabalhar para Mark. Falei que adorava, exceto nos dias em que os colegas diziam coisas como "Sheryl, você pode dar uma olhada nisso? Queremos saber o que o pessoal mais velho vai pensar desse recurso". Falamos sobre a Primavera Árabe e uma batelada de assuntos do momento. Então o diretor Nohria perguntou sobre as mulheres no mercado de trabalho. Não sei o que me deu, mas virei para o público, fiz uma pausa e respondi com uma honestidade brutal. "Se persistirem as tendências atuais, daqui a quinze anos um terço das mulheres nesta sala estará trabalhando em tempo integral e quase todas estas estarão trabalhando para o cara que está sentado ao lado."

Silêncio mortal no vasto auditório. Continuei: "Desculpem se isso parece grosseiro ou surpreende alguém, mas é nesse pé que estamos. Se quiserem outra perspectiva, terão de fazer alguma coisa a respeito".

Nesse clima um pouco tenso, o diretor Nohria encerrou a entrevista e abriu para as perguntas do público. Vários homens pegaram o microfone e fizeram perguntas ponderadas, com um foco amplo, como "O que você aprendeu no Google e está aplicando no Facebook?" e "Como você dirige uma empresa de plataforma e garante estabilidade para os programadores?". Aí duas mulheres pegaram o microfone. A primeira perguntou: "Você não vê problema em trabalhar com uma concorrente da empresa onde trabalhou antes do mestrado em administração?". A segunda perguntou: "Como consigo um mentor?". Desanimei.

Os homens estavam interessados em gestão de empresa, as mulheres estavam interessadas em gestão de carreira. Os homens queriam respostas, as mulheres queriam permissão e ajuda. Percebi que procurar um mentor tinha se tornado o equivalente profissional de esperar o Príncipe Encantado. Todas crescemos ouvindo a história da Bela Adormecida, que ensina as moças que, se simplesmente esperarem o príncipe chegar, receberão um beijo e serão levadas num cavalo branco para viverem felizes para sempre. Agora, as moças aprendem que, se simplesmente esperarem o mentor certo, receberão um empurrão na carreira e serão levadas para o escritório com janela onde viverão felizes para sempre. Mais uma vez, estamos ensinando as mulheres a depender demais dos outros.

Para deixar claro, a questão não é se a orientação é ou não importante. É importante. A orientação e a recomendação são fundamentais para o avanço profissional. Homens e mulheres que tenham quem os recomende têm mais chance de conseguir tarefas além de suas atribuições e aumentos salariais do que seus colegas de mesmo sexo que não tenham quem os patrocine.[2] Infelizmente para as mulheres, os homens têm mais facilidade em adquirir e manter esses contatos.[3] Um estudo recente mostra que os homens têm uma tendência significativamente maior do que as mulheres de ser recomendados, e que os que têm patrocinadores estão mais satisfeitos com seu ritmo de avanço profissional.[4]

Como para elas é mais difícil conseguir quem as oriente e recomende, as jovens estão tomando mais iniciativa em procurar. E, embora normalmente eu aplauda o comportamento ativo, essa energia às vezes é mal dirigida. Por mais fundamentais que sejam essas ligações, provavelmente as mulheres não se desenvolverão perguntando a alguém que mal se conhece: "Você quer ser meu mentor?". As relações mais sólidas nascem de uma ligação concreta de ambos os lados, muitas vezes conquistada com esforço.

Tive sorte de encontrar mentores e patrocinadores fortes ao longo de minha carreira. Os agradecimentos neste livro trazem uma longa lista de pessoas que tiveram a generosidade de me orientar e me aconselhar. Em meu primeiro ano de faculdade, fiz o curso de economia do setor público ministrado por Larry Summers. Ele se ofereceu para orientar minha monografia de final de curso — algo que raríssimos professores de Harvard se prontificam a fazer na graduação. Desde então, Larry tem sido uma parte muito importante de minha vida. Conheci Don Graham, presidente do conselho de diretoria da Washington Post Company mais de quinze anos atrás, quando eu estava trabalhando em Washington, e ele me ajudou a atravessar alguns de meus maiores desafios profissionais. Se não fosse pelo apoio e incentivo de Pat Mitchel, diretora executiva do Paley Center, talvez eu nunca tivesse falado publicamente sobre as mulheres no mercado de trabalho. Essas três pessoas, entre muitas outras, me encorajaram, me recomendaram e me ensinaram pelo exemplo. A sensatez e a sabedoria delas me ajudaram a evitar erros — e a apagar os que não fui capaz de evitar.

Por outro lado, tenho procurado orientar outras pessoas, inclusive amigos de amigos, e agora, com mais idade, filhos de amigos. Fico muito contente em observar a carreira de Emily White, que começou a trabalhar comigo logo depois da faculdade e agora dirige as parcerias com dispositivos móveis no Facebook. Quando o conheci, Bryan Schreier nunca tinha trabalhado numa empresa do setor digital nem viajado para o exterior, mas mostrava uma capacidade de liderança e uma habilidade analítica excepcionais. Contratei-o para ajudar a montar as operações globais do Google, e ele superou todas as expectativas. Anos depois, quando Bryan quis seguir nova carreira como investidor, apresentei-o a seus atuais sócios da Sequoia Capital. Agora ele é um investidor de risco em empresas em fase inicial, com grande sucesso, e posso ver o impacto que tem nas empresas a que dá consultoria. Tenho a sorte de contar com Emily, Bryan e muitas outras pessoas de talento em minha vida.

Os estudos mostram que os mentores escolhem seus protegidos pelo desempenho e pelo potencial.[5] As pessoas investem intuitivamente naqueles que se destacam pelo talento ou realmente são capazes de aproveitar a ajuda. Os orientadores continuam a investir em seus orientandos quando estes usam bem o tempo e são efetivamente abertos a um *feedback*. A interação pode se transformar em amizade, mas a base é uma relação profissional. Em vista disso, creio que estamos dando a mensagem errada às jovens. Precisamos parar de dizer: "Consiga um mentor e você se destacará". Em vez disso, precisamos lhes dizer: "Destaque-se e você conseguirá um mentor".

Clara Shih é um excelente exemplo. Conheci Clara cerca de cinco anos atrás numa conferência e logo fiquei impressionada com suas ideias sobre mídias sociais. Depois, ela escreveu um livro muito ponderado sobre o tema e criou a Hearsay Social, uma empresa de software que ajuda as firmas a gerenciarem sua presença na mídia social. Clara me contatou várias vezes, sempre com uma questão interessante ou uma boa pergunta. Nunca pediu para nos encontrarmos e "pôr a conversa em dia". Nunca fez nenhuma pergunta cuja resposta pudesse encontrar sozinha. Quando eu estava saindo do conselho de diretoria da Starbucks em 2012, indiquei a eles alguns nomes de especialistas em mídia social que poderiam entrar em meu lugar e incluí Clara. Na época, ela tinha apenas 29 anos, mas foi convidada a integrar o conselho diretor.

Se pedir a um desconhecido para ser mentor raramente ou nunca funciona, abordar um desconhecido com uma consulta específica e bem elaborada pode render resultados. Garrett Neiman me abordou depois de uma palestra que dei em Stanford para explicar que tinha criado a CollegeSpring, uma entidade sem fins lucrativos que oferece aconselhamento universitário e orientação para o vestibular para estudantes de baixa renda. Queria marcar uma hora comigo e deixou claro que precisava apenas de alguns minutos de meu tempo, para pedir apresentações a algumas pessoas que podiam ajudar a expandir sua entidade. Tinha feito direitinho a lição de casa e sabia que me interesso profundamente pela educação. Em nossa primeira reunião e em todos os contatos que tivemos desde então, Garrett mostra respeito por meu tempo.

Ele é cortês, claro e conciso. E sempre me atualiza sobre os resultados de nossa conversa.

É possível prender a atenção ou o interesse de alguém num minuto, mas apenas quando a abordagem é planejada e talhada para aquela pessoa. Chegar com uma pergunta vaga do tipo "Como é a mentalidade do Facebook?" mostra mais ignorância do que interesse na empresa, visto que existem centenas de artigos que fornecem a resposta. A preparação é especialmente importante ao se procurar emprego. Quando saí do Departamento do Tesouro, o ex-chefe de gabinete Josh Steiner me deu um grande conselho sobre pedir conselhos. Disse-me para definir o que eu queria fazer *antes* de ver as pessoas que poderiam me contratar. Assim eu não desperdiçaria minha chance procurando uma direção genérica, mas poderia discutir as oportunidades específicas que oferecessem.

A orientação costuma ser uma relação mais recíproca do que pode parecer, sobretudo em situações em que as pessoas já trabalham na mesma empresa. O orientando pode receber uma assistência mais direta, mas o orientador também tem benefícios, inclusive informações úteis, um maior empenho dos colegas e um sentimento de realização e orgulho. Faz tempo que sociólogos e psicólogos observam nosso profundo desejo de participar em nosso comportamento recíproco. O fato de que os seres humanos se sentem na obrigação de retribuir os favores está documentado em praticamente todas as sociedades e está na base de todas as espécies de relações sociais.[6] A relação orientador/ orientando não foge à regra. Quando é bem conduzida, todos crescem.

Erin Burnett, agora uma conhecida jornalista da CNN, dá a Willow Bay, veterano editor e correspondente de TV, os créditos por tê-la orientado quando começou. Willow era o novo âncora de *Moneyline*, mas não tinha grande experiência financeira. Erin havia trabalhado na Goldman Sachs, e assim era a pessoa ideal para Willow contratar como assistente. Ele ficou impressionado com a ambição, a ética profissional e o talento de Erin. Por sua vez, ela pôde observar de perto um jornalista experiente e estabelecido. Ambos ganharam com a mútua experiência.

Justin Osofsky me chamou a atenção no Facebook anos atrás, quando nos preparávamos para nossa primeira reunião de alto nível com a Walt Disney Company. Todas as nossas equipes, incluindo vendas, desenvolvimento de negócios e marketing, tinham apresentado ideias para a parceria, mas não havia ninguém coordenando, o que deixava nossa apresentação meio desconjuntada e não muito profícua. Em vez de apenas apresentar sua seção, Justin tomou a iniciativa de juntar o grupo e integrar todas as ideias. Desde então passei a "orientar" Justin, o que em seu caso significa que muitas vezes recorro a ele para resolver problemas. Isso ajuda a empresa e cria oportunidades constantes para ele.

Obter a atenção de alguém de alta posição com um excelente desempenho funciona, mas não é a única maneira de conseguir um orientador. Tenho visto funcionários de escalão mais baixo agarrarem agilmente uma brecha depois de uma reunião ou alcançarem no corredor um superior respeitado e muito ocupado, para pedir conselhos. O contato é rápido e informal. Depois de adotar aquele conselho, o aspirante reaparece para agradecer e então aproveita a oportunidade para pedir mais orientação. Sem nem mesmo perceber, o mais graduado acaba se envolvendo e investindo na carreira do subordinado. A palavra "mentor" nunca precisa aflorar. A relação é mais importante do que o nome.

O nome em si está aberto a várias interpretações. Durante anos, acompanhei uma moça extremamente talentosa em minha equipe no Google e sempre lhe dei conselhos quando ela precisava tomar alguma decisão importante. Nunca usei a palavra "mentora", mas investi muito tempo no crescimento dela. Por isso fiquei surpresa quando, um dia, ela declarou taxativamente:

"Nunca tive um mentor nem ninguém realmente acompanhando meu trabalho". Perguntei o que, para ela, significava um mentor. Ela explicou que seria alguém com quem conversasse pelo menos uma hora por semana. Sorri, pensando: *Isso não é um mentor, é um terapeuta.*

Poucos mentores têm tempo para ficar paparicando demais. Em sua maioria, estão ocupados com o próprio trabalho, altamente estressante. Um orientando preparado e com atitude positiva pode ser um raio de sol durante o dia. Pela mesma razão, os orientandos não devem ficar se queixando demais com o orientador. Usar o tempo do mentor para legitimar os próprios sentimentos pode ser um bom apoio psicológico, mas é melhor se concentrar em problemas específicos com soluções concretas. As pessoas em posição de orientar são, na maioria, francas adeptas de solucionar problemas. Deem-lhes um problema para resolver. Às vezes, mulheres de grande potencial têm dificuldade em pedir ajuda porque não querem parecer confusas. Não saber bem como proceder é o sentimento mais natural do mundo. Eu me sinto assim o tempo inteiro. Pedir uma força não é sinal de fraqueza, mas muitas vezes é o primeiro passo para encontrar um caminho.

É habitual que as relações de orientação e recomendação se formem entre pessoas com interesses comuns ou quando os mais novos fazem os mais graduados lembrarem como eram no começo de carreira.[7] Isso significa que os homens geralmente tenderão a recomendar homens mais jovens com quem sentem uma afinidade mais natural. Como é muito maior a porcentagem de homens no topo de todas as áreas profissionais, a famosa rede velho/ rapaz continua a predominar. E como já é reduzido o número de mulheres em papel de comando, é impossível oferecer apoio suficiente às mulheres mais novas a não ser que homens em alta posição também participem. Precisamos conscientizar os líderes masculinos sobre essa carência e incentivá-los a ampliar seus círculos.

É maravilhoso quando chefes masculinos orientam mulheres. É ainda melhor quando recomendam e patrocinam essas jovens. Qualquer líder homem seriamente interessado num mundo mais igualitário pode tomar essa questão como prioridade e participar da solução. Devia existir uma medalha de honra para os homens que patrocinam mulheres. E como sabemos que a variedade de perspectivas melhora o desempenho, as empresas deveriam incrementar e recompensar esse comportamento.

Existem, é claro, alguns aspectos um pouco problemáticos que teriam de ser resolvidos, entre eles o contexto da relação homem/ mulher, muitas vezes entendido em termos sexuais. Uma vez, quando eu trabalhava no Tesouro, Larry Summers e eu fomos à África do Sul, onde nos trancamos na sala de sua suíte no hotel para trabalhar no discurso sobre política tributária que ele ia apresentar no dia seguinte. Esquecemos a diferença do fuso horário e de repente percebemos que eram três da manhã. Sabíamos que ia ficar horrível se alguém me visse saindo da suíte dele naquela hora. Avaliamos as opções. E se ele checasse se havia alguém no corredor? Aí percebemos que estávamos num impasse, pois não há nenhuma diferença entre tentar não ser visto saindo e *realmente* sair do quarto de alguém tarde da noite. Sem vacilar, saí no corredor vazio (felizmente) e fui para meu quarto sem ninguém perceber.

É muito frequente que as mulheres em posição subordinada e os homens em posição mais alta evitem se envolver em relações de orientação ou patrocínio por medo do que os outros possam pensar. Um estudo publicado pelo Center for Work-Life Policy e pela *Harvard Business Review* mostrou que 64% dos homens no nível de vice-presidente para cima hesitavam em ter uma reunião individual com mulheres em posição mais baixa. Metade delas, por sua vez, evitava contato próximo com homens de alto escalão.[8] Esse comportamento evasivo precisa ter fim. Ligações pessoais levam a indicações e promoções, e assim tem de ser normal que as mulheres mantenham contatos e encontros informais com seus superiores, tal como fazem os homens. Se um superior e um subordinado estão num bar, entende-se que é uma relação de orientação. Um superior e uma subordinada também podem estar num bar numa relação de orientação... mas parece um encontro amoroso. Essa interpretação tolhe as mulheres e cria um dilema. Se as mulheres procuram cultivar uma relação próxima com um patrocinador masculino, arriscam-se a ser motivo de fofoca no escritório. Se elas procuram subir ao topo sem o auxílio de um patrocinador, frequentemente empacam na carreira. Não podemos tomar como pressuposto que os contatos entre homens e mulheres têm um componente sexual. E todos os envolvidos precisam garantir um comportamento profissional, para que as mulheres — e os homens — se sintam em segurança em todos os cenários.

Na Goldman Sachs, no final dos anos 1990, Bob Steel, integrante do comitê administrativo, percebeu esse problema de interpretação e apresentou uma solução admirável. Pai de três filhas, Steel disse a uma turma em treinamento que tinha uma "política apenas de café da manhã ou almoço" com os funcionários, porque não se sentia à vontade para jantar com funcionárias mulheres e queria que todos tivessem a mesma possibilidade de contato com ele. Sharon Meers trabalhava na Goldman na época e disse que a decisão de Steel causou certo tumulto, mas que a franqueza dele foi heroica. Tudo o que iguala as oportunidades para homens e mulheres é correto. Alguns fazem isso adotando a política de não sair para jantar; outros podem adotar a política de jantar sem discriminação. Em ambos os casos, precisamos de práticas que possam ser aplicadas igualmente.

Muitas empresas estão começando a adotar programas mais formais, em vez da orientação informal baseada na iniciativa individual. Quando levados a sério, esses programas formais de orientação/ recomendação podem ter um sucesso admirável. Os programas estruturados também poupam às mulheres a pressão de ter de fazer aquela pergunta difícil, "Você é meu mentor?". Um estudo mostrou que as mulheres que tiveram mentores por meio de programas formais receberam 50% mais promoções do que as mulheres que encontraram mentores por conta própria.[9] Os programas formais mais eficientes ajudam a educar os homens sobre a necessidade de orientar mulheres e estabelecem linhas básicas de conduta adequada. Podem ser uma excelente maneira de ajudar a instituir o modelo superior/ subordinada sem conotações sexuais.

Os programas de orientação oficial não bastam por si sós e funcionam melhor quando vêm associados a outros tipos de treinamento e desenvolvimento. A Leading to WIN Women's Iniciative, da Deloitte, é um bom exemplo. A Deloitte já havia criado um programa para apoiar as funcionárias, mas elas continuavam sub-representadas nos níveis mais altos da empresa. Isso levou Chet Wood, diretor executivo da Deloitte Tax, a perguntar: "Onde estão as mulheres?". Em resposta a isso, a Deloitte criou um programa de desenvolvimento de liderança em 2008. O programa se destinava às mulheres graduadas no departamento tributário que estavam perto da promoção. As mulheres receberam patrocinadores, tiveram treinamento executivo, acompanharam membros do comitê executivo e assumiram tarefas globais. Das 21 integrantes do grupo inicial, desde então dezoito foram promovidas.

Por mais úteis que possam ser, esses programas formais nem sempre são oferecidos e, em alguns casos, não há executivos de alto escalão disponíveis para dar orientação. A boa notícia é que a orientação pode vir de todos os níveis. Quando entrei no Facebook, um de meus maiores desafios era montar os processos empresariais necessários sem prejudicar a mentalidade de improvisação e liberdade da empresa. Ela funcionava operando depressa e tolerando erros, e muita gente receou que eu, além de estragar a festa, fosse reprimir o espírito de inovação. Naomi Gleit tinha entrado no Facebook vários anos antes, logo depois que saiu da faculdade. Como uma das primeiras funcionárias da empresa, ela entendia a fundo seu funcionamento. Ficamos próximas. Aposto que a maioria das pessoas, inclusive a própria Naomi, imaginou que eu a estava orientando. Mas a verdade é que foi ela que me orientou. Ajudou a implementar as mudanças que eram necessárias e interveio para que eu não entendesse as coisas errado. Naomi sempre me falou a verdade, mesmo que pensasse que eu teria dificuldade em ouvir. Até hoje ela é assim comigo.

Pessoas no mesmo nível também podem se orientar e patrocinar mutuamente. "Todo conselho é autobiográfico", diz o ditado. Amigos na mesma fase da carreira de fato podem dar conselhos mais práticos e úteis. Vários de meus mentores mais velhos me aconselharam a não entrar no Google em 2001. Mas quase todo o pessoal de meu nível entendia o potencial do Vale do Silício. Nossos pares também estão nas trincheiras e podem entender problemas que os superiores não entendem, principalmente quando são criados por esses mesmos superiores.

Como associada na McKinsey & Company, minha primeira tarefa foi com uma equipe que consistia num gerente de engajamento e dois outros associados, Abe Wu e Derek Holley. Quando o gerente queria falar com Abe ou Derek, ia até a mesa deles. Quando queria falar comigo, gritava lá de sua mesa, "Sandberg, venha aqui!", no tom que se usa para chamar uma criança ou, ainda pior, um cachorro. Eu me encolhia a cada vez que ouvia aquilo. Nunca comentei nada, mas um dia Abe e Derek começaram a se chamar um ao outro, gritando "Sandberg" na mesma altura de voz. O gerente, absorvido nele mesmo, pareceu nem notar. Os dois continuaram. Quando a quantidade de Sandbergs começou a confundir, os dois decidiram que precisávamos nos diferenciar. Abe começou a se chamar "Sandberg asiático", Derek se designou

"Sandberg bonitão" e eu fiquei como "Sandberg Sandberg". Meus colegas transformaram uma situação horrível numa situação em que me senti protegida. Eles me defenderam e me fizeram rir. Foram os melhores mentores que eu poderia ter.

Como desgraça nunca vem sozinha, naquele mesmo projeto, o líder do cliente queria que eu saísse com o filho dele. Anunciava constantemente essa ideia na frente de sua equipe. Eu sabia que sua intenção era me fazer um elogio, mas aquilo enfraquecia minha autoridade profissional. Como eu ia conseguir que meus clientes me levassem a sério, se o chefe deles vivia lembrando a todos que tinha um filho da minha idade? Ah, e que eu devia sair com ele! Um dia me armei de coragem e pedi para lhe falar em particular. Disse-lhe (muito gentilmente) que não me parecia apropriado que ele sempre invocasse o filho nas reuniões. Ele descartou meu comentário com uma risada e continuou fazendo a mesma coisa.

Depois de tentar lidar pessoalmente com a situação, fui até meu gerente — o mesmo que gritava "Sandberg". Ele ouviu minha reclamação e me disse que eu devia pensar no que estava "fazendo para enviar esses sinais". Ops, era culpa minha. Contei aos outros dois Sandberg, que ficaram indignados. Aconselharam-me a passar por cima do gerente e ir falar com o superior dele, Robert Taylor. Robert entendeu meu desconforto na hora. Explicou que às vezes nós que somos diferentes (ele é afro-americano) precisamos lembrar às pessoas que nos tratem da maneira adequada. Falou que ficava contente em saber que eu mesma tinha feito minha objeção ao cliente e que ele deveria ter ouvido. Então conversou com o cliente e disse que tinha de parar com aquele comportamento. Também conversou com meu gerente sobre sua reação de insensibilidade. Senti uma grande gratidão pela proteção de Robert. Soube exatamente como se sentiu aquela avezinha recém-nascida quando finalmente encontrou a mãe.

6. Busque e diga a verdade como você a vê

Minha amiga Betsy Cohen estava grávida pela segunda vez quando seu filho Sam ficou curioso sobre o bebê e perguntou: "Mamãe, os braços do bebê estão nos seus braços?". Ela respondeu: "Não, o bebê está na minha barriga". "As pernas do bebê estão nas suas pernas?", ele então perguntou. "Não, o bebê inteiro está na minha barriga." "É mesmo? O bebê inteiro na barriga? Tem certeza?" "Tenho. O bebê inteiro está na minha barriga." "Mas então, mamãe, o que está crescendo na sua bunda?"

Esse tipo de franqueza é comum entre as crianças e praticamente desconhecido entre os adultos. Conforme as crianças crescem, ensinamos que devem ser educadas, tomar cuidado com o que dizem, não ferir os sentimentos dos outros. Isso não é algo ruim. Como ex-baleia na gravidez, fico contente que a maioria das pessoas guarde alguns comentários para si mesmas. Mas, quando aprendemos a falar como se deve, perdemos um pouco de autenticidade.

A comunicação autêntica nem sempre é fácil, mas é a base

para um bom relacionamento em casa e para a verdadeira eficiência no trabalho. Mesmo assim, as pessoas evitam constantemente a franqueza para proteger a si mesmas e aos outros. Essa reticência gera e reproduz todos os tipos de problemas: questões incômodas que nunca são abordadas, o ressentimento que cresce, gerentes inadequados que são promovidos em vez de despedidos, e assim por diante. Muitas vezes, essas situações não melhoram porque ninguém conta a ninguém o que está realmente se passando. Poucas vezes temos coragem suficiente para dizer a verdade.

Ser honesto no local de trabalho é especialmente difícil. Todas as empresas têm alguma forma de hierarquia, o que significa que o desempenho da pessoa é avaliado pela percepção de outra pessoa. Isso dificulta ainda mais que se diga a verdade. Toda empresa enfrenta esse problema, por mais horizontal que tente ser. No Facebook, nós nos esforçamos muito para não ter hierarquia. Todos se sentam em mesas em grandes espaços abertos — não há escritórios, salas ou divisórias para ninguém. Todas as sextas-feiras, temos uma sessão de perguntas e respostas para toda a empresa, em que qualquer pessoa pode levantar questões e fazer comentários. Quando alguém discorda de alguma decisão, posta na página da empresa no Facebook. Mas eu seria ingênua ou estaria mentindo para mim mesma se achasse que meus colegas se sentem sempre à vontade para criticar a mim, Mark e mesmo seus pares.

Quando os psicólogos estudam a dinâmica do poder, constatam que as pessoas em posições de menos poder hesitam mais em expor suas opiniões e, quando expõem, se protegem muito no que dizem.[1] Isso ajuda a explicar por que falar com franqueza num ambiente profissional traz outro leque de medos para a mulher: medo de acharem que não tem espírito de equipe; medo de parecer negativa ou implicante; medo de que tomem uma crítica construtiva como mera crítica gratuita; medo de que, falando, chamará a atenção para si, o que a deixaria vulnerável a ataques (medo que nos é incutido por aquela mesma vozinha dentro de nós dizendo para não tomarmos nosso lugar à mesa).

A comunicação funciona melhor quando a autenticidade se harmoniza com a adequação, encontrando aquele ponto propício em que as opiniões não são de uma franqueza brutal, e sim de uma gentil sinceridade. Para alguns, falar sinceramente sem ferir os sentimentos alheios é algo que vem com naturalidade; para outros, é uma habilidade que precisa ser adquirida. Eu decididamente precisava de auxílio nessa área. Felizmente encontrei.

Quando Dave estava no Yahoo, ele participou de um programa de treinamento gerencial ministrado por Fred Kofman, ex--professor do MIT e autor do livro *Conscious Business* [Negócio consciente]. Dave odeia qualquer tipo de treinamento, e a equipe de recursos humanos do Yahoo teve de obrigá-lo a assistir aos dois dias do programa. Quando chegou em casa depois do primeiro dia, ele me surpreendeu dizendo que o treinamento não era "tão ruim assim". No final da segunda sessão, começou a citar Fred e a tecer considerações sobre nossa forma de comunicar. Fiquei em estado de choque: o cara devia ser realmente bom! Então liguei para Fred, apresentei-me e disse: "Não sei o que você faz, mas quero que faça para minha equipe no Google".

Fred apareceu no Google e o que ele ensinou mudou minha carreira e minha vida. Ele é um dos mais extraordinários especialistas em gerenciamento e liderança que encontrei na vida. Muitos conceitos tratados neste capítulo se originaram dele e refletem sua posição de que a grande liderança é a liderança "consciente".

Aprendi com Fred que a comunicação eficiente começa pelo entendimento de que existe meu ponto de vista (minha verdade) e o ponto de vista do outro (a verdade dele). Raramente existe uma verdade absoluta, de modo que as pessoas que acham que dizem *a* verdade impõem muito silêncio às outras. Quando reconhecemos que podemos estar vendo as coisas apenas de nossa própria perspectiva, podemos expor nossas concepções de uma maneira que não é ameaçadora. Sempre é mais construtivo apresentar a própria opinião usando a primeira pessoa, "eu". Comparem-se estas duas frases: "Você nunca leva minhas sugestões a sério" e "Sinto-me frustrada porque você não respondeu a meus quatro últimos e-mails, o que me leva a crer que minhas sugestões não são importantes para você. É isso?". A primeira pode despertar uma reação rápida e defensiva do tipo "Não é verdade!". A segunda é muito mais difícil de negar. Uma desencadeia uma divergência; a outra acende uma discussão. Gostaria de conseguir manter sempre essa perspectiva em todas as minhas comunicações. Não consigo — mas continuo tentando.

A verdade também se vale melhor de uma linguagem simples. A conversa de escritório costuma ter nuances e ressalvas que podem enterrar não só a pertinência do assunto, mas todo ele. *Como enlouquecer seu chefe* e outras comédias do gênero parecem verídicas por alguma razão. As pessoas têm medo de ofender os outros, principalmente o chefe, e por isso se protegem. Em vez de dizer "Discordo de nossa estratégia de ampliação", dizem "Embora eu pense que existam muitas boas razões para iniciar essa nova linha de negócios e tenha certeza de que a equipe de gerenciamento fez uma análise exaustiva do retorno do investimento, não tenho certeza se chegamos a avaliar plenamente todos os efeitos posteriores de dar esse passo neste momento". Hã? Com todas essas ressalvas, fica difícil decifrar o que a pessoa realmente pensa.

Na hora de dizer verdades duras, geralmente menos é mais. Alguns anos atrás, Mark Zuckerberg resolveu apréender chinês. Para praticar, passou algum tempo com um grupo de funcionários do Facebook que tinham o chinês como língua materna. Seria de imaginar que as limitações de Mark no chinês impediriam que essas conversas tivessem alguma utilidade efetiva. Pelo contrário, permitiram-lhe enxergar melhor o que se passava na empresa. Por exemplo, uma das mulheres estava tentando dizer a Mark alguma coisa a respeito de seu gerente. Mark não entendeu e pediu: "Mais simples, por favor". Ela falou outra vez, mas ele continuou a não entender e pediu que simplificasse mais. Aquilo continuou mais algumas vezes, até que por fim ela se impacientou e apenas exclamou: "Meu gerente é ruim!". Ela ainda estava falando chinês, mas com simplicidade suficiente para que Mark entendesse. Se mais gente fosse assim clara, o desempenho de muitas empresas melhoraria drasticamente.

A capacidade de ouvir é tão importante quanto a de falar. Desde crianças, quando meus irmãos e eu brigávamos, nossa mãe nos ensinou — ou melhor, nos obrigou — a nos enxergarmos no outro, o que significa reiterar o ponto de vista do outro antes de retrucar. Por exemplo, um dia minha irmã e eu estávamos brigando por causa de um pirulito. Michelle berrava: "Sheryl comeu o último pirulito!". E eu devolvia aos berros um argumento *excelente*: "Mas ela pegou um pirulito ontem e eu não!". Minha mãe nos pôs uma na frente da outra. Eu não podia explicar a profunda injustiça da distribuição dos pirulitos enquanto não reconhecesse os sentimentos de minha irmã: "Michelle, entendo que você está brava porque comi o último pirulito e você também queria". Por mais penoso que isso fosse na época, refletir o ponto de vista do outro põe o desentendimento às claras e é um ponto de partida para resolvê-lo. Todos queremos ser ouvidos e, quando nos concentramos em mostrar aos outros que estamos ouvindo, de fato passamos a ouvir melhor. Agora faço a mesma coisa com meus filhos. Provavelmente eles não gostam, como eu não gostava quando tinha a idade deles, mas adoro ouvir meu filho explicar à minha filha: "Desculpe se te deixei brava por perder no Banco Imobiliário, mas sou mais velho do que você e por isso devia ganhar". Nada mau para um garoto de sete anos. (Mas

Fred recomendaria a meu filho que deixasse de fora tudo desde o "mas", pois tende a negar a frase anterior. Imaginem alguém dizendo: "Realmente gosto de você, mas...".)

Ter consciência de um problema é o primeiro passo para corrigi-lo. É praticamente impossível saber como os outros enxergam nossas ações. Podemos tentar adivinhar o que estão pensando, mas perguntar diretamente dá muito mais resultado. Sabendo de fato, podemos ajustar nossas ações e evitamos tropeçar em mal-entendidos. Mas raramente procuramos retorno suficiente. Alguns anos atrás, Tom Brokaw me entrevistou para uma matéria sobre o Facebook. Tom é um excelente entrevistador e senti que me atrapalhei em algumas das respostas. Depois de terminar, perguntei a ele como podia ter me saído melhor. Ele pareceu surpreso com a pergunta, e então perguntei de novo. Tom então me disse que, em toda sua carreira, só mais uma pessoa lhe pedira um retorno.

A estratégia de pedir um amplo retorno foi apresentada a mim pela primeira vez por Robert Rubin, secretário do Tesouro, quando entrei no departamento em 1996. Em minha primeira semana lá, fui convidada para uma reunião sobre a reestruturação da Receita Federal. Quando entramos, havia uns dez membros de alto escalão da equipe sentados à mesa. Como eu não entendia nada do assunto, sentei numa cadeira no canto da sala (isso mesmo, nem era perto da mesa). Lá pelo fim da reunião, o secretário Rubin se virou de repente e perguntou: "Sheryl, o que você acha?". Fiquei petrificada — abri a boca, mas não saiu nada. Quando ele viu meu espanto, explicou por que tinha feito a pergunta para mim: "Como você é nova aqui e ainda não está por dentro de como fazemos as coisas, achei que talvez tivesse notado alguma coisa que nos passou despercebida". Pelo visto não era o caso. Mas o secretário deu um recado bem claro a todos nós sobre a importância de pedir ideias por todos os cantos (literalmente).

O secretário Rubin também conhecia os perigos de seguir cegamente os líderes ou, no caso dele, de ser cegamente seguido. Antes de assumir a secretaria, ele foi copresidente do conselho de diretoria da Goldman Sachs. No final da primeira semana no cargo, notou que a Goldman tinha investido maciçamente em ouro. Perguntou a alguém por que a empresa tinha adotado essa posição tão importante O funcionário respondeu espantado: "Foi o senhor". "Eu?", devolveu Rubin. Ao que parece, no dia anterior ele tinha feito sua primeira visita no andar do *trading* e comentou: "Ouro parece interessante". A frase então circulou como "Rubin gosta de ouro" e alguém gastou milhões de dólares para agradar ao novo chefão.

Passada mais de uma década, tive meu momento "Rubin gosta de ouro". Quando entrei no Facebook, vi-me diante de um dilema: precisava alavancar o lado empresarial respeitando sua mentalidade informal. A maioria das empresas adora apresentações em PowerPoint, e por isso incentivei as pessoas a *não* usar PowerPoint nas reuniões comigo, mas fazer uma lista simples de tópicos. Repeti isso várias vezes, e mesmo assim em toda reunião aparecia alguma detalhada apresentação em PowerPoint. Aquilo me chateou por mais de dois anos, até que anunciei que detestava ditar regras, mas que ia ditar uma: nada de PowerPoint nas reuniões comigo.

Algumas semanas depois, quando eu me preparava para falar à nossa equipe de vendas mundiais, Kirsten Nevill-Manning, uma talentosa chefe de recursos humanos no Facebook, veio falar comigo. Ela achava que eu devia saber que todo mundo na Europa estava furioso comigo. *Sério? Enfureci um continente inteiro?* Ela explicou que as reuniões com clientes ficavam muito difíceis sem PowerPoint e perguntou por que eu tinha ditado aquela regra sem pé nem cabeça. Falei que a regra se aplicava apenas às apresentações *para mim*. Mas, assim como a equipe da Goldman tinha entendido "Ouro = bom", a equipe do Facebook entendeu

"PowerPoint = ruim". Apareci diante de toda a nossa equipe de vendas e pedi desculpas pelo mal-entendido. Também disse que, se ouvissem uma ideia ruim, mesmo que achassem que era minha ou de Mark, deviam contestá-la ou ignorá-la.

Por mais difícil que seja manter um diálogo honesto sobre decisões empresariais, ainda mais difícil é dar um retorno honesto às pessoas. Isso vale para todos, desde os funcionários na posição mais baixa até a alta chefia. Uma coisa que ajuda é lembrar que o retorno, assim como a verdade, não é absoluto. O retorno é uma opinião, fundada na observação e na experiência, que nos permite saber a impressão que causamos nos outros. A informação é reveladora e potencialmente desagradável, e é por isso que todos nós preferimos dar retorno a quem aceita numa boa. Se faço um comentário ou uma recomendação e alguém leva a mal — ou apenas fica visivelmente tenso —, logo aprendo a guardar minhas observações para coisas que realmente importam. É por isso que admiro tanto a abordagem de Molly Graham. Ela entrou no Facebook em 2008 e passou por várias funções na empresa, em comunicações, recursos humanos e produtos para dispositivos móveis. Molly teve um desempenho excepcional em todos esses papéis não só porque tem um talento único mas porque está sempre aprendendo. Um dia, nós duas fizemos uma reunião meio complicada com clientes. Ela conduziu muito bem a reunião e, depois que os clientes saíram, elogiei o trabalho. Ela parou e disse: "Obrigada, mas imagino que tenha algo a dizer sobre o que eu poderia ter feito melhor".

"Como posso melhorar?" "O que estou fazendo e não percebo?" "O que *não* estou fazendo e não vejo?" Essas perguntas podem ser de enorme proveito. E, acreditem em mim, a verdade dói. Mesmo quando solicito ativamente algum retorno, qualquer crítica pode soar dura. Mas o lado positivo da verdade dolorosa é muito maior do que o lado negativo da feliz ignorância.

Pedir conselho também pode ajudar a criar relações. No Facebook, eu sabia que o fator mais importante para meu sucesso seria meu relacionamento com Mark. Quando entrei, pedi que ele prometesse que me daria um retorno toda semana, e assim qualquer coisa que o incomodasse logo seria exposta e discutida. Mark não só concordou, mas prontamente acrescentou que queria que fosse recíproco. Nos primeiros anos, seguimos essa rotina e expusemos nossas preocupações, grandes e pequenas, todas as sextas à tarde. Com o passar dos anos, as reações francas passaram a fazer parte de nossa relação cotidiana. Agora funciona em tempo real e não esperamos a sexta-feira. Eu não diria que todas as relações precisam de tanto retorno — existe também aquilo de querer demais —, mas para nós tem sido de uma importância fundamental.

Também aprendi na marra que estar aberto à verdade significa assumir responsabilidade pelos erros. Em minha primeira semana como chefe de gabinete no Tesouro, tive oportunidade de trabalhar diretamente com os diretores das agências departamentais. Existem duas maneiras de iniciar uma relação de trabalho: a certa e a errada. Escolhi a errada. Minha primeira ligação foi para Ray Kelly, que então era o diretor do Serviço de Alfândega dos Estados Unidos e agora é chefe de polícia de Nova York. Em vez de oferecer assistência, liguei para o comissário Kelly com uma solicitação do secretário. A impressão que passei foi que meu trabalho era solicitar e o dele obedecer. Foi um erro. A reação de Ray foi clara e pronta. "[Interjeição], Sheryl, só porque não sou dos que dão a [interjeição] da assessoria a Larry Summers, não significa que não sei o que estou fazendo! Se o secretário Summers quer alguma coisa de mim, diga pra ele que me ligue pessoalmente, [interjeição]!" E desligou o telefone. Pensei: *Hum, a coisa não está indo bem*. Minha primeira semana no emprego e consegui enfurecer um sujeito que conhece algumas coisinhas sobre armas de fogo.

Depois que a tremedeira passou, percebi que o comissário

Kelly tinha me feito um enorme favor. O "retorno" dele foi de extrema valia, e foi dado de um jeito que eu nunca esqueceria. Reavaliei minha estratégia de aproximação. Com os outros diretores de agência, comecei a conversa perguntando o que podia fazer para ajudá-los a alcançar os objetivos *deles*. Não admira que tenham reagido de maneira mais positiva e com muito menos interjeições. E depois de empregar minha abordagem "O que tenho feito por você ultimamente?", tinham muito mais disposição em retribuir o favor.

Por mais que eu tente convencer as pessoas a dar suas opiniões com franqueza, ainda é uma dificuldade consegui-las. Quando comecei a montar minha equipe no Google, eu entrevistava todos os candidatos antes de fazermos uma proposta. Mesmo quando a equipe já tinha umas cem pessoas, ainda falava com cada finalista. Um dia, numa reunião onde eu apresentava meus relatórios diretos, propus parar as entrevistas, na certeza de que todos insistiriam que minha contribuição era uma parte essencial do processo. Em vez disso, aplaudiram. Todos se puseram a explicar — *em uníssono* — que minha insistência em falar pessoalmente com cada candidato tinha se transformado num tremendo gargalo. Eu não fazia ideia de que estava entravando toda a equipe e fiquei brava porque ninguém tinha me dito nada. Fiquei algumas horas espumando de raiva, em silêncio, mas, como não tenho aquela cara impassível de jogador de pôquer, decerto minha fúria ficou evidente para todo mundo. Então percebi que, se meus colegas não tinham comentado nada, era eu que não estava passando direito meu recado de estar aberta ao retorno deles. Uma comunicação com falhas é sempre uma via de duas mãos. Se queria mais sugestões, tinha de assumir a responsabilidade de deixar isso claro. Assim, voltei à equipe e concordei em não fazer mais as entrevistas. E, mais importante, falei que queria esse tipo de retorno mais cedo e com mais frequência.

Outro jeito que uso para melhorar a comunicação autêntica é falar abertamente sobre minhas fraquezas. Para destacar apenas uma, tenho a tendência de ficar impaciente com situações não resolvidas. Minha reação é pressionar as pessoas para resolverem rápido, em alguns casos até de maneira irrealista. David Fischer e eu trabalhamos juntos há quinze anos, no Tesouro, no Google e no Facebook. De gozação, David diz que, só por meu tom de voz, ele sabe se vai precisar terminar uma tarefa ou se eu mesma vou fazê-la. Reconheço minha impaciência com toda a sinceridade e peço aos colegas que me avisem quando preciso me acalmar. Tendo eu mesma mencionado o fato, autorizei os outros a falar dele — e também a fazer gozação. Meus colegas vão dizer: "Sheryl, você falou pra gente dizer quando fica nervosa e força demais a equipe. Acho que você está fazendo isso agora". Mas, se eu não tivesse falado nada, será que alguém no Facebook me diria: "Ei, Sheryl, sossega! Você está deixando todo mundo doido"? Duvido. Iam pensar. Podiam até comentar entre si. Mas não diriam a mim.

Quando as pessoas são francas e honestas, agradecê-las em público é um incentivo para que continuem assim, e ao mesmo tempo é um recado claro para os outros. Numa reunião com cerca de sessenta engenheiros do Facebook, falei que estava interessada em abrir mais escritórios do Facebook em outros países, especialmente em determinada região. Como o grupo incluía integrantes da equipe de segurança, perguntei qual era a principal preocupação deles. Sem ser chamado, Chad Greene disse de um jato: "Abrir um escritório naquela região". Ele explicou por que não daria certo e por que eu estava redondamente enganada na frente de todo o grupo. Adorei. Nunca tínhamos nos visto antes, e nunca esquecerei essa sua maneira vigorosa de se apresentar. Encerrei a reunião agradecendo Chad por sua franqueza e postei o episódio no Facebook para incentivar o restante da empresa a seguir o exemplo. Mark também é assim. Num churrasco de verão quatro anos atrás, um estagiário disse a Mark que devia trabalhar sua habilidade de falar em público. Mark lhe agradeceu na frente de todo mundo e depois nos incentivou a oferecer ao rapaz um emprego em tempo integral.

O humor pode ser um instrumento fantástico para passar uma mensagem franca de maneira simpática. Um estudo recente descobriu que "senso de humor" era a expressão mais usada para descrever os líderes de maior eficiência.[2] Tenho visto inúmeros resultados de se usar o humor. Depois de trabalhar na Casa Branca no governo Obama, Marne Levine entrou no Facebook para comandar a política pública mundial. Marne é educada, profissional e altamente competente. Em sua primeira semana no trabalho, ela precisava que um colega de outra equipe terminasse de redigir alguns parágrafos para um depoimento no Congresso. O colega estava se arrastando. Continuava a lhe fazer perguntas, que Marne respondia devidamente, aí ela esperava, mas nada dos parágrafos. Quando o rapaz apareceu mais uma vez com outra pergunta, ela se virou para ele com um enorme sorriso e disse: "Vou responder todas as suas perguntas. Vou mesmo. Mas agora, neste instante, a única coisa que vai me impedir de cair no chão e ter um ataque cardíaco bem na sua frente é você sair daqui, voltar à sua mesa e escrever os parágrafos de que precisamos para o Congresso". Funcionou muito bem.

Um colega no Google, Adam Freed, e eu estávamos chateados com alguém no trabalho que andava dificultando muito nosso serviço. Encontrei a pessoa várias vezes e expliquei sinceramente que achava que ela estava desconfiando de tudo o que fazíamos e impedia que avançássemos. A cada conversa muito sincera, ela ouvia, concordava com a cabeça e me agradecia por levantar a questão. Eu saía me sentindo melhor. Então a situação piorava. Adam adotou uma abordagem totalmente diferente. Convidou-a para almoçar. Encontraram-se na cantina do Google, conversaram um pouco, aí ele olhou para ela e perguntou em tom de brincadeira: "Por que você me odeia?". Onde falhei várias vezes, Adam conseguiu uma brecha. Ela perguntou por que ele tinha dito aquilo, o que lhe deu a chance de explicar o problema de uma maneira que ela conseguiu entender.

Infelizmente, nosso senso de humor às vezes nos falta justo quando mais precisamos. Quando fico emotiva, tenho muita dificuldade em tratar um problema com leveza. Estava no Google fazia uns três meses quando surgiu uma situação incômoda. Quando entrei, eu me reportava a Eric Schmidt, mas então passara a trabalhar para Omid Kordestani. Nessa transição, Omid e eu tivemos um grande desentendimento. Fui conversar com ele, na intenção de explicar calmamente por que eu estava nervosa, mas, tão logo abri a boca, desandei a chorar. Fiquei horrorizada por estar chorando na frente de meu novo chefe, que eu mal conhecia — o que só aumentou a choradeira. Mas tive sorte. Omid teve paciência e me tranquilizou, repetindo: "Todo mundo fica nervoso no trabalho. Não tem problema".

A maioria das mulheres acredita — e as pesquisas indicam — que não é uma boa ideia chorar no trabalho.[3] Nunca é algo que eu planeje fazer e não é propriamente recomendado em *Os sete hábitos das pessoas altamente eficazes*, mas nas raras ocasiões em que me senti realmente frustrada ou, pior, traída, fiquei com os olhos cheios de lágrimas. Mesmo mais velha e mais experiente, volta e meia ainda me acontece.

Fazia quase um ano que eu estava no Facebook quando soube que alguém tinha dito uma coisa a meu respeito que, além de falsa, era cruel. Comecei a contar a Mark e, apesar de me controlar ao máximo, comecei a chorar. Ele me assegurou que a acusação era tão absurda que ninguém ia acreditar nela. E então perguntou: "Quer um abraço?". Eu queria. Foi um momento fantástico entre nós. Nunca tinha me sentido tão próxima dele. Aí relatei publicamente esse episódio, imaginando que facilitaria as coisas para outros que tivessem enfrentado lágrimas indesejadas. A imprensa noticiou o caso como "Sheryl Sandberg chorou no ombro de Mark Zuckerberg", que não foi bem o que aconteceu. O que aconteceu foi que manifestei meus sentimentos e Mark se mostrou compreensivo.

Partilhar as emoções ajuda a construir relações mais profundas. A motivação vem de trabalhar com coisas que nos importam. Vem também de trabalhar com pessoas que importam para nós. Para realmente se importar com os outros, precisamos entendê-los — do que gostam e do que desgostam, o que pensam e o que sentem. A emoção move homens e mulheres e influi em todas as decisões que tomamos. Ao reconhecermos o papel das emoções e nos dispormos a comentá-las, melhoramos como gerentes, companheiros e colegas.

Nem sempre entendi isso. Costumava achar que ser profissional significava ser organizada, concentrada e manter minha vida pessoal à parte. No Google, no começo, Omid e eu tínhamos uma reunião só nossa toda semana. Entrava no escritório dele com uma pauta datilografada e ia direto a ela. Eu achava que estava sendo supereficiente, mas um dia meu colega Tim Armstrong (que depois virou diretor executivo da AOL) gentilmente me puxou de lado para dar um conselho. Ele disse que, antes de mergulhar na agenda, eu devia dedicar alguns momentos a me relacionar com Omid. Como Omid e eu éramos as únicas pessoas nessas reuniões, ficou evidente quem tinha mencionado o fato a Tim. Segui o conselho e comecei a perguntar a Omid como iam as coisas antes de passar para minha lista de coisas a fazer. Foi uma boa lição. A abordagem só profissional nem sempre é muito profissional.

Foi uma evolução, mas agora acredito firmemente em ir inteira para o trabalho. Deixei de achar que as pessoas têm uma identidade profissional de segunda a sexta e uma identidade real no restante do tempo. Esse tipo de separação provavelmente nunca existiu, e hoje, na era da expressão individual, em que as pessoas atualizam constantemente seu status no Facebook e tuítam cada passo que dão, essa separação é ainda mais absurda. Em vez de assumir algum tipo de falsa "persona só de trabalho", penso que é benéfico expressar nossa verdade, falar de situações pessoais, reconhecer que as decisões profissionais são muitas vezes motivadas por questões emocionais. Eu já devia ter aprendido essa lição anos antes. Quando estava me formando em administração em 1995, Larry Summers me ofereceu um emprego no Tesouro. Eu queria loucamente aquela vaga, mas havia um problema: não queria voltar para Washington, onde morava o homem de quem estava me separando. Uma das decisões mais difíceis que tomei na vida foi dizer a Larry que não podia aceitar a proposta. Larry insistiu em saber a razão, e pensei em dizer que minha vontade mesmo era dar consultoria em Los Angeles. Mas em vez disso me abri. Expliquei que estava me divorciando e queria ficar longe de Washington, que me trazia lembranças muito dolorosas. Larry argumentou que a cidade era grande, mas não parecia grande o suficiente para mim. Um ano depois, tendo dado um tempo e me sentindo preparada para voltar a Washington, liguei para Larry e perguntei se aquela oportunidade ainda estava disponível. Foi uma das decisões mais fáceis que tomei na vida, em parte porque tinha sido honesta no ano anterior. Se tivesse dito a Larry que estava declinando da proposta por razões profissionais, agora pareceria impulsiva ao inverter minha posição. Como a verdadeira razão era pessoal, a melhor coisa a fazer era expô-la honestamente.

Muitas vezes as pessoas fingem que as decisões profissionais não são afetadas pela vida pessoal. Têm medo de falar sobre a situação doméstica no trabalho, como se as duas coisas nunca pudessem interferir uma na outra, quando é óbvio que isso pode acontecer e realmente acontece. Conheço muitas mulheres que não falam dos filhos no trabalho, de medo que questionem suas prioridades. Torço para que não seja sempre assim.

Minha cunhada, Amy Schefler, tinha uma colega de quarto na faculdade, Abby Hemani, que é sócia de um dos escritórios de advocacia mais importantes de Boston. A linha entre pessoal e profissional se apagou para Abby quando sua filhinha de sete meses foi diagnosticada com a síndrome de Dravet, uma forma rara e grave de epilepsia. Abby contou que os outros sócios, na maioria homens, se acostumaram a vê-la chorar no escritório e tiveram uma reação muito reconfortante. "Era como se me vissem como uma filha deles e quisessem me consolar", ela disse. Abby insiste que sua emoção pública melhorou sua situação profissional, tanto convertendo os colegas em fonte de apoio quanto levando a uma maior flexibilidade nos horários. "Conheço vários homens na firma que tiveram experiências parecidas com a doença dos filhos, mas não achavam que podiam demonstrar como demonstrei. Então, acho que minha maneira feminina de me relacionar acabou sendo boa para mim", ela comentou.

Nem todos os colegas e locais de trabalho serão tão atenciosos e generosos. Mas acredito de fato que estamos pelo menos atenuando a divisão entre pessoal e profissional. Cada vez mais, pensadores importantes na área dos estudos sobre a liderança, como Marcus Buckingham, estão questionando as noções tradicionais de liderança. Suas pesquisas sugerem que a ideia da liderança como uma lista de qualidades cuidadosamente definidas (como as estratégicas, as analíticas e as voltadas para o desempenho) não se sustenta mais. Pelo contrário, a verdadeira liderança nasce da individualidade que se expressa honestamente, e às vezes com imperfeições.[4] Eles acreditam que os líderes deviam se empenhar mais na autenticidade do que no perfeccionismo. Essa mudança é uma boa notícia para as mulheres, que tantas vezes se sentem obrigadas a reprimir suas emoções no trabalho, na tentativa de passar uma imagem mais masculina segundo os estereótipos. E também é uma boa notícia para os homens, que podem estar fazendo exatamente a mesma coisa.

Tive a oportunidade de presenciar o poder da comunicação autêntica num líder quando estava no conselho de diretoria da Starbucks. Howard Schultz foi diretor executivo da empresa de 1987 a 2000, e durante seu exercício a Starbucks passou de algumas lojas para um gigante do varejo mundial. Howard saiu da direção executiva em 2000, e nos oito anos seguintes o desempenho da Starbucks declinou. Quando voltou ao cargo em 2008, Howard fez uma reunião com todos os gerentes globais da empresa em New Orleans. Admitiu abertamente que a empresa estava com sérios problemas. Então permitiu que suas emoções aflorassem, chorando ao confessar que achava que tinha decepcionado os funcionários e suas famílias, deixando-os na mão. A empresa inteira atendeu ao desafio. A Starbucks deu a volta por cima e, poucos anos depois, teve recorde de faturamento e lucro.

Talvez algum dia não se considere mais chorar no trabalho um sinal de fraqueza ou uma situação constrangedora, e isso seja tomado como simples manifestação de uma emoção autêntica. E talvez a compaixão e a sensibilidade que têm historicamente refreado algumas mulheres venham a torná-las líderes mais naturais no futuro. Enquanto isso, todos podemos acelerar essa mudança empenhando-nos em procurar — e falar — a verdade, tal como nos parece.

7. Não saia antes de sair

Alguns anos atrás, uma moça no Facebook foi até minha mesa e perguntou se podíamos conversar em particular. Fomos para uma sala de conferências, onde ela disparou uma série de perguntas, querendo saber como eu equilibrava trabalho e família. Debaixo da saraivada, fiquei pensando por que aquela urgência toda. Interrompi e perguntei se tinha filhos. Ela disse que não, mas que gostava de planejar o futuro. Então perguntei se ela e seu companheiro estavam pensando em ter filhos. Ela respondeu que não era casada e acrescentou com uma risadinha: "Para falar a verdade, nem tenho namorado".

Achei que ela estava pondo o carro na frente dos bois — e como! —, mas entendia a razão. Desde cedo, as meninas ouvem que terão de escolher entre se dar bem no trabalho e ser boa mãe. Quando estão na faculdade, já pensam nas renúncias que terão de fazer de um lado para ganhar no outro, em seus objetivos pessoais e profissionais.[1] Numa pesquisa, tendo de escolher entre o casamento e a carreira, o número de universitárias que escolhem o casamento é o dobro dos colegas do sexo masculino.[2] E essa preocupação pode começar ainda antes. Peggy Orenstein, autora de *Cinderella Ate My Daughter* [Cinderela comeu minha filha], conta a história de uma menina de cinco anos de idade, que chegou meio aflita em casa depois de uma atividade extracurricular e disse à mãe que ela e o menino de quem gostava queriam ser astronautas. Quando a mãe perguntou qual era o problema, a menina respondeu: "Quando formos juntos para o espaço, quem vai cuidar dos nossos filhos?". Aos cinco anos, ela pensava que o aspecto mais complicado numa viagem espacial era ter alguém de confiança para cuidar dos filhos.

Como já disse, sou grande adepta de uma preparação cuidadosa. Em todo lugar que vou, levo uma agendinha com a lista de coisas para fazer — *uma agenda de verdade* onde escrevo com *uma caneta de verdade*. (No mundo digital, é como andar com uma tábua de pedra e um cinzel.) Mas, quando se trata de integrar carreira e família, um planejamento muito antecipado pode fechar portas, em vez de abrir. Tenho visto isso acontecer o tempo todo. Quando as mulheres saem do mercado de trabalho, raramente é fruto de uma grande decisão isolada. Pelo contrário, elas vêm tomando um monte de pequenas decisões ao longo do processo, fazendo concessões e sacrifícios que lhes parecem necessários para ter uma família. Entre as várias formas de se refrearem, talvez a mais difusa é que elas saem antes de sair.

O roteiro clássico é o seguinte. Uma mulher ambiciosa e bem-sucedida segue um caminho profissional cheio de desafios, tendo lá no fundo a ideia de ser mãe. A certa altura, essa ideia passa a ocupar seus pensamentos, em geral quando encontra um companheiro. Ela avalia que está trabalhando demais e raciocina que terá de retroceder em sua ascensão profissional para conseguir espaço para ter um filho. Se for uma associada num escritório de advocacia, talvez decida não querer a posição de sócia, pois espera algum dia ter família. Se for uma professora, pode não topar a coordenação do projeto de desenvolvimento curricular para sua escola. Uma representante comercial pode pegar uma área menor ou não se candidatar a uma função de gerente de vendas. Muitas vezes sem nem perceber, a mulher deixa de procurar novas oportunidades. Se surge alguma, ela é bem capaz de recusar ou aceitar mostrando aquela hesitação que faz com que a oportunidade seja repassada para outra pessoa. O problema é que, mesmo que fosse engravidar imediatamente, ela ainda teria nove meses pela frente antes de precisar cuidar de um bebê. E, como as mulheres geralmente começam essa preparação mental bem antes de tentar engravidar, muitas vezes passam-se vários anos entre a ideia e a concepção, sem falar do nascimento. No caso da moça que me procurou no Facebook, podia ser uma década inteira.

Então, quando chega o bebê, pode ser que a mulher já esteja numa posição profissional radicalmente diferente da que ocuparia se não tivesse dado para trás. Antes tinha um desempenho de primeira, em pé de igualdade com seus pares, em termos de responsabilidade, oportunidade e remuneração. Por não ter se empenhado em progredir nos anos antes de ter um filho, agora ficou para trás. Quando retorna ao mercado de trabalho após o nascimento do filho, provavelmente se sentirá menos realizada, subutilizada ou subestimada. Talvez se pergunte por que está trabalhando para alguém (geralmente um homem) com tão menos experiência do que ela. Ou pode se perguntar por que não está com aquela mesa com janela ou com aquele projeto novo tão interessante. A essa altura, é provável que reduza ainda mais suas ambições, pois não acredita que consiga chegar ao topo. E, se tiver recursos financeiros para sair do emprego, o mais provável é que saia mesmo.

Quanto mais satisfeita a pessoa se sente em sua posição, é menos provável que saia.[3] Assim, a ironia — para mim, a tragédia — é que as mulheres acabam saindo do mercado de trabalho exatamente pelas mesmas coisas que fizeram para *ficar*. Na melhor das intenções, terminam num emprego menos satisfatório e menos envolvente. Quando finalmente têm um filho, a escolha — para quem tem escolha — se dá entre ser uma mãe que fica em casa ou voltar a uma situação profissional pouco interessante.

Joanna Strober, coautora de *Getting to 50/50*, atribui a um emprego atraente sua decisão de voltar a trabalhar depois de se tornar mãe. Ela me contou:

> Quando comecei a trabalhar, havia montes de histórias assustadoras sobre executivas que ignoravam os filhos ou ficavam pouco em casa. Todo mundo no escritório falava de uma executiva cuja filha teria dito que, quando crescesse, queria ser cliente, pois eles é que tinham toda a atenção. Eu achava essas histórias tão deprimentes que desisti antes mesmo de começar realmente a batalhar para ser sócia. Mas, cinco anos depois, quando estava num emprego que realmente adorava, fiquei com vontade de voltar ao trabalho depois de algumas semanas de licença-maternidade. Percebi que aquelas executivas não eram nada assustadoras. Como eu, adoravam os filhos. E, como eu, também adoravam o trabalho.

Existem várias razões importantes para deixar o mercado de trabalho. Para muita gente, ficar em casa cuidando dos filhos é uma opção maravilhosa e muitas vezes indispensável. Nem todo mundo que tem filhos precisa, quer ou deve trabalhar fora. Além disso, não controlamos todos os fatores que nos afetam, entre eles a saúde de nossos filhos. E tem mais: muita gente aproveita com o maior gosto a chance de abandonar aquela corrida insana. Ninguém deve criticar decisões que são estritamente pessoais. Dou todo o apoio a qualquer homem ou mulher que dedica sua vida a criar a próxima geração. É um trabalho importante, exigente e de grande alegria.

O que estou dizendo é que a hora de diminuir o ritmo na carreira é quando a pessoa precisa dar um tempo ou quando tem um filho — não antes, e certamente não com anos de antecedência. Os meses e anos que levam até o nascimento de um filho não são a hora de retroceder, e sim o momento fundamental de avançar e fazer acontecer.

Vários anos atrás, propus a uma funcionária no Facebook que gerenciasse um projeto novo importante. No começo, ela se mostrou lisonjeada, mas logo revelou uma clara hesitação. Disse que não sabia se devia assumir mais responsabilidades. Era óbvio que havia alguma outra coisa, e perguntei calmamente: "Você está com receio de aceitar porque pensa em ter filhos logo?". Se fosse alguns anos antes, eu teria medo de perguntar isso. Não se espera que gerentes e administradores levem em conta os planos de ter filhos na hora de contratar ou tomar decisões administrativas. A maioria dos advogados trabalhistas teria um ataque cardíaco se a empresa levantasse o tema. Mas, depois de ver tantas mulheres de talento recusarem oportunidades sem explicar as razões, comecei a abordar diretamente essa questão. Sempre dou às pessoas a opção de não responder, mas, até agora, todas as mulheres a quem fiz a pergunta se mostraram agradecidas pela chance de falar sobre o assunto. Também deixo claro que só estou perguntando por uma única razão: conferir se não estão restringindo desnecessariamente suas opções.

Em 2009, estávamos recrutando Priti Choksi para a equipe de desenvolvimento de negócios do Facebook. Depois que apresentamos nossa proposta, ela fez algumas perguntas adicionais sobre a função. Não falou nada sobre horário e estilo de vida, mas estava naquela idade típica em que as mulheres têm filhos. Assim, quando estávamos terminando, fui direto ao assunto. "Se você achar que não pode aceitar o emprego porque quer um filho logo, fique à vontade para falar a respeito." Imaginei que, se ela não quisesse falar, simplesmente continuaria andando até a porta. Mas Priti deu meia-volta, sentou de novo e disse: "Vamos falar". Expliquei que, mesmo que não parecesse, um momento ótimo para começar num novo emprego era logo antes de ter um filho. Se achasse o novo trabalho interessante e compensador, ela se sentiria mais animada a voltar após o nascimento do filho. Se continuasse no mesmo serviço, poderia achar que o emprego não valia a pena. Priti topou a proposta. Quando começou no Facebook, já estava grávida. Deu à luz oito meses depois, tirou quatro meses de licença e voltou para um trabalho que adorava. Mais tarde, ela me disse que, se eu não tivesse tocado no assunto, teria recusado o emprego.

Como inúmeras mulheres, Caroline O'Connor acreditava que um dia teria de escolher entre carreira e família. Esse dia chegou antes do que esperava. Ela estava concluindo o curso no Instituto de Design de Stanford, quando recebeu a proposta de criar uma empresa e na mesma época soube que estava grávida. Seu reflexo condicionado foi pensar que não conseguiria tocar as duas coisas. Mas então resolveu questionar esse pressuposto. E conta:

> Comecei a pensar em meu dilema como faria com um problema de projeto. Em vez de aceitar que criar uma empresa promissora e ter um bebê seriam coisas totalmente incompatíveis, formulei como uma pergunta e então comecei a usar ferramentas que tinha desenvolvido como projetista para começar a criar uma resposta.

O'Connor coletou dados entre dezenas de mães sobre suas experiências e seus mecanismos para lidar com a situação. Fez "trabalho de campo" sobre a perda de horas de sono pegando um turno noturno com bebês de orfanato. Concluiu que, se contasse com o apoio do marido e amigos com espírito de equipe, era possível levar as duas coisas em frente. Agora O'Connor se refere a si mesma como "genitora que adora a carreira", uma boa alternativa à "mãe que trabalha fora".[4]

Dadas as variáveis da vida, jamais recomendaria que todas as mulheres façam acontecer sem levar em conta as circunstâncias. Houve vezes em que decidi não fazer. No verão de 2006, uma pequena empresa promissora, chamada LinkedIn, estava procurando um novo diretor executivo, e Reid Hoffman, seu fundador, me procurou. Achei que era uma grande oportunidade e, depois de cinco anos na mesma posição no Google, estava pronta para um novo desafio. Mas era um momento delicado. Eu estava com 37 anos e queria um segundo filho. Falei a verdade a Reid: infelizmente, tinha de declinar porque achava que não conseguiria lidar com a gravidez e um novo emprego. Ele teve uma reação de extrema gentileza e tremendo apoio. Ainda tentou me convencer, até se prontificando a trabalhar ele mesmo em expediente integral na empresa para me apoiar naquele período, mas era difícil ver como se daria o processo.

Para algumas mulheres, a gravidez não significa nenhuma diminuição de ritmo; pelo contrário, ajuda a manter a concentração e estabelece prazos muito definidos para as tarefas. Minha amiga de infância Elise Scheck lembra com saudade a época da gravidez, dizendo que nunca se sentiu tão produtiva. Trabalhou suas horas normais como advogada, organizou a casa e montou álbuns de retratos com cinco anos de fotos. Para outras, como eu, a gravidez é muito difícil, e fica impossível manter a eficiência normal. Eu tentava escrever e-mails enquanto ficava rondando o banheiro, mas a situação não se prestava a um desempenho eficiente de muitas tarefas ao mesmo tempo. Como já havia passado por isso na primeira gravidez, eu sabia o que vinha pela frente. Declinei a proposta de Reid e engravidei — com enjoos terríveis — poucos meses depois.

Todo o arrependimento que poderia ter sentido por não

aceitar o emprego se evaporou quando, sete meses depois de nascer minha filha, Mark me ofereceu a oportunidade de entrar no Facebook. O momento ainda não era o ideal. Como muita gente avisou e logo senti na carne, cuidar de dois filhos dá mais que o dobro do trabalho de cuidar de um só. Não estava procurando novos desafios: estava tentando apenas atravessar um dia depois do outro. Mesmo assim, Dave e eu concordamos que, se eu fosse esperar o momento certo e exato, a oportunidade passaria. Minha decisão de aceitar o emprego foi pessoal, como tais decisões sempre são. E, nos primeiros seis meses no Facebook, algumas vezes me perguntei se era a escolha certa. No final do primeiro ano, tive certeza de que era... para mim.

O nascimento de um filho muda instantaneamente a maneira como nos definimos. As mulheres viram mães. Os homens viram pais. Os casais viram genitores. Nossas prioridades mudam radicalmente. Ter filhos pode ser a experiência mais gratificante do mundo, mas é também a mais dura e que exige maior humildade. Se houvesse uma maneira certa de criar os filhos, todo mundo adotaria. Mas claro que não é o caso.

Uma das questões imediatas que o casal enfrenta quando nasce um filho é quem vai cuidar dele. Historicamente, a escolha tem recaído sobre a mãe. Foi apenas a amamentação que determinou que fosse essa a opção lógica e biológica. Mas o surgimento da bomba de sucção de leite moderna mudou a equação. No Google, eu trancava a porta do escritório e tirava o leite durante as teleconferências. As pessoas perguntavam: "Que barulho é esse?". Eu respondia: "Que barulho?". Se insistiam que havia um barulho alto que dava para ouvir pelo telefone, eu dizia: "Ah, é um carro de bombeiros na rua". Achava que estava sendo muito esperta, até que percebi que às vezes havia gente na teleconferência que estava no mesmo prédio e sabia que não tinha carro de bombeiro nenhum. *Flagrada.*

Apesar dos métodos modernos capazes de diminuir o peso dos imperativos biológicos, as mulheres ainda ficam com a imensa maioria das tarefas de cuidar dos filhos. Em decorrência disso, ter filhos diminui a participação das mulheres, mas não dos homens, no mercado de trabalho.[5] Nos Estados Unidos, o índice de emprego materno cai para 54% quando as mães têm filhos com menos de três anos e recupera a faixa de 75% para as mães com filhos de seis a catorze anos. Para os países da Organização para a Cooperação e o Desenvolvimento Econômico (OECD), o índice de emprego materno cai para 52% para mães com filhos abaixo de três anos e sobe para 73% para mães com filhos de seis a catorze anos.[6]

As mulheres com maiores probabilidades de sair do mercado de trabalho se concentram nos dois extremos da escala de remuneração, sendo casadas com homens que ganham o mínimo ou o máximo. Em 2006, apenas 20% de mães cujos maridos tinham vencimentos na faixa intermediária (os percentuais situados entre o 25º e o 75º) não faziam parte do mercado de trabalho nos Estados Unidos. Como contraste, os altíssimos índices de 52% das mães com maridos no quarto mais baixo e de 40% das mães com maridos na fatia dos 5% mais remunerados estavam fora do mercado de trabalho.[7] É evidente que suas respectivas razões para ficar em casa são muito diferentes. As mães casadas com os homens da faixa mais baixa de remuneração lutam para encontrar empregos que paguem o suficiente para cobrir os custos com creches ou babás, que são cada vez mais proibitivos. Durante a década passada, esses custos subiram o dobro da renda mediana de famílias com filhos.[8] O custo para colocar dois filhos (um de colo e outro com quatro anos de idade) na creche é maior do que o preço de um aluguel médio em todos os estados do país.[9] Os países europeus se empenham mais do que os Estados Unidos em fornecer ou subsidiar os cuidados na infância, mas em grande parte da Europa continua a ser muito caro, principalmente para crianças com menos de cinco anos de idade.[10]

As mulheres casadas com homens de mais recursos deixam de trabalhar por uma série de razões, mas um fator importante é o número de horas que os maridos trabalham. Quando eles cumprem uma jornada de cinquenta ou mais horas por semana, as esposas com filhos têm 44% mais probabilidade de deixar o emprego do que as esposas com filhos cujos maridos têm uma jornada menor de trabalho.[11] Muitas dessas mães são as que possuem os níveis mais altos de instrução. Uma análise dos ex-alunos da Escola de Administração de Harvard mostrou que os índices de emprego em tempo integral dos homens nunca ficavam abaixo de 91%, ao passo que apenas 81% das mulheres formadas no começo dos anos 2000 e 49% das mulheres formadas no começo dos anos 1990 trabalhavam em tempo integral.[12] Entre os formados em Yale que atingiram os quarenta anos em 2000, apenas 56% das mulheres continuavam a trabalhar, contra 90% dos homens.[13] Esse êxodo das mulheres com educação superior é um fator importante no abismo das lideranças.

Se é difícil prever como a pessoa vai reagir ao ter um filho, é fácil prever a reação da sociedade. Quando um casal anuncia que vai ter um filho, todos dizem "Parabéns!" ao homem e, à mulher, "Parabéns! O que você vai fazer com o trabalho?". O pressuposto amplamente adotado é que criar o filho do casal é responsabilidade dela. Em mais de trinta anos, essa ideia não mudou quase nada. Um estudo da turma de Princeton de 1975 mostrou que 54% das mulheres previam um conflito entre o trabalho e a família, contra 26% dos homens. O mesmo estudo da turma de Princeton de 2006 mostrou que 62% das mulheres previam esse conflito, contra apenas 33% dos homens. Três décadas separam esses estudos e as mulheres ainda preveem tal obstáculo praticamente em dobro, comparadas aos homens. Mesmo em 2006,

46% dos homens que previam tal conflito esperavam que a esposa desistisse da carreira para criar os filhos. Apenas 5% das mulheres acreditavam que o marido ia alterar a carreira para dar espaço ao filho.[14]

As escolhas pessoais nem sempre são tão pessoais como parecem. Todas nós sofremos a influência das convenções sociais, da pressão dos colegas e das expectativas familiares. Coroando todos esses fatores, as mulheres que têm recursos para deixar de trabalhar costumam receber não só permissão mas também incentivos de todos os lados para sair do emprego.

Imaginem uma carreira como uma maratona — um esforço longo, continuado, extenuante e, no final, recompensador. Agora imaginem uma maratona onde os homens e as mulheres se colocam na linha de partida em condições iguais de treino e capacidade. O tiro dá início à corrida. Homens e mulheres correm lado a lado. Geralmente os maratonistas do sexo masculino ganham exclamações de incentivo: "Está indo bem! Em frente!". Mas, para as maratonistas mulheres, a mensagem é outra: "Você não precisa fazer isso!", grita a multidão. Ou: "Bom começo — mas você não vai querer terminar". Quanto mais prosseguem os maratonistas, mais altos são os gritos para os homens: "Vai, vai! Está no papo!". Já as mulheres ouvem cada vez mais dúvidas quanto a seus esforços. Vozes externas, e muitas vezes sua voz interna, questionam constantemente a decisão de continuar a correr. Podem até ficar hostis. Enquanto as mulheres lutam para superar os rigores da corrida, os espectadores gritam: "Por que está correndo se seus filhos precisam de você em casa?".

Em 1997, Debi Hemmeter era uma executiva em ascensão na empresa Sara Lee que sonhava algum dia comandar uma grande corporação, tal como a mulher que era seu exemplo de vida, Brenda Barnes, diretora executiva da Pepsi-Cola na América do Norte. Mesmo depois de iniciar família, Debi prosseguiu na carreira a todo vapor. Então, num dia em que estava numa viagem de negócios, Debi encontrou à porta de seu quarto no hotel um exemplar do *USA Today* com a manchete espantosa: "Diretora da Pepsi deixa o trabalho pela família". O subtítulo especificava: "Veterana há 22 anos está exausta". Debi disse que, naquele instante, sentiu uma guinada em suas ambições. Como me falou:

> Minha impressão era de que, se aquela mulher extraordinária não conseguiu dar conta, quem conseguiria? Logo depois, me ofereceram um ótimo emprego num banco e eu recusei porque minha filha estava só com um ano de idade e achei que não daria conta. Quase dez anos depois, entrei num emprego parecido e fui bem, mas perdi uma década. Na verdade, guardei aquele recorte da notícia e o tenho até hoje. É um lembrete daquilo que não quero que aconteça a outra geração.

Se uma maratonista mulher consegue ignorar os gritos da multidão e vencer a parte mais difícil da corrida, muitas vezes alcança a meta. Anos atrás, conheci uma mulher que trabalhava num banco de investimentos em Nova York, casada com um funcionário público. Ela me disse que, ao longo dos anos, todas as suas amigas no banco saíram, mas ela teve de ficar porque era o arrimo principal da família. Havia dias em que sentia a maior inveja e vontade de sair também, dias em que era serviço demais para dar conta ou chatice demais para aguentar. Agora, quando olha para trás, ela fica contente por ter continuado na carreira, mesmo nos períodos difíceis. Hoje tem um relacionamento próximo com os filhos e, agora que cresceram e saíram de casa, sente-se especialmente grata por ter um emprego que a satisfaz.

Embora acadêmicos e políticos, geralmente do sexo masculino, costumem afirmar que a maternidade é o trabalho mais importante e mais difícil de todos, as mulheres que dão uma parada na vida profissional pagam um preço alto em termos de carreira. Nos Estados Unidos, apenas 74% das profissionais qualificadas voltarão ao mercado em qualquer ocupação que seja, e apenas 40% retomarão empregos em tempo integral.[15] As que realmente voltam ao mercado terão, muitas vezes, uma queda salarial drástica. Considerando nível de instrução e horas trabalhadas, os rendimentos médios anuais das mulheres diminuem 20% se elas ficarem apenas um ano afastadas do mercado de trabalho.[16] Os rendimentos médios anuais diminuem em 30% depois de dois ou três anos de afastamento,[17] que é o tempo médio que as profissionais qualificadas passam fora do mercado.[18] Essa "penalidade pela maternidade" também é evidente na maioria dos países da Organização para a Cooperação e o Desenvolvimento Econômico, onde as licenças-maternidade mais longas estão associadas a uma maior diferença salarial entre pais e mães no mercado de trabalho. As mães que trabalham em tempo integral nos países da OECD ganham cerca de 22% a menos do que seus correspondentes do sexo masculino.[19] Se a sociedade realmente valorizasse o trabalho de cuidar dos filhos, as empresas e instituições encontrariam maneiras de reduzir essa grande penalização da carreira das mulheres e ajudariam o casal a dividir as responsabilidades profissionais e familiares. Demasiadas vezes, os horários rígidos de trabalho, a inexistência de licença remunerada e cuidados caros ou inconfiáveis acabam com os esforços das mulheres.

Um cálculo equivocado que algumas mulheres fazem é abandonar cedo a carreira porque o salário mal dá para cobrir os custos dos cuidados com os filhos, seja com babá ou creche. É uma despesa enorme, e é frustrante trabalhar muito só para empatar. Mas as mulheres precisam calcular os custos dos cuidados com os filhos tomando como base não o salário atual, e sim o salário futuro. Anna Fieler diz que ter filho aos 32 anos é "a hora do vamos ver". Estrela em ascensão em marketing, Anna estava preocupada que seu salário líquido mal desse para cobrir as despesas de cuidados com o filho. "Com o marido geralmente ganhando mais do que a esposa, parece mais rentável investir na carreira *dele*", ela me disse. Mas Anna pensou em todo o tempo e o dinheiro que já tinha investido em *sua* carreira e não viu nenhum sentido econômico em deixar a profissão. Então resolveu arriscar e continuou no trabalho. Anos depois, ela ganha muitas vezes mais do que ganhava quando quase abandonou o mercado de trabalho. Muito sensatamente, Anna e outras mulheres começaram a avaliar as despesas dos cuidados com os filhos em termos de investimento no futuro da família. Com o passar dos anos, muitas vezes a remuneração aumenta. Geralmente a flexibilidade também aumenta, visto que profissionais em cargos de chefia costumam ter mais controle sobre seus horários e compromissos.

E os homens que querem parar de trabalhar? Se a sociedade, por um lado, facilita demais que as mulheres desistam da maratona profissional, por outro lado dificulta demais para os homens. Assim como as mulheres sentem que a responsabilidade primária pelos filhos é delas, muitos homens sentem que a responsabilidade primária pelo sustento da família é deles. Esse conceito em relação a si mesmo está ligado sobretudo a seu sucesso profissional, e frequentemente os homens acreditam que não têm outra escolha a não ser continuar na maratona até o final.

Decidir confiar um filho a cuidados de terceiros e voltar a trabalhar é uma decisão difícil. Qualquer pai ou mãe que fez isso, inclusive eu mesma, sabe como pode ser uma coisa dolorosa. Os termos para essa escolha só começam a ficar razoáveis se for um trabalho atraente, interessante e compensador. E, mesmo depois de tomada a decisão, os pais têm todo o direito de reavaliar sua escolha ao longo do caminho.

Todas as pessoas com sorte suficiente de ter opções deviam mantê-las abertas. Não entre no mercado de trabalho já procurando a porta de saída. Não meta o pé no freio. Acelere. Mantenha o pé no acelerador até precisar tomar uma decisão. Esta é a única maneira de garantir que, chegado o momento, haverá de fato uma decisão a ser tomada.

8. Faça de seu companheiro um companheiro de verdade

Ser mãe tem sido uma experiência maravilhosa para mim. Dar à luz não. Depois de nove meses enjoando muito, eu mal conseguia esperar a próxima etapa. Infelizmente, meu filho não tinha essa pressa toda. Quando chegou a data prevista, meu obstetra achou melhor induzir o parto. Meus pais e minha irmã Michelle ficaram na maternidade, junto comigo e com Dave. Alguns dizem que, para criar um filho, é preciso uma aldeia inteira, mas, em meu caso, foi preciso uma aldeia inteira só para fazer a criança sair. O trabalho de parto se arrastou por horas e mais horas. Para quem estava ali acompanhando, o entusiasmo se transformou em tédio. A certa altura, precisei de ajuda numa contração, mas não consegui que ninguém me desse atenção, pois estavam todos no outro lado da sala, mostrando fotos de família ao médico. Entre nossos parentes corre a piada de que ninguém consegue prender a atenção do outro por muito tempo. Meu parto não fugiu à regra.

Depois de três horas e meia fazendo força, meu filho finalmente apareceu, pesando 4,3 quilos. Metade desse peso ficava na cabeça. Minha irmã é pediatra e acompanhou centenas de partos. Gentilmente, foi só muito mais tarde que ela me disse que meu parto tinha sido um dos mais difíceis que tinha visto. Mas valeu mil por cento a pena quando o médico declarou que o bebê era saudável e a náusea que senti por nove meses sumiu depois de uma hora. O pior tinha passado.

Na manhã seguinte, saí da cama na maternidade, dei um passo e caí no chão. Ao que parece, eu tinha forçado tanto a perna para trás durante o parto que distendi um tendão. Fiquei de muletas por uma semana. O fato de não conseguir ficar de pé sozinha era uma dificuldade a mais em minha primeira semana como mãe, mas também resultou num benefício inesperado: Dave se tornou o principal responsável por cuidar de nosso recém-nascido. Ele tinha de levantar quando o bebê chorava, trazê-lo para mamar, trocar a fralda e levá-lo de volta ao berço para dormir. Normalmente, é a mãe que se torna a especialista instantânea em cuidar de um bebê. Em nosso caso, foi Dave que me ensinou a trocar fraldas quando nosso filho estava com oito dias de vida. Se Dave e eu tivéssemos planejado a coisa, seríamos gênios. Mas não planejamos e não somos gênios.

Na verdade, devíamos ter planejado muito mais. Quando eu estava grávida de seis meses, uma aluna de doutorado me entrevistou por telefone para sua tese sobre casais que trabalham fora. Ela começou perguntando: "Como você faz tudo?". Respondi: "Não faço. Nem tenho filho", e sugeri que entrevistasse alguém que de fato tivesse filhos. Ela respondeu: "Faltam poucos meses para você dar à luz. Então certamente você e seu marido já pensaram: quem vai pegar a criança se ela adoecer na escola? Quem vai procurar uma creche?", e assim por diante. Não fui capaz de responder uma única pergunta. No fim da ligação, eu estava em pânico total, apavorada ao ver como Dave e eu estávamos despreparados para lidar com essas responsabilidades. Na hora em que

Dave pôs o pé dentro de casa naquela noite, atirei-me em cima dele. "Aimeudeus!", disse. "Vamos ter um bebê daqui a uns meses e nunca falamos disso!" Dave me olhou como se eu fosse doida. "O quê?", ele disse. "A gente não fala de outra coisa!"

Ao analisar essa diferença de avaliação, Dave e eu percebemos que passávamos um monte de tempo falando como faríamos as coisas, mas quase sempre em termos abstratos. Dave tinha razão: falávamos muito em ser pais; e eu tinha razão: não falávamos de coisas mais práticas. O problema em parte era que, devido à nossa inexperiência, não sabíamos bem quais eram os aspectos concretos que deviam ser vistos. Tínhamos apenas uma vaguíssima ideia de onde estávamos metidos.

Também acho que estávamos num processo de negação daquela tremenda mudança em nossas vidas, que se aproximava a toda a velocidade. Dave e eu nem trabalhávamos na mesma cidade quando engravidei (só para deixar claro, quando *fiquei* grávida, estávamos na mesma cidade). Dave tinha criado uma empresa, a Launch Media, em Los Angeles, e a vendera para o Yahoo uns anos antes. A matriz do Yahoo ficava no norte da Califórnia, onde eu morava e trabalhava, mas a equipe de Dave continuava em Los Angeles, onde ele morava e trabalhava. Quando começamos a sair juntos, decidimos que manteríamos nossa base na área da Baía de São Francisco e assim Dave começou a usar a ponte aérea, normalmente passando de segunda a quinta no sul da Califórnia e ficando os finais de semana comigo no norte. Esse sistema continuou mesmo depois de nos casarmos.

Assim que nosso filho nasceu, Dave passou a ir e vir várias vezes por semana. Era ótimo que tivéssemos essa possibilidade da ponte aérea, mas estava longe do ideal. Mesmo fazendo um tremendo esforço para ficarmos juntos com nosso filho, ele ainda passava muito tempo fora. Como era eu que ficava com o bebê em tempo integral, a maior parte das tarefas de cuidar dele recaía sobre mim. A divisão do trabalho parecia desigual e gerou tensão em nosso casamento. Contratamos uma babá, mas ela não podia resolver todos os nossos problemas; o apoio emocional e o compartilhamento de experiências que um cônjuge oferece não é algo que se possa pagar. Depois de alguns meses como pais, já tínhamos caído na velha divisão desigual dos papéis masculinos e femininos.

Não éramos os únicos. Nos últimos trinta anos, as mulheres avançaram mais no trabalho do que no lar. Nos Estados Unidos, segundo as análises mais recentes, quando marido e mulher estão empregados em tempo integral, a mãe cuida 40% mais dos filhos e 30% mais da casa do que o pai.[1] Um estudo de 2009 mostrou que apenas 9% dos casais que trabalham fora declararam que contribuíam igualmente no serviço de casa, na criação dos filhos e no orçamento doméstico.[2] No Brasil, as mulheres cuidam quatro vezes mais dos filhos e do serviço doméstico que os homens.[3] Assim, embora os homens estejam assumindo mais responsabilidades domésticas, esse avanço tem sido muito vagaroso e ainda estamos longe de uma condição de paridade.[4] (Talvez não surpreenda, mas os casais homossexuais dividem as tarefas domésticas de maneira muito mais equitativa.)[5]

A política pública reforça essa tendência de discriminação sexual. A Agência do Censo americano considera as mães como "genitor designado" mesmo quando os dois genitores se encontram em casa.[6] Nos Estados Unidos, quando as mães cuidam dos filhos, fala-se em *parenting* [cuidados dos pais], mas, quando os pais fazem esse papel, o governo rotula de *child care arrangement* [arranjo para cuidado das crianças].[7] As políticas públicas no Brasil também reforçam a crença de que as mulheres devem ser as responsáveis primárias pela criação dos filhos.[8] Cheguei a ouvir alguns homens dizerem que estão indo para casa para "ficar de babá" dos filhos. Nunca ouvi uma mulher dizer que cuidar dos próprios filhos era "ficar de babá". Uma amiga minha coordenou um exercício de fortalecimento das equipes durante um retiro da empresa em que as pessoas tinham de citar seus passatempos. Metade dos homens do grupo colocou "filhos" como passatempo. *Passatempo?* Para a grande maioria das mães, filhos não são passatempo. Tomar banho é um passatempo.

Um casal de amigos, Katie e Scott Mitic, renunciou a esse padrão. Ambos são empresários do Vale do Silício que trabalham em tempo integral. Cerca de um ano atrás, Scott foi para a Costa Leste a negócios. Estava começando uma reunião no final da manhã quando tocou o telefone. A equipe ouviu apenas um lado da conversa. "Um sanduíche, cenoura em palitos, uma maçã picada, *pretzels* e um biscoito", disse Scott. Desligou sorrindo e explicou que a esposa tinha perguntado o que ela devia colocar na lancheira das crianças. Todo mundo riu. Poucos meses depois, Scott voltou à Costa Leste com os mesmos colegas de trabalho. Estavam num táxi, quando o celular de Scott tocou. A equipe ouviu incrédula ele repetindo com toda a paciência a lista da merenda outra vez: "Um sanduíche, cenoura em palitos, uma maçã picada, *pretzels* e um biscoito".

Quando Scott conta essa história, é meiga e engraçada. Mas peguem a mesma história, troquem os sexos, e ela perde a graça. É a simples realidade para a maioria dos casais. Scott e Katie, com essa divisão dos deveres domésticos, contrariam as expectativas. A história deles tem um epílogo. Scott saiu numa terceira viagem de negócios e depois descobriu que Katie tinha se esquecido totalmente de preparar a merenda das crianças. Ela se deu conta do lapso no meio da manhã e resolveu o problema encomendando uma pizza que foi entregue na cantina da escola. Os filhos adoraram, mas Scott não gostou nada disso. Agora, quando sai em viagem, ele deixa as merendas já preparadas e põe bilhetes com instruções específicas para a esposa.

Pode existir alguma base evolutiva para um dos pais saber melhor o que incluir na merenda do filho. Em certo sentido, as mulheres que amamentam são a primeira lancheira da criança. Mas, mesmo que as mães tenham uma propensão mais natural para a criação dos filhos, os pais podem ganhar essa habilidade com a prática e o empenho. Se as mulheres querem se sair melhor no trabalho e os homens querem se sair melhor em casa, precisam questionar tais expectativas. Como Gloria Steinem observou certa vez: "Não é uma questão de biologia, e sim de consciência".[9]

Vencemos a biologia com a consciência em outras áreas. Por exemplo, quando a comida era escassa, era preciso armazenar uma grande quantidade de gordura para sobreviver, e por isso passamos a gostar de gordura e consumi-la quando a encontrávamos. Mas, nesta era de abundância, não precisamos mais de grandes reservas de energia, e assim, em vez de nos entregar a essa propensão, fazemos exercícios e limitamos o consumo de calorias. Usamos a força de vontade para combater a biologia, ou pelo menos tentamos. Assim, mesmo que o conceito de que "a mãe é que sabe" *esteja* de fato enraizado na biologia, não precisa ser uma lei férrea. Basta a boa vontade dos pais. Sim, alguém precisa lembrar o que vai na lancheira, mas, como mostra Katie, não precisa ser a mãe.

Assim como as mulheres têm de ser mais reconhecidas no trabalho, os homens têm de ser mais reconhecidos em casa. Tenho visto muitas mulheres que, sem perceber, desestimulam o marido na hora de fazer sua parte, porque são controladoras ou críticas demais. Os cientistas sociais chamam isso de "fiscalização materna", um nome bonito para "Aimeudeus, não é assim que se faz! Sai daí e me deixa fazer!".[10] Quando se trata de crianças, em geral os pais pegam as dicas com as mães. Isso dá à mãe um grande poder para incentivar ou tolher o envolvimento do pai. Se ela age como uma fiscal e reluta em transferir a responsabilidade ou, pior, questiona o empenho do pai, ele fará menos.

Sempre que uma mulher casada me pede conselhos sobre a criação conjunta dos filhos, digo-lhe que deixe o marido pôr a fralda como quiser, desde que o faça. E, se o marido começa a lidar com as fraldas sem que lhe peçam, ela devia sorrir, mesmo que ele ponha a fralda na cabeça do bebê. Com o tempo, se ele fizer as coisas de seu jeito, vai encontrar o lado certo. Mas, se for obrigado a fazer as coisas do jeito *dela*, logo ela vai estar fazendo sozinha.

Quem quiser que o companheiro seja um verdadeiro companheiro, precisa tratá-lo como um igual — e igualmente capaz. E se isso não for razão suficiente, lembrem que um estudo mostrou que as mulheres que adotam uma atitude fiscalizadora trabalham cinco horas a mais por semana em tarefas familiares do que as mulheres que adotam uma atitude mais cooperativa.[11]

Outra dinâmica contraproducente que ocorre com frequência é a mulher sugerir e designar tarefas ao companheiro. Ela está delegando, e isso já é um passo na direção certa. Mas dividir responsabilidades significa dividir responsabilidades. Cada membro do casal precisa se encarregar de atividades específicas, do contrário o homem, em vez de fazer sua parte, pode achar que está fazendo um favor.

É fácil dizer que se deve deixar o companheiro assumir a responsabilidade e cumprir sua parte do jeito dele; o difícil é fazer, como acontece com tantos conselhos. Esse problema ficou muito claro para meu irmão David e minha cunhada Amy quando tiveram o primeiro bebê. Amy comentou:

> Muitas vezes eu tinha mais facilidade em consolar nossa filha. É realmente difícil ouvir um bebê chorando enquanto o marido, que

não tem seios, procura acalmá-la, aflito e às vezes desajeitado. David insistia que, em vez de me passar a bebê quando chorava, eu o deixasse cuidar dela, mesmo que levasse mais tempo. Na hora era mais difícil, mas compensou plenamente quando nossa filha aprendeu que o pai podia cuidar dela tão bem quanto a mãe.

Realmente acredito que o passo profissional mais importante de uma mulher é decidir se terá um companheiro para a vida e quem será ele. Não conheço nenhuma mulher em posição de liderança cujo companheiro não dê apoio total — e digo total mesmo — à sua carreira. Nenhuma. E, ao contrário da ideia tão difundida de que apenas mulheres solteiras conseguem chegar ao topo, as líderes empresariais mais bem-sucedidas, em sua maioria, têm um companheiro. Entre as 28 mulheres no cargo de diretoras executivas das quinhentas empresas de maior faturamento dos Estados Unidos segundo a *Fortune*, 26 eram casadas, uma divorciada e apenas uma nunca tinha se casado.[12] Muitas dessas altas executivas disseram que "não teriam o sucesso que tiveram sem o apoio dos maridos, ajudando com os filhos e as tarefas domésticas e aceitando transferências com boa vontade".[13]

Não admira que a falta de apoio do cônjuge possa ter o efeito contrário numa carreira. Num estudo de 2007 sobre profissionais bem qualificadas que deixaram o mercado de trabalho, 60% citaram o marido como fator crucial para a decisão.[14] Essas mulheres apresentaram especificamente a falta de participação deles na criação dos filhos e em outras tarefas domésticas, bem como a expectativa de que deveriam ser elas a deixar o emprego como razões para abandonar a carreira. Não admira que, quando lhe perguntaram numa conferência o que os homens poderiam fazer para ajudar a promover o avanço das mulheres, a professora Rosabeth Moss Kanter, da Escola de Administração de Harvard, tenha respondido: "Lavar a roupa".[15] Tarefas como lavar a roupa, comprar comida, cuidar da limpeza e cozinhar são triviais e obrigatórias. É típico que recaiam sobre as mulheres.

Em janeiro de 2012, recebi uma carta de Ruth Chang, uma médica com dois filhos pequenos que assistira à minha palestra no TED. Tinham-lhe oferecido um novo emprego, para supervisionar 75 médicos em cinco clínicas. Seu primeiro impulso foi recusar, receando que não conseguiria dar conta dessa responsabilidade, por ter de cuidar da família. Mas então ela começou a pensar e me escreveu: "ouvi sua voz dizendo 'Sente à mesa', e percebi que tinha de aceitar a promoção. Então, naquela noite, falei a meu marido que ia aceitar o cargo... e lhe entreguei a lista do mercado". A divisão da carga do cotidiano pode ser um fator decisivo.

Minha carreira e meu casamento então indissociavelmente entrelaçados. Naquele nosso primeiro ano como pais, ficou claro que tentar equilibrar duas carreiras e duas cidades não estava contribuindo para uma família feliz. Precisávamos fazer algumas mudanças. Mas quais? Eu adorava meu trabalho no Google e Dave sentia uma enorme lealdade em relação à sua equipe em Los Angeles. A duras penas mantivemos o sistema de ponte aérea por mais um longo ano de vida conjugal não muito alegre. Então Dave estava preparado para deixar o Yahoo. Restringiu a procura de um novo emprego à área de San Francisco, o que era um sacrifício de sua parte, visto que a maioria de seus interesses e contatos profissionais estava em Los Angeles. Acabou se tornando diretor executivo da SurveyMonkey e pôde transferir a matriz da empresa de Portland para a área da Baía de São Francisco.

Morávamos na mesma cidade, mas ainda levou algum tempo até definirmos como coordenaríamos nossas agendas de trabalho. Temos uma sorte extraordinária de poder nos permitir as despesas com cuidados de qualidade excepcional a nossos filhos, mas ainda há decisões difíceis e penosas em relação à quantidade de tempo longe da família exigida por nossos empregos e a quem vai diminuir o ritmo de trabalho. No começo de toda semana, sentamos e definimos qual de nós em qual dia levará nossos filhos à escola. Ambos tentamos estar em casa na hora do jantar, no maior número possível de ocasiões. (No jantar, ficamos em volta da mesa contando o pior e o melhor do dia; evito dizer, mas, para mim, o melhor do dia geralmente é jantarmos juntos em casa.) Se um de nós tem compromisso fora, o outro quase sempre arruma um jeito de estar em casa. Nos finais de semana, procuro dar toda a minha atenção a meus filhos (embora eu seja conhecida por mandar alguns e-mails às escondidas, no banheiro do campo de futebol local).

Como todos os casamentos, o nosso é um trabalho em andamento. Dave e eu às vezes tropeçamos no caminho para alcançar uma divisão mais ou menos equitativa. Depois de muito esforço e inúmeras discussões aparentemente intermináveis, somos companheiros não só no que fazemos, mas também em nossas incumbências. Ambos garantimos que as coisas que precisam ser feitas sejam realmente feitas. Nossa divisão das tarefas domésticas é, na verdade, bastante tradicional. Dave paga as contas, cuida de nossas finanças, lida com a parte técnica. Eu programo as atividades das crianças, mantenho a geladeira abastecida, organizo as festas de aniversário. Às vezes essa divisão tradicional do trabalho entre os sexos me preocupa um pouco. Estarei perpetuando os estereótipos por manter esses modelos? Mas prefiro organizar uma festa de Dora, a Exploradora, do que pagar uma conta do seguro; como Dave sente exatamente o contrário, para nós esse sistema dá certo. É um equilíbrio delicado, que exige comunicação contínua, honestidade constante, muita tolerância e capacidade de perdoar. Nunca ficamos numa situação totalmente paritária — é difícil definir ou sustentar a igualdade completa —, mas o pêndulo oscila ora para um, ora para outro.

Nos próximos anos, nossa tentativa de equilíbrio pode ficar mais difícil. Nossos filhos ainda são novos e vão dormir cedo, o que me deixa bastante tempo livre para trabalhar à noite e até para assistir a programas na tevê que Dave considera ruins. Quando as crianças crescerem, teremos de nos adaptar. Muitos amigos me disseram que os adolescentes exigem mais tempo dos pais. Cada fase da vida tem suas peculiaridades. Felizmente, Dave está comigo para pensarmos juntos. Ele é o melhor companheiro que se possa imaginar — mesmo que esteja errado quanto à qualidade dos programas que gosto de ver na tevê.

Ter um verdadeiro companheiro como Dave ainda é algo muito raro. Esperamos que as mulheres sejam dedicadas aos filhos, mas não temos essa expectativa em relação aos homens. Certa vez, meu irmão David me falou de um colega que se gabava de estar jogando futebol na tarde em que nasceu seu primeiro filho. Diga-se em favor de David que, em vez de assentir e sorrir, ele reagiu e explicou que aquilo não lhe parecia nem legal nem interessante. É uma posição que precisa ser expressa constantemente, em alto e bom som, nos campos de futebol, no trabalho e em casa.

Meu irmão teve um magnífico exemplo em meu pai, que era um genitor ativo e empenhado. Como a maioria dos homens de sua geração, meu pai não fazia quase nenhuma tarefa doméstica, mas, ao contrário da maioria das pessoas de sua idade, ficava feliz em trocar fraldas e dar banho nas crianças. Estava em casa para o jantar todas as noites, pois sua clínica de oftalmologia não exigia viagens nem muitos atendimentos de emergência. Era o treinador das equipes de meu irmão e minha irmã (e de bom grado treinaria a minha se eu tivesse um mínimo de coordenação). Sempre me ajudava na lição de casa e era meu fã mais entusiástico quando participava de concursos de oratória.

Estudos de muitos países demonstraram que o envolvimento paterno é muito benéfico para os filhos. As pesquisas dos últimos quarenta anos mostram sistematicamente que filhos com pais amorosos e interessados apresentam níveis mais altos de bem-estar psicológico e capacidade cognitiva maior em comparação a filhos que recebem menos atenção paterna.[16] Quando os pais dão mesmo que seja apenas uma atenção rotineira, os filhos alcançam níveis mais altos de sucesso educacional e financeiro e índices mais baixos de delinquência.[17] Mostram inclusive mais tendência à solidariedade e ao traquejo social.[18] Essas conclusões se aplicam a filhos de todos os níveis socioeconômicos, haja ou não um grande envolvimento materno.

Todos precisamos incentivar os homens a se dedicar às famílias. Infelizmente, nos Estados Unidos, os papéis tradicionais dos gêneros são reforçados não só pelas pessoas, mas também pela política dos empregadores. Tenho orgulho em dizer que, mesmo antes de eu começar lá, o Facebook já oferecia o mesmo tempo de licença para a mãe e para o pai. Mas, na maioria das empresas americanas, as licenças-maternidade são mais longas do que as licenças-paternidade, e é muito menor o número de licenças profissionais dos homens por razões familiares.[19] Ainda nos Estados Unidos, apenas cinco estados fornecem algum subsídio para atender ao recém-nascido, o que em si e por si só é um grande problema. Em três desses estados, o benefício só é dado a mães e é caracterizado como um auxílio por incapacidade por gravidez. Somente dois estados fornecem um auxílio de licença familiar remunerada que os homens também podem receber.[20] Em geral, os homens não tiram muito tempo de licença com o nascimento do filho; um estudo sobre os pais no setor das grandes empresas mostrou que a imensa maioria tira uma semana ou menos quando suas companheiras dão à luz, o que não basta para começar como genitor em pé de igualdade.[21] Embora a maioria dos países da União Europeia determine por lei a licença remunerada para os dois genitores, o número de licenças-maternidade, em grande parte deles, é significativamente maior do que o de licenças-paternidade.[22] No Brasil, as mães têm direito a 120 dias de licença, enquanto os pais recebem cinco dias remunerados.[23]

Quando há um bom auxílio à família, como a licença-paternidade ou a redução do horário de trabalho, uma preocupação frequente entre os funcionários de ambos os sexos é se, usando tais programas de assistência, não serão vistos como profissionais pouco comprometidos com o trabalho. E têm boas razões para isso. Os funcionários que utilizam esses benefícios muitas vezes sofrem grandes penalizações, que vão desde cortes salariais significativos e perda de promoções até a marginalização.[24] Homens e mulheres podem ser penalizados no trabalho por dar prioridade à família, mas os homens podem pagar um preço ainda mais alto.[25] Quando funcionários do sexo masculino têm falta justificada ou apenas saem mais cedo para cuidar de um filho doente, podem enfrentar consequências negativas que vão desde gozações a notas mais baixas na avaliação de desempenho e menores chances de promoção ou aumento salarial.[26]

Homens que querem sair totalmente do mercado de trabalho para se dedicar à criação dos filhos podem enfrentar uma pressão social extremamente negativa. Hoje, nos Estados Unidos, os homens correspondem a menos de 4% dos pais que trabalham em tempo integral no lar, e muitos dizem que essa pode ser uma atividade que os deixa muito isolados.[27] Meu amigo Peter Noone passou vários anos como pai em casa e, embora as pessoas dissessem respeitar sua opção, ele não se sentia bem recebido nos círculos sociais do bairro. No parquinho de diversões ou nas aulas não muito corretamente chamadas de "Mamãe e eu", os desconhecidos o olhavam com certa desconfiança. Os contatos cordiais que as mulheres faziam com facilidade não se estendiam a ele.[28] Volta e meia lembravam-lhe de que ele fugia às normas.

As expectativas específicas para cada sexo continuam a se reproduzir sozinhas. A ideia de que as mães têm compromisso maior com a família do que com o trabalho penaliza as mulheres, porque os empregadores supõem que elas não atenderão às expectativas de dedicação profissional. O inverso se aplica aos homens, dos quais se espera que coloquem a carreira em primeiro lugar. Julgamos os homens primariamente pelo sucesso profissional e lhes enviamos o recado muito claro de que as realizações pessoais não bastam para ser valorizados ou se sentir realizados. Essa mentalidade leva àquele adulto que se vangloria no campo de futebol por ter deixado a esposa recém-parida e o filho recém-nascido na maternidade para bater uma bola.

Para piorar ainda mais as questões de gênero, o sucesso masculino é visto não só em termos absolutos, mas muitas vezes em comparação ao das esposas. Ainda persiste a imagem do casal feliz, em que o marido tem mais êxito profissional do que a mulher. Quando ocorre o contrário, é como uma ameaça ao casamento. Muitas vezes me puxam de lado e perguntam num tom de solidariedade: "Como está Dave? Ele aceita numa boa, você sabe, todo esse seu [agora cochichando] *sucesso*?". Dave tem muito mais segurança do que eu e, em vista de seu próprio sucesso profissional, para ele é fácil desdenhar desses comentários. E cada vez mais os homens terão de fazer o mesmo, pois hoje quase 30% das esposas que trabalham fora nos Estados Unidos ganham mais que seus maridos e o modelo de família mais comum nos países da Organização para a Cooperação e o Desenvolvimento Econômico é o casal que trabalha fora.[29] Como esses percentuais continuam a aumentar, espero que os cochichos acabem.

Dave e eu damos risada dessas preocupações com sua psique supostamente frágil, mas, para muitas mulheres, não há motivo para rir. As mulheres já enfrentam barreiras suficientes para o sucesso na profissão. Se ainda tiverem de se preocupar se os maridos ficarão chateados com o sucesso delas, como podemos ter a esperança de um mundo igualitário?

Ao procurar um companheiro para a vida, meu conselho às mulheres é que namorem todos: os rebeldes, desencanados, os que detestam compromisso, os malucos. Mas não se casem com eles. O que dá charme a um rebelde não é o que constitui um bom marido. Na hora de se assentar, encontrem alguém que queira uma companheira igual. Alguém que pense que as mulheres devem ser inteligentes, ambiciosas, ter opiniões próprias. Alguém que dê valor à justiça e espere ou, ainda melhor, *queira* fazer sua parte no lar. Esses homens existem e, acreditem em mim, com o tempo essa é a coisa mais charmosa do mundo. (Se não acreditam, vejam um livrinho chamado *Porn for Women* [Pornô para mulheres]. Numa das páginas aparece um homem limpando a cozinha e dizendo: "Gosto de fazer essas coisas antes que me peçam". Outro aparece saindo da cama no meio da madrugada perguntando-se: "É o bebê? Deixa comigo".)[30]

Kristina Salen, líder do grupo de investimentos nos meios de comunicação e internet Fidelity, me contou que, quando saía com alguém, queria ver até que ponto o namorado lhe daria apoio na carreira. Então bolou um teste: desmarcava um encontro no último minuto, dizendo que tinha um compromisso profissional, e observava a reação do rapaz. Se ele entendesse e remarcasse o encontro, ela saía outra vez com ele. Quando queria levar a relação ao patamar seguinte, Kristina fazia outro teste. Trabalhando num mercado emergente no final dos anos 1990, ela convidava o cara para visitá-la no fim de semana... em São Paulo. Era uma ótima maneira de descobrir se ele estava disposto a adaptar sua agenda à dela. Os testes valeram a pena. Ela encontrou o Homem Ideal e estão casados e felizes há catorze anos. Além de dar total apoio à sua carreira, Daniel, o marido, também é quem cuida mais dos dois filhos.

Mesmo depois de encontrar o cara certo — ou a mulher certa —, ninguém está 100% pronto. Aprendi com minha mãe a ser cuidadosa no começo de um relacionamento quanto à definição dos papéis. Minha mãe fazia a maior parte do serviço de casa, mas meu pai sempre passava o aspirador no chão depois do jantar. Ela nunca precisou convencê-lo a fazer essa tarefa; simplesmente coube a ele desde o primeiro dia. No começo de um romance, a mulher tem a tentação de mostrar um lado mais clássico de "namoradinha", oferecendo-se para cozinhar e encarregar-se do que tem de ser feito na rua. De repente estamos de volta a 1955. Se uma relação começa desequilibrada, o provável é que se desequilibre ainda mais quando vierem os filhos. Em vez disso, usem o começo de um relacionamento para estabelecer o tipo de divisão de trabalho, como no diálogo escrito por Nora Ephron em *Harry & Sally — Feitos um para o outro*:

> *Harry*: Se você leva alguém ao aeroporto, é claramente o começo de um relacionamento. É por isso que nunca levo ninguém ao aeroporto no começo de um relacionamento.
> *Sally*: Por quê?
> *Harry*: Porque depois as coisas mudam, você não leva a pessoa ao aeroporto e eu não quero ninguém me dizendo: "Por que você nunca mais me levou ao aeroporto?".

Se você quer um relacionamento igualitário, estabeleça o padrão desde o começo. Alguns anos atrás, Mark Zuckerberg e sua companheira, agora esposa, Priscilla Chan, fizeram uma doação para melhorar o sistema do ensino público de Newark, Nova Jersey, e precisavam de alguém para dirigir a fundação. Recomendei Jen Holleran, que tinha profundo conhecimento e experiência em reforma escolar. Ela tinha também um casal de gêmeos com catorze meses e, com o nascimento deles, reduzira em dois terços suas horas de trabalho. Seu marido Andy era um psiquiatra infantil que ajudava a cuidar dos filhos quando estava em casa. Mas, como havia reduzido sua carga de trabalho, Jen acabou ficando responsável por todas as tarefas domésticas, inclusive as que tinham de ser feitas na rua, o pagamento das contas, a cozinha e a programação dos horários. Quando recebeu a proposta de Mark e Priscilla, Jen ficou em dúvida se estaria preparada para alterar o esquema montado, comprometendo-se com um emprego em tempo integral e viagens frequentes. Insisti com ela que era melhor estabelecer logo a dinâmica do relacionamento desejado do que deixar para depois. Jen lembra que sugeri: "Se você quer um relacionamento igualitário, deveria começar agora".

Jen e Andy conversaram sobre o assunto e decidiram que ela devia aceitar o emprego pelo impacto que poderia exercer. E quem ficaria com o resto? Andy. Ele reformulou seu esquema de trabalho para ficar com os meninos em casa de manhã e à noite, e ainda mais quando Jen viajasse. Agora ele paga todas as contas e aproveita para correr até o mercado, como ela. Cozinha mais, cuida mais das tarefas de limpeza, conhece os detalhes da programação doméstica e está feliz em ser o genitor principal durante metade da semana. Vivendo há um ano e meio nesse novo esquema, Andy me disse que adora o tempo que passa sozinho com os filhos e o papel mais amplo que desempenha na vida deles. Jen adora o emprego e está contente que seu casamento seja mais igualitário. "Meu tempo agora é tão precioso quanto o dele", disse-me. "Assim, estamos mais felizes."

As pesquisas corroboram essa observação de Jen de que a igualdade entre o casal leva a relacionamentos mais felizes. Quando os maridos fazem mais tarefas domésticas, as esposas sentem menos depressão, os conflitos conjugais diminuem e a satisfação aumenta.[31] Quando as mulheres trabalham fora e dividem o sustento da família, é maior a probabilidade de que os casais continuem juntos. De fato, o risco de divórcio cai mais ou menos pela metade quando a esposa ganha metade da renda familiar e o marido faz metade do serviço doméstico.[32] Para os homens, a participação na criação dos filhos estimula o desenvolvimento da paciência, da compreensão e da capacidade de adaptação, características que lhes trazem proveito em todas as suas relações.[33] Para as mulheres, ganhar dinheiro aumenta a capacidade de tomar decisões no lar, serve de proteção em caso de divórcio e pode ser uma boa segurança para o futuro, na medida em que a expectativa de vida das mulheres é mais alta do que a dos maridos.[34] Além disso — e muita gente pode achar que este é o elemento mais motivador — os casais que dividem as responsabilidades domésticas mantêm mais relações sexuais.[35] Talvez não pareça, mas a melhor maneira de dar uma cantada na esposa pode ser lavar os pratos.

Também tenho a forte impressão de que, quando uma mãe fica em casa, as horas do dia devem ser consideradas como trabalho de verdade — porque são mesmo. Criar os filhos é, no mínimo, tão desgastante e exigente quanto um emprego remunerado. Não é justo que se espere que as mães continuem a trabalhar à noite por horas a fio, enquanto os pais que trabalham fora podem relaxar depois do expediente. Quando o pai está em casa, ele deveria arcar com metade das tarefas domésticas e dos cuidados com os filhos. Além disso, em sua maioria, os pais que trabalham fora interagem com outros adultos durante o dia todo, enquanto as mães que ficam em casa sonham em conversar com um adulto à noite. Conheço uma mulher que abandonou a carreira de advogada para ficar como mãe em casa e sempre insistia que o marido, um roteirista de tevê, quando chegasse em casa depois do trabalho, lhe perguntasse "Como passou o dia?" antes de começar a contar como tinha sido o dele.

O verdadeiro companheirismo em nosso lar beneficia os casais, mas não só: também prepara o campo para a próxima geração. O local de trabalho evoluiu mais do que o lar, em parte porque ingressamos no mercado de trabalho em idade adulta, de modo que cada geração vive uma nova dinâmica. Mas os lares que criamos, em geral, têm mais raízes em nossas infâncias. Minha geração cresceu vendo nossas mães cuidarem da casa e dos filhos enquanto nossos pais ganhavam o sustento. É muito fácil ficar preso a esses padrões. Não surpreende que os homens casados ou com união estável cujas mães trabalhavam fora quando eles eram meninos na idade adulta dividam mais as tarefas domésticas do que os outros homens.[36] Quanto mais cedo rompermos o ciclo, mais rápido alcançaremos maior igualdade.

Uma das razões pelas quais Dave é um verdadeiro companheiro é porque cresceu num lar onde o pai, Mel, era um exemplo extraordinário. Infelizmente faleceu antes que eu o conhecesse, mas sem dúvida era um homem à frente de seu tempo. A mãe de Mel trabalhava com o marido na pequena mercearia da família, e assim ele cresceu aceitando as mulheres como iguais, o que era incomum naquela época. Quando ainda era solteiro, Mel se interessou pelo movimento feminista e leu *The Feminine Mystique* [A mística feminina], de Betty Friedan. Foi Mel que, nos anos 1960, apresentou esse apelo ao despertar das mulheres à sua esposa Paula, mãe de Dave. Incentivou-a a criar e liderar o PACER, uma entidade nacional sem fins lucrativos de auxílio a crianças com deficiência. Mel era professor de direito e lecionava muito à noite. Como queria que a família compartilhasse pelo menos uma refeição por dia, decidiu que seria o café da manhã e preparava-o pessoalmente, com suco de laranja espremido na hora e tudo.

Uma divisão do trabalho mais igualitária entre os genitores moldará um melhor comportamento para a próxima geração. Tenho ouvido inúmeras mulheres dizerem que queriam que os companheiros ajudassem mais a criar os filhos, mas, como são poucos anos até chegarem à idade de ir para a escola, não vale a pena batalhar para mudar a dinâmica da coisa. Em minha opinião, sempre vale a pena batalhar para mudar uma dinâmica indesejável. Também receio que essas mulheres enfrentarão a mesma dinâmica quando chegar a hora de cuidar dos pais na velhice. Mulheres cuidam mais do que o dobro não só de seus genitores, como também dos sogros.[37] É mais um peso que precisa ser dividido. E é preciso que os filhos vejam essa divisão, para que sua geração venha a seguir o exemplo.

Em 2012, Gloria Steinem recebeu Oprah Winfrey em casa para uma entrevista. Gloria reforçou que o progresso das mulheres no lar tem acarretado o progresso no trabalho e disse: "Agora sabemos que as mulheres são capazes de fazer o que os homens fazem, mas não sabemos se os homens são capazes de fazer o que elas fazem".[38] De minha parte, creio que eles são capazes e devemos lhes dar mais chances de provar.

Essa revolução vai acontecer numa família por vez. A boa notícia é que os homens das gerações mais novas parecem mais dispostos a ser verdadeiros companheiros do que os homens das gerações anteriores. Uma pesquisa pediu que os participantes avaliassem a importância de várias características do emprego; a conclusão foi que os homens na casa dos quarenta anos escolheram com maior frequência a resposta "um trabalho que me desafie" como muito importante, ao passo que os homens na casa dos vinte e trinta anos escolheram com maior frequência um emprego com horário que "me dê tempo para ficar com minha família".[39] Se tais tendências se mantiverem quando esses grupos passarem para outra faixa etária, pode ser o sinal de uma mudança promissora.

Existem homens sensíveis e maravilhosos no mundo. E quanto mais as mulheres valorizarem a gentileza e o apoio de seus namorados, mais os homens mostrarão essas facetas. Kristina Salen, a amiga que bolou os testes para avaliar seus namorados, me disse que o filho insiste que, quando crescer, quer cuidar de seus filhos "como o papai faz". Ela e o marido ficam emocionados ao ouvir isso. Mais meninos precisam desse modelo e dessa escolha. Assim como mais mulheres estão fazendo suas carreiras acontecer, mais homens precisam fazer sua família acontecer. Precisamos encorajá-los a ter mais ambição em casa.

Precisamos que mais homens tomem seus lugares à mesa... à mesa da cozinha.

9. O mito de fazer tudo

"Ter tudo." Talvez a maior armadilha de todos os tempos para as mulheres tenha sido a criação dessa expressão. Espalhadas em discursos, manchetes e artigos, essas duas palavrinhas pretendem ser estimulantes, mas, na verdade, deixam todos nós com a sensação de ter falhado. Nunca conheci nenhuma mulher — ou homem — que afirmasse categoricamente: "Sim, tenho tudo". Porque, por mais que tenhamos — e por mais gratos que sejamos pelo que temos —, ninguém tem tudo.

Nem é possível. O próprio conceito de ter tudo vai contra as leis básicas da economia e do bom senso. Como explica Sharon Poczter, professora de economia em Cornell:

> A retórica antiquada do "ter tudo" desconsidera a base de toda relação econômica: a ideia do perder aqui para ganhar ali. Todos nós estamos lidando com a otimização forçada que é a vida, tentando maximizar nossa utilidade na base de parâmetros como carreira, filhos, relacionamentos etc., empenhando-nos ao máximo para

alocar o recurso do tempo. Devido à escassez desse recurso, portanto, nenhum de nós pode "ter tudo" e os que dizem que têm muito provavelmente estão mentindo.[1]

É melhor entender o "ter tudo" como um mito. E, como muitos mitos, ele pode funcionar como um bom alerta. Pense em Ícaro, que voou a grandes alturas com suas asas feitas por mãos humanas. Seu pai o avisou que não se aproximasse demais do sol, mas Ícaro não lhe deu ouvidos. Subiu ainda mais, as asas derreteram e ele despencou das alturas. Ter como meta a carreira profissional e a vida pessoal é um objetivo nobre e possível até certo ponto. As mulheres deveriam aprender com Ícaro a almejar o céu, mas sem esquecer que todos temos limites concretos.

Em vez de levantar a questão "Podemos ter tudo?", deveríamos ser mais práticos e perguntar "Podemos fazer tudo?". E aqui também a resposta é negativa. Todos fazemos escolhas constantes entre trabalho e família, entre se exercitar e descansar, entre conceder tempo aos outros e tirar tempo para nós. Ter filhos significa fazer concessões, ajustes e sacrifícios diários. Para a maioria das pessoas, os sacrifícios e as dificuldades financeiras não são opcionais, e sim inevitáveis. Cerca de 65% das famílias compostas por casal e filhos nos Estados Unidos estão no mercado de trabalho, quase todas dependendo dos rendimentos de ambos para sustentar a casa.[2] Quando há apenas um dos genitores e ele trabalha, a situação pode ser ainda mais difícil. Cerca de 30% das famílias com filhos nos Estados Unidos têm apenas um genitor, a mãe em 85% dos casos.[3] No Brasil, cerca de 17% dos filhos moram apenas com um dos genitores, geralmente a mãe.[4]

As mães que trabalham fora são constantemente lembradas dessas dificuldades. Tina Fey notou que, quando estava promovendo o filme *Uma noite fora de série* com Steve Carell, pai de dois filhos e ator principal de um seriado, os jornalistas a atormentavam com perguntas sobre como ela administrava sua vida pessoal e profissional, mas nunca faziam a mesma pergunta a ele. Como Tina Fey escreveu em seu livro *Bossypants*:

> Qual é a pergunta mais grosseira que você pode fazer a uma mulher? "Qual é sua idade?" "Quanto você pesa?" "Quando você e sua irmã gêmea estão sozinhas com o sr. Hefner, precisam fingir que são lésbicas?" Não, a pior pergunta é: "Como você cuida de tudo?". As pessoas vivem me perguntando isso, com olhar acusador. "Você está estragando *tudo*, não é?", é o que diz esse olhar.[5]

Fey acertou na mosca. Pais e mães que trabalham fora lutam com múltiplas responsabilidades, mas as mães ainda por cima têm de aguentar as perguntas grosseiras e os olhares de acusação, lembrando-nos de que estamos prejudicando nossos empregos *e* nossos filhos. Como se precisássemos ser lembradas disso. Como eu, a maioria das mulheres que conheço se preocupa demais em não estar à altura. Comparamos nosso esforço no trabalho ao de nossos colegas, geralmente homens, que costumam ter muito menos responsabilidades em casa. Comparamos nosso esforço em casa ao das mães que não trabalham fora e se dedicam exclusivamente à família. Observadores externos que nos lembram do quanto estamos nos debatendo — e *falhando* — são apenas pedras no sapato num caminho já bastante acidentado.

Tentar fazer tudo e esperar que tudo saia perfeito é receita certa para a decepção. A perfeição é a inimiga. Gloria Steinem disse bem: "Você não consegue fazer tudo. Ninguém consegue ter dois empregos em tempo integral, criar filhos perfeitos, cozinhar três refeições por dia e ter múltiplos orgasmos até o amanhecer [...]. A supermulher é a adversária do movimento feminista".[6]

A dra. Laurie Glimcher, diretora da Faculdade de Medicina Weill Cornell, disse que o principal para ela, seguindo na carreira enquanto criava os filhos, foi aprender onde concentrar a atenção. "Eu tinha de decidir o que era e o que não era importante, e aprendi a ser perfeccionista apenas nas coisas importantes." Em seu caso, ela concluiu que os dados científicos precisavam ser perfeitos, mas, em resenhas e outras tarefas administrativas simples, 95% já eram suficientes. A dra. Glimcher também disse que estabeleceu como prioridade chegar em casa em um horário razoável e acrescentou que, estando em casa, recusava-se a se preocupar se "as toalhas e lençóis estavam dobrados ou se os armários estavam em ordem. Você não pode ser obsessiva sobre essas coisas que não são importantes".[7]

Alguns anos antes de ter filhos, participei de um painel de mulheres para um grupo empresarial local em Palo Alto. Pediram a outra participante, uma executiva com dois filhos, que contasse como conciliava trabalho e filhos. Ela começou a responder dizendo: "Eu provavelmente não deveria admitir isso em público...", e então confessou que punha os filhos para dormir já com a roupa da escola, para economizar quinze preciosos minutos na manhã seguinte. Na época pensei comigo mesma: *É, ela não devia mesmo ter admitido isso em público.*

Agora que sou mãe, acho que aquela mulher era um gênio. Todos nós temos limites de tempo e de paciência. Ainda não pus meus filhos para dormir com a roupa da escola, mas há manhãs em que bem que gostaria. Também sei que, nem com todo o planejamento do mundo, estaremos preparados para os desafios constantes de ter filhos. Retrospectivamente, louvo a franqueza de minha colega de mesa-redonda. E, com o mesmo espírito de franqueza, eu provavelmente não deveria admitir isso em público...

No ano passado, viajei com meus filhos para uma conferência de negócios. Muitas outras pessoas do Vale do Silício iam, e John Donahoe, diretor executivo do eBay, gentilmente nos ofereceu carona no avião da empresa. Como o voo estava com várias horas de atraso, minha principal preocupação era manter as crianças ocupadas, para que não incomodassem os outros passageiros adultos. Consegui distraí-las durante todo o atraso deixando que assistissem tevê sem parar e comessem uma infinidade de salgadinhos. Então, quando o avião finalmente decolou, minha filha começou a coçar a cabeça. "Mamãe, minha cabeça está coçando!", anunciou bem alto, erguendo a voz acima do volume do fone de ouvido que estava usando (enquanto via ainda *mais* tevê). Não me preocupei até que ela passou a coçar freneticamente a cabeça e a reclamar em voz ainda mais alta. Disse-lhe que falasse mais baixo e então examinei a cabeça e notei umas *coisinhas* brancas. Tinha certeza de que sabia o que era aquilo. Eu era a única pessoa com filhos pequenos no avião da empresa — e minha filha muito provavelmente estava com *piolho*! Passei o resto do tempo no avião num pânico total, procurando mantê-la isolada, sem falar alto, sem coçar a cabeça, enquanto eu navegava desvairadamente pela internet procurando imagens de piolhos. Quando pousamos, todo mundo se espremeu nos carros alugados para ir em caravana até o hotel da conferência, e eu disse que fossem na frente, sem me esperar; só precisava "pegar uma coisa". Fui correndo para a farmácia mais próxima, onde confirmaram meu diagnóstico. Felizmente, tínhamos evitado todo e qualquer contato direto no avião, e assim os piolhos não podiam ter passado para outra pessoa, o que me salvou do constrangimento fatal de ter de dizer ao grupo para que verificassem o couro cabeludo. Pegamos o xampu para tratar minha filha e, como vimos depois, meu filho, e passamos a noite numa maratona de lavar cabelos. Perdi o jantar de abertura e, quando perguntaram o motivo, disse que as crianças estavam cansadas. Na verdade, eu também estava. E, embora tenha conseguido escapar dos piolhos, não consegui parar de coçar a cabeça por vários dias.

    É impossível controlar todas as variáveis quando se trata de cuidar dos filhos. Para as mulheres que alcançaram o sucesso planejando com antecedência e às custas de muito empenho, pode ser difícil aceitar essa situação caótica. A psicóloga Jennifer Stuart estudou um grupo de mulheres formadas em Yale e concluiu que, para elas, "o esforço de combinar carreira e maternidade pode ser especialmente intenso. As apostas são altas, pois muitas não aceitam nada menos do que a perfeição, tanto no lar quanto no local de trabalho. Quando não alcançam seus ideais elevados, podem se retirar totalmente — do trabalho para o lar ou vice-versa".[8]

Outro dos meus cartazes favoritos no Facebook diz em letras vermelhas bem grandes: "Feito é melhor que perfeito". Tenho procurado adotar esse lema e desistir de critérios impraticáveis. Almejar a perfeição gera frustração, na melhor das hipóteses, e pode levar ao imobilismo. Concordo plenamente com o conselho que Nora Ephron deu em seu discurso na cerimônia de formatura de Wellesley em 1996, quando tratou da questão das mulheres com carreira e família.

> Será um pouco bagunçado, mas aceitem a bagunça. Será complicado, mas alegrem-se com as complicações. Não será como vocês pensam, mas surpresa é uma boa coisa. E não tenham medo: sempre poderão mudar de ideia. Sei por experiência própria: tive quatro carreiras e três maridos.[9]

Tive a tremenda sorte de ser alertada desde cedo em minha carreira sobre os perigos de querer fazer tudo, e por alguém que eu admirava profundamente. Larry Kanarek dirige o escritório da McKinsey & Company em Washington, onde eu estagiava em 1994. Um dia, Larry reuniu todo mundo para uma conversa. Explicou que, desde que comandava o escritório, os funcionários, quando queriam ir embora, iam falar com ele. Com o tempo, Larry percebeu que as pessoas saíam apenas por uma razão: estavam esgotadas, cansadas de viajar e de trabalhar muitas horas por dia. Ele disse que entendia as reclamações; o que não entendia era que todas as pessoas que pediam demissão — todas, sem exceção — tinham férias acumuladas. Até o último dia, quando saíam, elas faziam tudo o que McKinsey pedia sem achar que era demais.

Larry implorou que controlássemos melhor nossas carreiras. Disse que a McKinsey nunca pararia de exigir nosso tempo, e assim cabia a nós decidir o que estávamos dispostos a fazer. Era responsabilidade nossa estabelecer um limite. Precisávamos determinar quantas horas nos dispúnhamos a trabalhar por dia e por quantas noites nos dispúnhamos a viajar. Se mais tarde o emprego não desse certo, saberíamos que havíamos tentado em nossos próprios termos. Pode parecer que não, mas o sucesso em longo prazo no trabalho depende muitas vezes de *não* tentar cumprir tudo o que nos é solicitado. A melhor maneira de dar espaço à carreira e à vida pessoal é fazer escolhas deliberadas — estabelecer limites e respeitá-los.

Em meus primeiros quatro anos no Google, eu ficava todo dia no escritório das sete da manhã às sete da noite, no mínimo. Dirigia as equipes operacionais globais e achava que era fundamental acompanhar a maior quantidade possível de detalhes. Nunca ninguém exigiu que eu cumprisse esse horário; típico do Vale do Silício, o Google não era de estabelecer jornada de trabalho de ninguém. Mesmo assim, a mentalidade naqueles primeiros tempos era a de trabalhar direto. Quando meu filho nasceu, eu quis tirar os três meses de licença-maternidade que a empresa oferecia, mas fiquei preocupada que minha vaga não estaria mais lá na hora de voltar. E tudo o que estava acontecendo antes de ele nascer não me tranquilizava a esse respeito. O Google estava crescendo rápido, com reestruturações frequentes. Minha equipe era uma das maiores da empresa, e muitas vezes os colegas sugeriam formas de reestruturá-la, o que costumava significar que eles fariam mais e eu menos. Nos meses que antecederam minha licença, vários colegas, todos homens, reforçaram essas tentativas, prontificando-se a "ajudar a dirigir as coisas" enquanto eu estivesse fora. Alguns chegaram a dizer a meu patrão que eu talvez nem voltasse, e assim seria sensato já começar a dividir minhas responsabilidades.

Procurei adotar o conselho de Larry Kanareck e estabeleci meu limite. Resolvi que queria me concentrar totalmente em meu novo papel de mãe. Estava decidida a me desligar de verdade. Cheguei a anunciar publicamente essa decisão — um artifício que pode ajudar a manter o compromisso, na medida em que aumenta nossa obrigação de prestar contas de nossas ações. Anunciei que ia tirar os três meses completos da licença.

Ninguém acreditou em mim. Um grupo de colegas apostou por quanto tempo depois do parto eu ficaria longe de meu e-mail, e ninguém apostou em "mais de uma semana". Eu poderia ter me ofendido, só que eles me conheciam melhor do que eu mesma. Voltei aos e-mails ainda na maternidade, no dia seguinte ao parto.

Nos três meses seguintes, não consegui me desligar muito. Abria constantemente minha caixa de e-mails. Mantinha reuniões na sala de casa, às vezes enquanto dava de mamar e provavelmente assustei muita gente, que preferiu ficar de fora. (Tentei marcar essas reuniões nos horários em que meu filho estaria dormindo, mas os bebês costumam ter seus próprios horários.) Ia ao escritório para reuniões importantes, com o bebê a tiracolo. E, embora tenha passado preciosos momentos com meu filho, vejo agora aquela licença-maternidade como uma época bastante infeliz. Ser mãe de primeira viagem era exaustivo e, quando meu filho dormia, eu trabalhava em vez de descansar. E a única coisa pior do que *todo mundo* saber que eu não estava cumprindo meu compromisso original era que *eu* também sabia. Estava traindo a mim mesma.

Três meses depois, minha *não* licença-maternidade terminou. Estava voltando a um serviço que adorava, mas, quando saí com o carro rumo ao escritório para meu primeiro dia de retorno efetivo, senti um aperto no peito e as lágrimas começaram a correr. Embora tivesse trabalhado durante meu "tempo fora", tinha sido quase sempre em casa, com meu filho ao lado. Voltar ao escritório significava uma mudança drástica na quantidade de tempo em que eu o veria. Se retomasse minhas doze horas habituais, sairia de casa antes que ele acordasse e voltaria quando estivesse dormindo. Para ter algum tempo com ele, teria de fazer algumas mudanças... e mantê-las.

Comecei a chegar ao trabalho por volta das nove horas e a sair às 17h30. Esse horário me permitia amamentar meu filho antes de sair e voltar para casa em tempo de amamentá-lo outra vez, antes de colocá-lo para dormir. Estava com medo de perder minha credibilidade, ou até o emprego, se alguém soubesse que este era meu novo horário no escritório. Para compensar, comecei a verificar meus e-mails por volta das cinco horas. É, eu acordava *antes* do bebê. Então, depois que ele adormecia à noite, eu voltava depressa ao computador e continuava minha jornada de trabalho. Fiz o máximo para ocultar meu novo horário da maioria das pessoas. Camille, minha assistente executiva, que é muito engenhosa, veio com a ideia de marcar minha primeira e última reunião do dia em outros edifícios, para não ficar tão evidente que, na verdade, eu estava chegando ou indo embora naquele horário. Quando eu saía diretamente do escritório, parava no saguão de entrada e vigiava o estacionamento até não ter nenhum colega por ali e ia correndo para o carro. (Sendo desajeitada como sou, todos devemos ficar aliviados por eu ter trabalhado para o Departamento do Tesouro e não para a CIA.)

Vendo agora, percebo que minha preocupação com o novo horário derivava de minha própria insegurança. O trabalho no

Google era muito puxado e hipercompetitivo, mas a empresa também dava apoio a quem somava carreira e filhos — atitude que partiu visivelmente da direção. Larry e Sergey foram ao chá de bebê e me presentearam com vales que poderiam ser trocados por uma hora do tempo deles como babás. (Nunca usei esses vales e, se conseguisse encontrá-los, aposto que poderia pôr a leilão para fins de caridade, como o almoço com Warren Buffett.) Susan Wojcicki, que abriu o caminho tendo quatro filhos e mantendo-se entre os primeiros e mais valiosos funcionários do Google, levava os filhos ao escritório quando a babá ficava doente. Meu chefe Omid e o principal líder de minha equipe, David Fischer, sempre deram apoio constante e não deixavam que outras pessoas pegassem uma parte de meu serviço.

Aos poucos, comecei a perceber que meu emprego não exigia de fato que eu passasse doze horas por dia no escritório. Fiquei muito mais eficiente — mais atenta em marcar ou comparecer a reuniões apenas quando eram realmente necessárias, mais decidida a maximizar meu rendimento em cada minuto que passava fora de casa. Também comecei a prestar mais atenção nos horários de meus colegas; cortar reuniões desnecessárias poupava também o tempo deles. Tentei me concentrar no que era realmente importante. Muito antes de ver o cartaz, comecei a adotar o lema "Feito é melhor que perfeito". O feito, embora continue a ser um desafio, é muito mais exequível e não raro é um alívio. Quando tirei minha segunda licença-maternidade, não só me desliguei (em grande parte), mas aproveitei o tempo com meus dois filhos.

Minha cunhada médica, Amy, passou por uma mudança de atitude muito parecida. Ela me disse:

> Quando tive minha primeira filha, trabalhava doze horas por dia e tentava tirar o leite com a bomba de sucção durante o expediente.

Queria me sentir ligada a meu bebê nas poucas horas que ficava em casa, e por isso só eu cuidava dela em muitas noites. Achava que eram os outros que exigiam isso de mim — meus chefes no trabalho e minha filha em casa. Mas, na verdade, eu estava me torturando.

Com o nascimento do segundo filho, Amy fez alguns ajustes de conduta. "Tirei três meses de licença e consegui retornar ao trabalho do meu jeito, nos meus termos. E, apesar dos receios anteriores, minha reputação e produtividade não foram afetadas em nada."

Entendo profundamente o medo de dar a impressão de que colocamos a família acima da carreira. As mães não querem ser vistas como profissionais menos dedicadas do que os homens ou as mulheres sem responsabilidades familiares. Trabalhamos demais para compensar demais. Mesmo em empregos que oferecem a possibilidade de reduzir ou flexibilizar a jornada de trabalho, as pessoas receiam que a redução das horas prejudique as perspectivas da carreira.[10] E não é apenas uma impressão. Os funcionários que utilizam as políticas de horário flexível muitas vezes são penalizados e tidos com menos empenhados do que seus colegas.[11] E essas penalizações podem ser ainda maiores para as mães com carreira profissional.[12] Tudo isso precisa mudar, ainda mais porque existem novas indicações de que o trabalho em casa, em alguns casos, pode realmente ser mais produtivo.[13]

Não é fácil distinguir quais são os aspectos realmente necessários num emprego. Às vezes é difícil entender a situação e traçar limites. Amy me contou de um jantar profissional a que compareceu com vários colegas médicos, inclusive uma colega que dera à luz seu primeiro filho algumas semanas antes. Depois de duas horas à mesa, a nova mãe começou a parecer incomodada, olhando constantemente o celular. Amy foi sensível à situação. "Você precisa sair para tirar o leite?", sussurrou à colega. A nova mãe contou encabulada que tinha trazido o nenê e sua própria mãe para a conferência. Estava olhando o celular porque sua mãe estava avisando por mensagem de texto que o bebê precisava mamar. Amy disse que fosse imediatamente. Depois que a jovem mãe saiu, seu mentor, um médico de mais idade, comentou que não fazia a menor ideia de que ela tinha levado o bebê. Se soubesse, teria dito para sair mais cedo. Ela estava se torturando desnecessariamente. Este é um caso em que eu recomendaria *não* tomar seu lugar à mesa.

A tecnologia também está mudando a importância de um expediente rígido no escritório, visto que grande parte do serviço pode ser feito on-line. Embora poucas empresas possam oferecer tanta flexibilidade quanto o Google e o Facebook, outros setores começam a seguir nessa mesma direção. Mesmo assim, a prática tradicional de avaliar os funcionários pelo tempo de presença física, e não pelos resultados, infelizmente ainda persiste. Por causa disso, muitos se preocupam mais em cumprir o horário do relógio no escritório do que em atingir suas metas com a maior eficiência possível. A mudança de enfoque, concentrando-se mais nos resultados, beneficiaria os indivíduos e tornaria as empresas mais eficientes e competitivas.[14]

Em seu último livro, o general Colin Powell declara que sua visão de liderança exclui os "falsos ocupados", que passam muitas horas no escritório sem perceber o impacto que têm na equipe. Ele explica que:

> em todas as posições de chefia que ocupei, tentei criar um ambiente de profissionalismo nos mais altos padrões. Quando precisava terminar alguma tarefa, eu esperava que meus subordinados trabalhassem direto. Quando não era necessário, queria que eles trabalhassem o expediente normal, fossem para casa num horário

decente, brincassem com os filhos, se divertissem com a família e os amigos, lessem um romance, espairecessem, devaneassem e se revigorassem. Queria que tivessem uma vida fora do escritório. Estou pagando pela qualidade do trabalho, não pelas horas que cumprem. Esse tipo de ambiente sempre me rendeu os melhores resultados.[15]

Ainda é extremamente raro trabalhar para alguém tão sensato como o general Powell.

Uma questão relacionada a esta, e que afeta muitos americanos, é o aumento da jornada de trabalho.[16] Em 2009, os casais com filhos de renda média trabalhavam 8,5 horas a mais por semana do que em 1979.[17] Essa tendência é especialmente acentuada entre profissionais qualificados e gerentes, sobretudo homens.[18] Uma pesquisa entre os profissionais de alta renda no mundo corporativo mostrou que 62% trabalham mais de cinquenta horas por semana e 10% mais do que oitenta horas por semana.[19] Essa tendência não aparece em vários países europeus, visto que há políticas do governo limitando a jornada de trabalho.[20]

Se, por um lado, a tecnologia às vezes nos libera da presença física no escritório, por outro também estende a jornada. Uma pesquisa de 2012 sobre o mercado de trabalho mostrou que 80% dos entrevistados continuavam a trabalhar depois de sair do escritório, 38% viam e-mails durante o jantar e 69% não iam para a cama sem verificar suas caixas de entrada.[21]

Minha mãe acredita que minha geração sofre muito com essa jornada interminável. Durante sua infância, e a minha também, um serviço em tempo integral significava quarenta horas semanais — de segunda a sexta, das 9h às 17h. Ela vive me repetindo: "É pressão demais sobre você e seus colegas. Não é compatível com uma vida normal". Mas este é o novo normal para muitos de nós.

O novo normal significa que o dia é sempre muito curto. Durante anos, tentei resolver esse problema diminuindo o sono, recurso comum, mas muitas vezes contraproducente. Percebi meu erro em parte observando meus filhos e vendo como uma criança feliz pode se dissolver em lágrimas se dormiu algumas horas a menos. Acontece que não é muito diferente com os adultos. Dormir apenas quatro ou cinco horas por noite prejudica o funcionamento mental num grau equivalente a um nível de álcool no sangue acima do limite legal para dirigir.[22] A privação do sono causa ansiedade, irritação e confusão mental nas pessoas (perguntem a Dave). Se pudesse voltar no tempo e mudar uma coisa naqueles primeiros anos, eu me obrigaria a dormir mais.

Não são apenas os genitores que trabalham fora que precisam de um dia com maior número de horas; as pessoas sem filhos também estão sobrecarregadas de trabalho, talvez em um grau ainda maior. Quando eu fazia o curso de administração, assisti a um painel da Women in Consulting com três conferencistas: duas mulheres casadas com filhos e uma solteira sem filhos. Depois que as casadas discorreram sobre as dificuldades de equilibrar carreira e família, a solteira exclamou que estava cansada de não levarem a sério sua necessidade de ter uma vida pessoal. Tinha a impressão de que as colegas estavam sempre correndo para ficar com a família, deixando o resto para ela. E disse:

> Minhas colegas deveriam entender que preciso ir a uma festa hoje à noite — e isso é tão legítimo quanto o jogo de futebol de seus filhos —, porque ir a uma festa é a única maneira como posso vir a conhecer alguém e formar uma família, e assim algum dia posso ter um jogo de futebol para ir!

Cito muitas vezes esse episódio para que as funcionárias solteiras saibam que elas também têm todo direito a uma vida plena.

Minhas preocupações em conciliar carreira e família voltaram a ocupar o primeiro plano quando pensei em deixar o Google e ir para o Facebook. Fazia seis anos e meio que estava no Google, e todas as minhas equipes eram comandadas por bons líderes. O Google estava com mais de 20 mil empregados, com rotinas empresariais funcionando bem, o que me permitia ir para casa e jantar com meus filhos quase todas as noites. O Facebook, por outro lado, tinha apenas 550 empregados e era bem mais incipiente. Reuniões tarde da noite e maratonas madrugada adentro faziam parte integrante do espírito da empresa. Preocupava-me que um novo emprego pudesse prejudicar o equilíbrio que eu conseguira a duras penas. Uma coisa que ajudou foi que Dave tinha seu escritório em casa, trabalhando para uma empresa de investimento de capital, e assim tinha um controle quase completo de seus horários. Ele me garantiu que cuidaria de mais coisas em casa, para dar tudo certo para a família.

Meus primeiros seis meses no Facebook foram realmente difíceis. Sei que deveria dizer "desafiadores", mas estavam mais para "realmente difíceis" mesmo. Grande parte do pessoal seguia o exemplo de Mark, com um horário de coruja. Eu marcava uma reunião com alguém às nove da manhã e a pessoa não aparecia, imaginando que seria às nove da noite. Eu precisava estar por ali quando os outros estivessem e tinha medo de que, se saísse cedo demais, ia parecer uma velha chata e reclamona. Perdi jantares e mais jantares com meus filhos. Dave dizia que estava em casa com eles e que estavam bem. Mas eu não estava.

Então me lembrei do discurso de Larry Kanarek na McKinsey e percebi que, se não tomasse controle da situação, meu novo emprego ficaria insustentável. Ficaria ressentida por não passar mais tempo com minha família e correria o risco de ser aquela funcionária que pediu demissão tendo férias acumuladas. Comecei a me obrigar a sair às 17h30. Todas as fibras competitivas de meu ser gritavam para ficar, mas, a menos que tivesse uma reunião crucial, eu ia embora. E, fazendo isso, vi que conseguia. Não estou dizendo, nem nunca disse, que minha jornada é de quarenta horas semanais. O Facebook está disponível em todo o planeta 24 horas por dia, sete dias por semana, e de modo geral eu também. Os dias em que eu podia ao menos pensar em me desligar num fim de semana ou num feriado se acabaram faz muito tempo. E, ao contrário de meu emprego no Google, com base quase exclusiva na Califórnia, minha função no Facebook exige muitas viagens. Por causa disso, fiquei ainda mais atenta em sair do escritório para jantar com meus filhos quando não estou viajando.

Ainda me debato diariamente com as perdas e ganhos no trabalho e no lar. Todas as minhas conhecidas também se debatem, e sei que tenho muito mais sorte do que a maioria delas. Disponho de recursos fantásticos — um marido que é um companheiro de verdade, a possibilidade de contratar gente ótima para me ajudar tanto em casa quanto no trabalho, um bom grau de controle da minha agenda. Também tenho uma irmã maravilhosa que mora perto e está sempre disposta a cuidar dos sobrinhos, às vezes de última hora. Além disso, ela é pediatra, e assim meus filhos ficam aos cuidados não só de uma tia amorosa, mas também de uma profissional qualificada. (Nem todos são próximos da própria família, seja em termos geográficos ou emocionais. Felizmente, também é possível recorrer aos amigos para esse tipo de apoio mútuo.)

Se há um novo paradigma no trabalho, há também um novo paradigma no lar. Assim como houve um aumento acentuado no número esperado de horas de trabalho, aumentaram as expectativas das horas que as mães dedicarão aos filhos. Em 1975, as mães que ficavam em casa gastavam uma média de onze horas semanais com os cuidados básicos aos filhos (entendido como as tarefas de rotina e as atividades que melhoram o bem-estar da criança, como ler e brincar com ela). As mães que trabalhavam fora em 1975 gastavam seis horas com essas atividades. Hoje, as mães que ficam em casa gastam cerca de dezessete horas semanais com os cuidados básicos, na média, enquanto as mães que trabalham fora gastam cerca de onze horas. Isso significa que, hoje, a mãe que trabalha fora gasta a mesma quantidade de tempo com atividades básicas de cuidado à criança que a mãe que ficava em casa gastava em 1975.[23]

Em minhas lembranças de infância, minha mãe sempre estava disponível, mas raramente orientava ou acompanhava minhas atividades. Meus irmãos e eu não tínhamos uma agenda organizada para brincar. Andávamos de bicicleta pelo bairro sem supervisão de adultos. Meus pais podiam dar uma olhada nas tarefas da escola de vez em quando, mas raramente sentavam conosco enquanto fazíamos. Hoje, uma "boa mãe" está sempre perto dos filhos, sempre devotada a suas necessidades. Os sociólogos chamam esse fenômeno relativamente novo de "acompanhamento materno intensivo", e isso elevou culturalmente a importância das mulheres que passam muito tempo com os filhos.[24] Sermos julgadas de acordo com o atual padrão exaustivo significa que nós, mães que trabalhamos fora, nos sentimos sempre em falta, mesmo que passemos com nossos filhos o mesmo número de horas que nossas mães passavam.

Quando deixo meus filhos na escola e vejo as mães que permanecem ali para ajudar, fico preocupada que eles não se saiam bem por eu não estar com eles o tempo todo. É aí que minha confiança nas pesquisas e dados sólidos tem me ajudado muito. Estudos e mais estudos indicam que a pressão da sociedade para que as mulheres fiquem em casa e façam "o que é melhor para a criança" se baseia em emoções, não em provas.

Em 1991, a Rede de Pesquisas Sobre os Cuidados à Primeira Infância, sob os auspícios do Instituto Nacional de Desenvolvimento Humano e Saúde Infantil, deu início ao estudo mais ambicioso e abrangente até hoje sobre a relação entre o cuidado infantil e o desenvolvimento da criança, em particular sobre o efeito do cuidado exclusivamente materno em comparação ao cuidado das creches. A Rede de Pesquisas, que congregava mais de trinta especialistas em desenvolvimento infantil das principais universidades do país, passou dezoito meses elaborando o estudo. Acompanharam mais de mil crianças ao longo de quinze anos, avaliando repetidamente suas capacidades cognitivas, habilidades linguísticas e comportamentos sociais. Foram publicadas dezenas de artigos sobre suas descobertas.[25] Em 2006, os pesquisadores lançaram um relatório resumindo os resultados, o qual concluía que "as crianças que foram cuidadas exclusivamente pelas mães não tiveram desenvolvimento diferente das que foram cuidadas por outros".[26] Não encontraram nenhuma diferença significativa na capacidade cognitiva, na competência linguística, na competência social, na capacidade de criar e manter relações ou na qualidade do vínculo entre mãe e filho.[27] Fatores relativos ao comportamento dos genitores — incluindo pais receptivos e positivos, mães que favorecem um "comportamento infantil autodirigido" e genitores com intimidade emocional no casamento — têm influência duas a três vezes maior do que qualquer forma de cuidado à criança.[28] Vale a pena ler e reler atentamente uma das descobertas: "O cuidado materno exclusivo não mostrou relação com resultados melhores ou piores para as crianças. Assim, não há nenhuma razão para que as mães sintam que estariam prejudicando os filhos se decidirem trabalhar".[29]

Sem dúvida nenhuma, as crianças precisam de envolvimento, cuidado, amor, tempo e atenção dos genitores. Mas aqueles que trabalham em tempo integral ainda são plenamente capazes de dar aos filhos uma infância segura e amorosa. Alguns dados chegam a sugerir que pode ser proveitoso para o desenvolvimento da criança ter os dois genitores trabalhando fora, especialmente no caso das meninas.[30]

Embora eu conheça os dados e entenda teoricamente que minha carreira não prejudica meus filhos, de vez em quando ainda me sinto insegura com minhas escolhas. Uma amiga minha também se sentia assim e conversou com seu terapeuta. Depois ela contou: "Meu terapeuta me disse que, quando eu me preocupava com o tempo que não passava com minhas meninas, a ansiedade pela separação se refere muito mais à mãe do que às crianças. Falamos disso como se fosse um problema para os filhos, mas na realidade pode ser mais um problema para a mãe".

Sempre quero fazer mais por meus filhos. Por causa das obrigações profissionais, deixei de ir a consultas ao médico e a reuniões de pais e mestres, e tive de viajar quando meus filhos estavam doentes. Ainda não perdi nenhuma apresentação de dança, mas provavelmente isso vai acontecer. Também perdi uma série de detalhes da vida deles. Uma vez perguntei a uma mãe em nossa escola se ela conhecia outra criança do primeiro ano, esperando ouvir um ou dois nomes. Ela passou vinte minutos recitando de cor os nomes de todas as crianças, especificando pais, irmãos, interesses e a turma do ano anterior. Como ela sabia tudo aquilo? Eu era uma mãe ruim por não saber *nada* daquilo? E por que isso me incomodava?

A resposta da última pergunta eu sei. O fato me incomodou porque, como a maioria das pessoas que têm escolhas, não me sinto totalmente à vontade com as que fiz. Mais tarde, no mesmo ano, deixei meu filho na escola no Dia de São Patrício. Quando ele saiu do carro com sua camiseta azul favorita, a mesma mãe comentou: "Hoje ele devia estar de verde". Tive dois pensamentos simultâneos: *Quem se importa com o Dia de São Patrício?* e *Não sou uma boa mãe.*

Para as mães, a administração do sentimento de culpa pode ser tão importante quanto a administração do tempo. Quando voltei ao meu emprego depois de dar à luz, outras mães que trabalhavam fora me alertaram para que eu me preparasse para o dia em que meu filho choraria chamando pela babá. Dito e feito: quando ele tinha uns onze meses, estava engatinhando pelo quarto e pôs o joelho em cima de um brinquedo. Olhou para cima procurando ajuda, chorando, e se dirigiu não a mim, mas à babá. Aquilo me doeu no coração, mas Dave achou que era um bom sinal. Argumentou que nós dois éramos as figuras centrais na vida de nosso filho, mas que era bom para seu desenvolvimento que criasse um vínculo com a pessoa que cuidava dele. Entendi o raciocínio, sobretudo depois, mas na hora aquilo doeu muito.

Até hoje, conto as horas que passo longe de meus filhos e me entristece perder um jantar ou uma noite com eles. Precisava mesmo fazer essa viagem? Tal palestra era realmente importante para o Facebook? Aquela reunião era mesmo necessária? Longe de se preocupar com as noites que perde, Dave acha que somos heróis por estarmos em casa na hora do jantar com a frequência em que estamos. Nossos pontos de vista tão diferentes parecem estar indissoluvelmente ligados a questões de gênero. Em comparação a seus colegas, Dave é um pai excepcionalmente devotado. Em comparação a muitas colegas minhas, passo muito mais tempo longe das crianças. Um estudo que realizou longas entrevistas em profundidade com genitores que trabalhavam fora, em famílias que dependiam dessa dupla receita, revelou reações parecidas. As mães se sentiam carregadas de culpa pelo que o emprego causava a suas famílias. Os pais não.[31] Como observou Marie Wilson, fundadora do Projeto Casa Branca: "Mostrem-me uma mulher sem sentimento de culpa e mostrarei a vocês um homem".[32]

Sei que posso gastar bastante tempo me concentrando no que não estou fazendo; como muitas mulheres, sou ótima na autopunição. E mesmo com meu vasto sistema de apoio, algumas vezes me sinto dividida demais. Mas, quando me detenho menos nos conflitos e concessões e me dedico mais à tarefa daquele momento, o conjunto se sustenta e me sinto contente. Adoro meu emprego, adoro as pessoas brilhantes e fascinantes com que trabalho. Também adoro o tempo que passo com meus filhos. É maravilhoso quando saio correndo da loucura do escritório e vou para casa jantar com minha família, então sento na cadeira de balanço no canto do quarto de minha filha, com as duas crianças no colo. Ficamos ali nos embalando e lendo juntos... um momento alegre e tranquilo (ok, nem sempre tranquilo) no final do dia delas. Então pegam no sono e eu vou (ok, corro) de volta para meu laptop.

Também é engraçado quando meus dois mundos colidem. Por algum tempo, Mark fez reuniões em sua casa nas segundas à noite, para tratar de questões estratégicas. Como eu não conseguia ir para casa jantar, meus filhos iam ao escritório. O Facebook dá um apoio incrível à vida familiar, e minhas crianças se sentiam no céu, extasiadas com as pizzas, os doces sem fim e a pilha enorme de Legos que os engenheiros gentilmente dividem com os pequenos visitantes. Fiquei feliz que meus filhos conhecessem meus colegas e vice-versa. Mark ensinou esgrima a meu filho, e eles às vezes praticavam com falsos floretes, o que era encantador. Mark também ensinou a meus dois filhos várias pegadinhas de escritório, o que foi um pouco menos encantador.

Jamais diria que sou capaz de ter serenidade ou concentração completa em todos os instantes. Estou muito longe disso. Mas, quando lembro que ninguém pode fazer tudo e identifico minhas verdadeiras prioridades em casa e no trabalho, sinto-me melhor, sou mais produtiva no escritório e provavelmente também uma mãe melhor. O trabalho da professora Jennifer Aaker, de Stanford, mostra que a chave da felicidade é estabelecer metas possíveis.[33] Em vez da perfeição, deveríamos aspirar à sustentabilidade e à realização. A pergunta certa não é "Consigo fazer tudo?", e sim "Consigo fazer o mais importante para mim e minha família?". O objetivo é ter filhos felizes e realizados. Usar camiseta verde no Dia de São Patrício é meramente opcional.

Se tivesse de escolher uma definição de sucesso, seria a de que o sucesso é fazer as melhores escolhas que pudermos... e aceitá-las. A jornalista Mary Curtis declarou no *Washington Post* que o melhor conselho que se pode oferecer "é que homens e mulheres devem abandonar o sentimento de culpa imediatamente. O segredo é que não existe nenhum segredo — apenas façam o melhor possível com o que têm em mãos".[34]

Em dezembro de 2010, eu estava com Pat Mitchell, esperando para entrar no palco e dar minha palestra no TED. No dia anterior, tinha levado minha filha à pré-escola e avisado que ia para a Costa Leste, e por isso não ia vê-la à noite. Ela se agarrou à minha perna e implorou que eu não fosse. Não consegui tirar aquela imagem da cabeça e, no último minuto, perguntei a Pat se devia incluí-la na apresentação. "Conte essa história sem falta", ela respondeu. "Outras mulheres passam por isso, e vai ajudá-las mostrando honestamente que é difícil para você também."

Respirei fundo e entrei no palco. Tentei ser sincera e apresentei minha verdade. Anunciei à sala — e basicamente a todo mundo na internet — que estou longe de fazer tudo. E Pat tinha razão. Foi muito bom admitir isso não só para mim mesma, mas para os outros também.

10. Vamos começar a falar disso

Às vezes fico pensando como seria viver sem ser rotulada pelo sexo. Não acordo pensando: *O que vou fazer hoje como a mulher que é diretora operacional do Facebook?*, mas é assim que muitos se referem a mim. Quando se fala em mulher piloto, mulher engenheira, mulher automobilista, a palavra "mulher" denota certa surpresa. Os homens no mundo profissional raramente são vistos com essa lente do sexo. Se procurarmos no Google "Diretores operacionais homens do Facebook", a resposta é "Não foi encontrado nenhum resultado".

Como observou Gloria Steinem, "Quem tem poder fica com o substantivo — e a norma —, enquanto os menos poderosos recebem um adjetivo".[1] Já que ninguém quer ser visto como menos poderoso, muitas mulheres recusam a identificação pelo sexo e insistem: "Não me vejo como mulher; vejo-me como romancista, atleta, profissional e assim por diante". Estão certas. Ninguém quer um adjetivo de gênero em suas realizações. Todos queremos apenas o substantivo. Mas o mundo tem suas maneiras de lembrar às mulheres que são mulheres e às meninas que são meninas.

Entre o primeiro e o último ano do ensino médio, trabalhei como mensageira em Washington para o congressista da minha cidade, William Lehman. O presidente da casa na época era o lendário representante de Massachusetts, Tip O'Neill, e o congressista Lehman prometeu que me apresentaria a ele antes de terminar o verão. Mas os dias se passavam e nada. E nada. Então, bem no último dia do ano parlamentar, ele cumpriu a promessa. No saguão do lado de fora do Congresso, ele me puxou para falar com o presidente O'Neill. Eu estava nervosa, mas o congressista Lehman me deixou à vontade, apresentando-me da maneira mais atenciosa possível, dizendo ao presidente que eu tinha trabalhado muito durante todo o verão. O presidente do Congresso me olhou e me deu um tapinha na cabeça. Virou-se para o congressista e comentou: "Ela é bonita". Então se voltou para mim e fez uma única pergunta: "Você é animadora de torcida?".

Fiquei arrasada. Vendo agora, sei que ele queria me agradar, mas na hora me senti depreciada. Queria ser reconhecida pelo trabalho que tinha feito e me pus na defensiva: "Não. Estudo demais para isso", respondi. Então senti uma onda de terror por ter retrucado ao homem que era o terceiro na linha presidencial. Mas ninguém deu mostras de notar minha resposta curta e grossa. O presidente só me deu um tapinha na cabeça — outra vez! — e seguiu em frente. Meu congressista estava radiante.

Mesmo sendo adolescente, esse machismo me parecia antiquado. O presidente da casa tinha nascido em 1912, oito anos antes de se implantar o sufrágio feminino, mas, quando o conheci nos corredores do Congresso, a sociedade (ou a maioria dela) tinha evoluído. Era óbvio que uma mulher podia fazer tudo o que os homens faziam. Minha infância foi repleta de mulheres pioneiras: Golda Meir em Israel, Geraldine Ferraro como vice de

Mondale na presidência, Sandra Day O'Connor no Supremo Tribunal, Sally Ride no espaço.

Em vista de todos esses avanços, entrei na faculdade acreditando que as feministas dos anos 1960 e 1970 já tinham feito a parte pesada do trabalho para obter a igualdade para minha geração. Mas, se alguém me chamasse de feminista, prontamente corrigiria essa ideia. É uma reação que predomina até hoje, segundo a socióloga Marianne Cooper (que também contribuiu para este livro com uma assistência fantástica na parte da pesquisa). Em seu artigo de 2011, "The New F-Word" [A nova palavra que começa com F], Marianne escreveu sobre Michele Elam, professora universitária de língua inglesa, que notou uma coisa estranha em seu curso de Introdução aos Estudos Feministas. Embora os alunos se interessassem pela igualdade entre os sexos a ponto de fazer um curso inteiro sobre o tema, pouquíssimos "se sentiam à vontade usando a palavra 'feminismo'". E era ainda "menor o número de quem se identificava como feminista". Como observou a professora Elam, parecia que a pessoa, "ao ser chamada de feminista, desconfiava que era um xingamento".[2]

Parece piada: conhece aquela da mulher fazendo um curso de estudos feministas que ficou brava ao ser chamada de feminista? Mas, quando eu estava na faculdade, vivi essa contradição. De um lado, criei um grupo para incentivar mais mulheres a escolherem economia e governo como área principal de estudo. De outro lado, não aceitaria ser considerada feminista sob nenhum aspecto, formato ou feitio. E nenhuma de minhas amigas da faculdade se considerava feminista. Entristece-me admitir que não víamos a reação contra as mulheres ao redor de nós.[3] Aceitávamos a caricatura negativa da feminista emburrada, que queimava sutiãs e odiava os homens. Não era um modelo que quiséssemos imitar, em parte porque parecia que, daquele jeito, ela jamais conseguiria um namorado. Horrível, eu sei — a triste ironia de rejeitar o feminismo para conseguir a atenção e aprovação masculina. Diga-se em nossa defesa que minhas amigas e eu acreditávamos de coração, embora ingenuamente, que o mundo não precisava mais de feministas. Pensávamos, erroneamente, que não era preciso lutar por mais nada.

Mantive essa atitude quando ingressei no mercado de trabalho. Imaginava que, se ainda existisse machismo, eu provaria que era errado. Faria meu trabalho, e bem. O que eu não sabia na época era que ignorar a questão é uma técnica clássica de sobrevivência. Dentro das instituições tradicionais, o sucesso depende muitas vezes de que a mulher não se manifeste, mas se encaixe ou, em termos mais coloquiais, seja "um dos rapazes". As primeiras mulheres que ingressaram no mundo empresarial usavam terninhos masculinos e camisas de homem. Uma executiva veterana do setor bancário me disse que usou coque por dez anos, pois não queria que ninguém percebesse que era mulher. Embora a mentalidade tenha ficado mais maleável, as mulheres ainda se preocupam em não aparecer demais. Conheço uma engenheira numa empresa promissora de tecnologia que tira os brincos antes de ir trabalhar, para que os colegas não lembrem que ela é — xiu! — mulher.

No começo da minha carreira, raramente notavam meu gênero (exceto aquele cliente ocasional que queria que eu namorasse o filho dele). Os terninhos masculinos já tinham saído de moda, e eu não escondia nem ressaltava a feminilidade. Nunca tive uma mulher como chefe imediata — nunca, em toda a minha carreira. Havia mulheres em posição mais alta nos locais onde trabalhei, mas eu não tinha proximidade suficiente para ver como lidavam com essa questão no cotidiano. Nunca fui convidada a nenhuma reunião que tratasse de gêneros e, até onde consigo lembrar, não havia nenhum programa específico para mulheres. Tudo isso parecia normal. Estávamos encaixadas ali e não havia razão nenhuma para chamarmos a atenção sobre nós.

Mas, embora a questão de gênero não fosse explicitamente reconhecida, ainda espreitava sob a superfície. Comecei a ver diferenças nas atitudes em relação às mulheres. Comecei a notar a frequência com que os funcionários eram avaliados não pelo desempenho objetivo, mas pelo critério subjetivo de como se encaixavam na empresa. Visto que o retiro de verão da McKinsey consistia numa viagem de pesca submarina e a maioria dos jantares da empresa terminava com uísque e charutos, batalhei algumas vezes para passar no teste do "encaixe". Uma noite, incentivada pelos colegas homens, até dei umas baforadas num charuto — afinal era um dos rapazes, a não ser pelo fato de que o charuto me deu náuseas e fiquei fedendo a tabaco por dias. Se isso era se encaixar, eu dava conta.

Outros também pareciam perceber que eu não era um dos rapazes. Quando fui nomeada chefe de gabinete do Departamento do Tesouro em 1999, várias pessoas comentaram comigo: "Ser mulher deve ter ajudado". Era de enfurecer. Talvez não pretendessem ser maliciosas, mas o que estava implícito era claro: eu tinha conseguido o emprego não por mérito. Também imaginei que, para cada um que me atirava na cara minha "vantagem", devia ter uma dúzia de outros falando por trás de maneira menos polida. Avaliei as reações possíveis. Podia explicar que, na última vez que tinha verificado, não havia nenhum programa de ação para mulheres no Tesouro. Podia mencionar que minhas credenciais correspondiam às dos homens que tinham ocupado antes o cargo. Se houvesse tempo suficiente, podia rememorar séculos de discriminação contra as mulheres. Ou podia simplesmente dar um tapa na cara da pessoa. Tentei todas essas opções pelo menos uma vez. Ok, o tapa não. Mas, das reações que experimentei, nenhuma funcionou.

Era uma situação sem saída. Não podia negar que era mulher; mesmo que tentasse, as pessoas perceberiam. E me defender só me fez parecer... defensiva. Minha intuição e os sinais que recebi dos outros me alertavam de que, se eu fosse discutir, só ficaria parecendo uma feminista estridente. E eu ainda não queria isso. Também receava que, se apontasse as desvantagens que as mulheres enfrentam no mercado de trabalho, ia parecer que estava choramingando ou pedindo tratamento especial. Então ignorei os comentários. Abaixei a cabeça e dei duro.

Então, com o passar dos anos, comecei a ver amigas e colegas deixando o mercado de trabalho. Algumas saíram por opção. Outras saíram por frustração, empurradas porta afora por empresas que não ofereciam flexibilidade e bem-vindas em casa por companheiros que não colaboravam nas tarefas domésticas e na criação dos filhos. Outras continuaram, mas reduziram suas ambições para atender a demandas exageradas. Eu observava a promessa de liderança feminina para minha geração se desfazer. Quando estava já há alguns anos no Google, percebi que o problema não ia sumir. Assim, embora a simples ideia ainda me assustasse, decidi que era hora de parar de abaixar a cabeça e de começar a me manifestar.

Felizmente, não estava sozinha. Em 2005, minhas colegas Susan Wojcicki e Marissa Mayer e eu percebemos que os palestrantes que visitavam o campus do Google eram fascinantes, admiráveis e... quase sempre homens. Em reação ao fato, criamos o Women@Google e lançamos a nova série com as luminares Gloria Steinem e Jane Fonda, que estavam criando o Women's Media Center. Como ex-instrutora de aeróbica, fiquei empolgada em conhecer Jane Fonda — e mantive a barriga contraída durante o encontro inteiro. Pelo que eu sabia do movimento dos direitos das mulheres, esperava que Gloria Steinem fosse fantástica e brilhante, o que de fato era. Mas era também encantadora, alegre, afetuosa — o exato contrário de minha imagem infantil da feminista emburrada.

Depois do evento do Women@Google, Gloria me convidou para falar no Women's Media Center em Nova York. Aceitei sem vacilar. No dia anterior à palestra, fui para o aeroporto com Kim Malone Scott, que dirigia as equipes de publicação do Google. Kim é uma escritora experiente, e assim imaginei que poderia me ajudar a rascunhar um discurso durante as longas horas no avião. Quando terminei de ler todos os meus e-mails armazenados, já era quase meia-noite. Virei-me para Kim e vi que dormia profundamente. Muito antes que o Facebook popularizasse a cutucada, pensei em lhe dar uma. Mas não queria acordá-la, de jeito nenhum. Com os olhos grudados na tela em branco do computador, senti-me totalmente perdida. Nunca tinha falado em público sobre o fato de ser mulher. Nunca. Não tinha nenhuma pauta ou anotação a que pudesse recorrer. Então percebi que isso era impressionante... e que realmente tinha muitas coisas a dizer.

Comecei minha fala no dia seguinte dizendo que, no mundo dos negócios, aprendemos a nos encaixar, mas que eu estava começando a achar que essa talvez não fosse a abordagem correta. Disse com todas as letras que há diferenças entre homens e mulheres, tanto no comportamento quanto na maneira como os outros enxergam esse comportamento. Falei que via essas dinâmicas funcionando no mundo profissional e que, para corrigir os problemas, precisávamos poder falar sobre a questão dos sexos sem que as pessoas achassem que estávamos implorando ajuda, pedindo tratamento especial ou ameaçando alguma ação judicial. Falei muita coisa naquele dia. Então voltei para o norte da Califórnia e deixei o tema em suspenso.

Nos quatro anos seguintes, dei duas palestras sobre as mulheres no trabalho, ambas a portas fechadas para grupos de profissionais femininas em Stanford. Então, um dia, Pat Mitchell ligou para contar que estava criando o TEDWomen e me convidou para falar sobre mídias sociais. Respondi que tinha outro tema em mente e comecei a montar uma palestra sobre como as mulheres podem ter sucesso na profissão (depois o TED deu a essa apresentação o título "Por que temos tão poucas líderes"). Logo me empolguei. E notei que ninguém mais se empolgou. Amigos e colegas de ambos os sexos me alertaram que a palestra ia prejudicar minha carreira, ao me associar imediatamente ao papel de diretora operacional mulher, e não como verdadeiro executivo empresarial. Em outras palavras, eu não estaria me integrando.

Receei que estivessem certos. Falar no TED era diferente de minhas pautas anteriores. Até podia falar para uma sala receptiva, mas a conversa seria postada na internet, onde *qualquer um* podia ver, julgar e criticar.

Dentro do Facebook, pouca gente viu minha palestra no TED e quem viu teve reação positiva. Mas, fora do Facebook, as críticas começaram a se multiplicar. Um de meus colegas do Tesouro ligou para dizer que "outras pessoas" — ele não, claro — estavam se perguntando por que eu falava mais sobre questões femininas do que sobre o Facebook. Eu estava na empresa fazia dois anos e meio, e tinha dado inúmeras palestras sobre a reestruturação do marketing seguindo o diagrama social e apenas *uma* palestra sobre a questão de gênero. Alguém perguntou: "Então agora seu lance é esse?".

Na época, não soube como responder. Hoje, diria sim. Meu "lance" é esse porque precisamos alterar o *status quo*. Ficar quieta e se encaixar talvez tenha sido o único caminho possível para as primeiras gerações femininas que ingressaram no mundo dos negócios; em alguns casos, ainda podia ser o caminho mais seguro. Mas essa estratégia não está valendo a pena para as mulheres como grupo. Em vez disso, precisamos nos manifestar, identificar as barreiras que estão tolhendo as mulheres e encontrar soluções.

A reação à minha palestra no TED me mostrou que o tratamento explícito dessas questões pode dar bons resultados. Muitas mulheres repassaram o vídeo para amigas, colegas, irmãs e filhas. Comecei a receber cartas e e-mails de mulheres de todo o mundo, que queriam contar como tomaram coragem para aproveitar mais as oportunidades, tomar seus lugares à mesa e acreditar mais em si mesmas.

Uma de minhas cartas favoritas veio de Sabeen Virani, consultora em Dubai e a única mulher num escritório com mais de trezentos funcionários. Retomando minha história sobre o executivo que não soube me dizer onde ficava o banheiro feminino, ela contou que seu escritório nem tinha banheiro para mulheres. Sabeen contou também que, em sua primeira semana no projeto, o cliente levou sua equipe para jantar fora, mas ela não pôde ir porque o restaurante não permitia a entrada de mulheres. Como tomar seu lugar à mesa se nem podia entrar no restaurante?! Alguns dos homens eram francamente hostis com ela. Outros simplesmente ignoravam sua presença. Mas, em vez de desistir e se transferir para um escritório mais acolhedor, ela decidiu que ia mostrar a todos que as mulheres são profissionais competentes. No final, ganhou o apoio dos colegas e o cliente concebeu um banheiro feminino só para ela. Enviou-me uma foto sua na frente de uma porta com um papel impresso, com dizeres simples e vigorosos: "Toalete apenas para mulheres".

A reação positiva dos homens à minha palestra também foi imensamente gratificante. O dr. John Probasco, da Faculdade de Medicina da Universidade Johns Hopkins, me contou que meus comentários sobre a maior relutância das mulheres em levantar a mão lhe soaram muito pertinentes, e assim ele decidiu abandonar o velho sistema de erguer a mão durante a rodada de perguntas em sala de aula. Passou a chamar os estudantes na mesma proporção entre os dois sexos. Logo percebeu que as mulheres sabiam as respostas tão bem ou até melhor do que os homens. Num único dia, ele aumentou a participação feminina. Com uma pequena mudança em seu comportamento, o dr. Probasco modificou uma dinâmica muito maior.

Podem resultar grandes mudanças dessas "técnicas de cutucão", pequenas intervenções que estimulam as pessoas a se comportar de maneira levemente diferente em momentos cruciais.[4] O simples ato de falar abertamente sobre padrões de comportamento torna consciente o que está no subconsciente. Por exemplo, o Google tem um sistema incomum de promoção, em que são os próprios engenheiros que indicam a si mesmos, e a empresa descobriu que os homens lançavam seus nomes com rapidez muito maior do que as mulheres. A equipe de gestão do Google expôs claramente esses dados às funcionárias, e os índices de indicação pessoal das mulheres aumentaram de maneira significativa, alcançando praticamente os mesmos índices dos homens.

Todo o retorno que recebi pelo TED me convenceu de que devia continuar me manifestando e incentivando outras mulheres a fazer o mesmo. É essencial para romper esse impasse. Falar pode transformar as mentalidades, que podem transformar os comportamentos, que podem transformar as instituições.

Sei que não é fácil. Qualquer um que levantar a questão do gênero no local de trabalho estará se metendo num assunto complicado. A questão em si apresenta um paradoxo, pois nos obriga a reconhecer as diferenças, ao mesmo tempo em que lutamos para ser tratadas da mesma maneira. As mulheres, principalmente no nível inicial, receiam que, se tratarem dessas questões, vão parecer pouco profissionais ou darão a impressão de estar acusando os outros. Tenho ouvido reclamações de mulheres que são subestimadas e até humilhadas cotidianamente no trabalho. Quando pergunto se levaram alguma dessas reclamações a seus superiores, respondem: "Oh, não! Não teria como". É muito grande o medo das mulheres de que a manifestação piore a situação ou até resulte em penas ou demissão. Parece mais seguro aguentar a injustiça.

Para os homens, pode ser ainda mais difícil levantar a questão. Um amigo que dirige uma grande organização me confidenciou certa vez: "É mais fácil comentar sua vida sexual em público do que levantar questões sobre a diferença dos sexos". O próprio fato de não divulgar essa sua opinião mostra a que ponto ele falava sério. Vittorio Colao, diretor executivo da Vodafone, me disse que mostrou minha palestra no TED à sua principal equipe de gestão porque, como eu, ele acredita que as mulheres às vezes se refreiam. Colao também acredita que é mais fácil ouvir essa mensagem quando é uma mulher a falar, e não um homem. Ele tem razão. Se um homem passasse o mesmo recado ou apenas sugerisse gentilmente que algumas atitudes adotadas pelas mulheres limitam suas opções, seria crucificado.

Eliminar a discussão é prejudicial e impede o avanço. Precisamos falar, ouvir, debater, refutar, ensinar, aprender e evoluir. E, visto que a maioria dos gerentes e administradores é formada por homens, precisamos que eles se sintam à vontade para tratar dessas questões diretamente com suas funcionárias. Quando uma mulher senta no canto da sala, é preciso que um homem se sinta capaz de lhe acenar para que se aproxime da mesa e lhe explique a razão disso, para que ela saiba tomar seu lugar à mesa da próxima vez.

Ken Chenault, diretor executivo da American Express, é um líder nessa frente. Ele reconhece francamente que, nas reuniões, é mais frequente que homens e mulheres interrompam uma mulher e deem a um homem os créditos por uma ideia inicialmente proposta por uma mulher. Quando presencia alguma dessas condutas, Ken interrompe a reunião e aponta o fato. Vindo do alto, essa atitude realmente faz os funcionários pensarem duas vezes. Uma mulher (ou homem) em cargo mais baixo também pode intervir quando uma colega é interrompida. Pode dizer ao grupo de maneira gentil, mas firme: "Antes de continuar, eu gostaria de ouvir o que [a mulher em cargo mais alto] tinha a dizer". Essa iniciativa beneficia a mulher mais graduada, e também eleva a estatura da mulher menos graduada, já que defender outra pessoa demonstra confiança e espírito de grupo. A mulher menos graduada mostra competência e gentileza.

No Facebook, ensino os gestores a estimular as mulheres a falar sobre seus planos de ter filhos e a ajudá-las a continuar aproveitando as oportunidades. Dou aos homens a opção de me citarem, caso se sintam deslocados para falar desses temas. De todo modo, essa abordagem é uma espécie de muleta e não se aplica a outras empresas. Seria preferível se todos tivessem permissão de falar sobre o assunto tanto em público quanto a portas fechadas.

Um dos grandes obstáculos é que muita gente acredita que o local de trabalho é em larga medida uma meritocracia, o que significa que olhamos os indivíduos, não os grupos, e pensamos que as diferenças de resultados estão baseadas no mérito, não no gênero. Os homens nos cargos mais altos muitas vezes nem se dão conta dos benefícios de que desfrutam simplesmente por serem homens, o que pode impedi-los de enxergar as desvantagens associadas ao fato de se ser mulher. As mulheres em posições mais abaixo também acreditam que os homens acima têm o direito de estar lá em cima, de forma que tentam jogar segundo as regras e dão ainda mais duro para avançar na carreira, em vez de levantar questões ou expressar seus receios quanto à possibilidade de uma discriminação. Em decorrência disso, todos se tornam cúmplices da perpetuação de um sistema injusto.

Ao mesmo tempo, precisamos ter cuidado em não enfiar questões de gênero em toda e qualquer discussão. Conheço um diretor executivo que se dedica imensamente em contratar e promover mulheres. Quando uma funcionária interrompeu uma negociação insistindo que merecia um cargo mais alto e não conseguia porque era mulher, ele se pôs prontamente em guarda. Ela estava falando sua verdade, mas, neste caso, sua verdade era uma acusação com ramificações jurídicas. No momento em que a funcionária formulou a questão nesses termos, o diretor executivo não teve outra escolha a não ser suspender a conversa amigável e acionar os Recursos Humanos. Provavelmente teria sido melhor para ela se antes explicasse quais eram suas contribuições para a empresa e pedisse a promoção.

Mesmo hoje, a menção ao gênero em situações profissionais muitas vezes gera um desconforto visível nas pessoas. Cabe dizer que muitas instituições têm se empenhado em sensibilizar as pessoas para tais questões, sobretudo o assédio sexual. Mas, ainda que os seminários de recursos humanos possam aumentar o grau de consciência e ajudar a proteger as funcionárias, também despertam o fantasma das ações judiciais, que podem criar barreiras concretas a tais conversas. As leis estaduais e federais destinadas a proteger os trabalhadores contra a discriminação especificam apenas que um empregador não pode tomar decisões baseadas em certas características legalmente protegidas, como sexo, gravidez e idade. Mas as empresas geralmente ampliam essa política e ensinam os gestores e administradores a não perguntar nada que esteja relacionado a essas áreas. Quem perguntar algo tão inocente como "Você é casado(a)?" ou "Tem filhos?" pode ser acusado mais tarde de ter se baseado nessa informação para tomar uma decisão na área de recursos humanos. Como consequência, um gestor que tenta ajudar uma funcionária indicando uma diferença de estilo motivada pelo gênero pode ser acusado de discriminação.

Na primeira vez em que perguntei a uma candidata se pensava em ter filhos logo, compreendi que, com isso, podia expor a empresa e eu mesma a riscos jurídicos. Ao contrário de muitas mulheres, eu estava numa posição que me permitia avaliar esses riscos e decidi enfrentá-los. As leis que protegem, entre outros, mulheres, minorias e pessoas incapacitadas contra a discriminação são essenciais e não estou sugerindo que sejam contornadas. Mas também tenho constatado em primeira mão como essas leis podem exercer um efeito paralisador no discurso, às vezes até em detrimento das pessoas que pretendem proteger. Não tenho uma solução para tal dilema e deixo a cargo dos especialistas em legislação e políticas públicas. Acredito de fato que isso merece atenção, para podermos encontrar uma maneira de lidar positivamente com essas questões sem abafá-las.

A maioria das pessoas concordaria que a discriminação sexual existe... nos outros. *Nós*, porém, jamais nos deixaríamos influenciar por opiniões tão superficiais e obscuras. Só que deixamos. Nossas ideias preconcebidas sobre a masculinidade e a feminilidade influem em nossas interações e avaliações dos colegas no local de trabalho. Um estudo de 2012 mostrou que, ao avaliar os currículos idênticos de dois estudantes para uma vaga de gerente de laboratório, de um rapaz e uma moça, cientistas de ambos o sexos deram notas melhores ao candidato masculino. Os estudantes tinham a mesma experiência e as mesmas qualificações, mas os cientistas consideraram a mulher menos competente e lhe ofereceram um salário inicial mais baixo e menos orientação.[5] Outros estudos com candidatos a empregos, inscritos para bolsas de estudos e músicos em teste para orquestras têm chegado à mesma conclusão: o gênero determina como encaramos o desempenho e geralmente nos leva a avaliar melhor os homens, ao mesmo tempo em que diminuímos a avaliação das mulheres.[6] Mesmo hoje, as avaliações sem menção ao gênero ainda apresentam resultados melhores para as mulheres.[7] Infelizmente, a maioria dos empregos exige entrevistas ao vivo.

Todos nós, inclusive eu, temos algum viés discriminatório, quer reconheçamos ou não. E pensar que somos objetivos pode, na verdade, piorar ainda mais a situação, criando o que os cientistas sociais chamam de "ponto cego do viés". Devido a esse ponto cego, as pessoas confiam demais em sua capacidade de ser objetivas, e assim não corrigem sua tendência discriminatória.[8] Ao analisar candidatos de ambos os sexos com descrições idênticas para o cargo de delegado, os avaliadores que se diziam os mais imparciais na verdade foram os que *mais* mostraram um viés favorável aos candidatos do sexo masculino. Além de contraproducente, isso é extremamente perigoso. Com efeito, os avaliadores nesse mesmo estudo mudavam os critérios de contratação para dar vantagens aos homens. Quando um candidato homem possuía um sólido histórico escolar, essa qualidade era considerada essencial para o êxito de um delegado. Mas, quando um candidato homem tinha um histórico escolar mais fraco, essa qualidade era avaliada como de menor importância. Esse favoritismo não se aplicava às candidatas mulheres. O que podia acontecer era justamente o contrário. Quando uma mulher possuía um histórico, uma qualificação ou uma habilidade específica, tal qualidade tendia a receber um peso menor. A conclusão revoltante desse estudo é que o "mérito" pode ser manipulado para justificar a discriminação.[9]

Os cientistas sociais têm descoberto constantemente novos exemplos de discriminação. Em 2012, uma série de estudos comparou homens em casamentos mais "modernos" (com esposas que trabalham fora em tempo integral) e homens em casamentos mais "tradicionais" (com esposas trabalhando em casa). Os pesquisadores queriam determinar se o sistema doméstico do homem afetava seu comportamento profissional. Afetava. Comparados aos homens com casamento moderno, os homens com casamento mais tradicional viam a presença das mulheres no mercado de trabalho com olhos menos favoráveis. Também recusavam promoções a funcionárias qualificadas com maior frequência e eram mais propensos a considerar que as empresas com percentual mais alto de funcionárias tinham mais percalços em seu funcionamento. Os pesquisadores ponderaram que os homens em casamentos tradicionais não são francamente hostis em relação às mulheres, e sim "machistas benevolentes" — com concepções positivas, mas ultrapassadas, em relação às mulheres.[10] (Outra expressão que ouvi, foi "misóginos bonzinhos".) Esses homens podem até acreditar que as mulheres possuem qualidades superiores em determinadas áreas, como o juízo moral, o que as torna mais habilitadas para criar os filhos — e talvez menos habilitadas para ter sucesso profissional.[11] Os homens que têm essa atitude não percebem como suas convicções conscientes e inconscientes ferem as colegas do sexo feminino.

Outro viés discriminatório surge de nossa tendência de querer trabalhar com pessoas semelhantes a nós. A Innovisor, uma empresa de consultoria, realizou pesquisas em 25 países e concluiu que homens e mulheres, quando selecionavam um colega para colaborar, tinham uma tendência significativa de escolher alguém do mesmo sexo.[12] E no entanto grupos mistos costumam ter melhor desempenho.[13] Dispondo dessa informação, os gestores deviam assumir um papel mais ativo na hora de montar equipes com integrantes de ambos os sexos. Ou, pelo menos, deveriam apontar essa tendência para dar aos funcionários uma motivação para mudar as coisas.

Minhas tentativas pessoais de apontar o viés de discriminação sexual não têm gerado apenas as habituais expressões de enfado. Na hipótese mais favorável, as pessoas se dispõem a observar a si mesmas e examinar seus pontos cegos; no outro extremo, ficam na defensiva e se zangam. Um exemplo comum de discriminação aparece durante as avaliações do desempenho no serviço. Ao avaliar uma mulher, o avaliador muitas vezes expressa a seguinte preocupação: "Ela é realmente boa no que faz, só que os colegas não gostam muito dela". Quando ouço comentários assim, invoco o estudo sobre Heidi/ Howard, que mostra a correlação negativa entre sucesso e simpatia para as mulheres. Peço ao avaliador que considere a possibilidade de que essa mulher bem-sucedida esteja sendo penalizada por causa de seu sexo. Geralmente as pessoas consideram o estudo plausível, assentem com a cabeça, mas logo se exasperam à sugestão de que *suas* equipes de gestão talvez estejam sob a influência desse fator. Reforçam sua posição argumentando que não pode ser uma questão relacionada com o sexo porque — a-há! — homens *e* mulheres têm problemas com aquela executiva específica. Mas quem impõe a penalidade do sucesso/ simpatia são homens e mulheres. As mulheres também perpetuam essa discriminação.

É claro que nem todas as mulheres merecem estima. Algumas despertam antipatia por comportamentos que realmente deveriam mudar. Num mundo perfeito, elas receberiam um retorno construtivo e teriam a oportunidade de fazer essas mudanças. De todo modo, chamar a atenção para esse viés discriminatório obriga as pessoas a pensarem se é um problema real ou um problema de percepção. O objetivo é dar às mulheres algo que os homens tendem a receber automaticamente — o benefício da dúvida.

As mulheres, por sua vez, às vezes também querem dar a seus chefes o benefício da dúvida. Cynthia Hogan foi a assessora-chefe do Comitê Judiciário do Senado sob a presidência do então senador Joe Biden, antes de sair em 1996, quando teve o primeiro filho. Sua ideia era voltar a trabalhar alguns anos depois. Mas, quando teve o segundo filho, que nasceu prematuro, seus planos mudaram. Doze anos depois, o vice-presidente eleito Biden ligou para Cynthia, com o convite para integrar sua equipe como assessora jurídica na Casa Branca. "Minha primeira reação foi pensar que eu não tinha nenhuma outra roupa além da malha de ioga!", ela disse. Mas sua principal preocupação foi se conseguiria cumprir o longo expediente na Casa Branca e ainda ver a família. Ela colocou isso de ótima maneira:

Eu sabia que, para dar certo, isso dependia de dois homens. Assim, primeiro perguntei a meu marido se toparia assumir mais responsabilidade pelas crianças. Ele respondeu: "Claro, é sua vez". E então falei ao vice-presidente eleito que realmente queria jantar com meus filhos todas as noites. Sua resposta foi: "Bom, você tem telefone e posso ligar quando precisar de você depois do jantar".[14]

Cynthia acredita que a moral da história é "Não custa perguntar", mesmo que pareça pouco provável. A proposta de um emprego de alto nível, principalmente depois de estar em casa há tanto tempo, era uma grande oportunidade. Muitas mulheres teriam aceitado sem tentar negociar o tempo que precisavam para ficar com a família. Outras teriam recusado, supondo que jantar em casa na maioria das noites nem seria uma questão negociável. Ser direta abriu a oportunidade.

Todo trabalho exige algum sacrifício. O segredo é evitar sacrifícios *desnecessários*. Isso é especialmente difícil visto que nossa mentalidade profissional valoriza a dedicação completa ao trabalho. Receamos que a simples menção a outras prioridades diminuirá nosso valor como funcionários. Também enfrentei isso. Como contei, depois de ter filhos, mudei meu horário de trabalho para estar em casa na hora do jantar. Mas faz bem pouco tempo que comecei a falar sobre essa mudança. E mesmo que o fato de sair mais cedo do trabalho não tenha feito praticamente nenhuma diferença, *admitir* que eu ia para casa às 17h30 acabou se mostrando uma coisa muito importante.

A primeira vez que falei abertamente sobre meu horário de trabalho foi no lançamento do Facebook Women, um grupo interno de recursos humanos da empresa. A reunião inicial, comandada por Lori Goler e pelo chefe de engenharia do Facebook, Mike Schroepfer, era aberta a todos os funcionários, inclusive homens. Na hora das perguntas e respostas, surgiu a (inevitável) pergunta sobre como eu equilibrava trabalho e família. Falei que saía do serviço para jantar com meus filhos e depois, quando eles iam dormir, voltava ao trabalho on-line. Disse que estava comentando meus horários porque queria incentivar os outros a personalizar seus horários também. Embora tivesse me programado de antemão para debater esse ponto, estava nervosa. Anos de condicionamento tinham me ensinado a jamais insinuar que estava fazendo qualquer outra coisa além de me entregar 100% ao trabalho. Dava medo pensar que alguém, mesmo quem trabalhava para mim, pudesse ter alguma dúvida sobre meu empenho e minha dedicação. Felizmente, isso não aconteceu. Alguns no Facebook me agradeceram por mencionar o fato, mas foi só.

Alguns anos depois, a produtora Dyllan McGee me entrevistou para sua série de vídeo Makers. Falamos sobre muitos assuntos, inclusive meu horário de trabalho. O vídeo foi postado na rede e instantaneamente virou tema de discussões acaloradas. Graças à mídia social (*bem-feito para mim*), todo mundo opinou sobre meu horário de saída às 17h30. Recebi flores com um bilhete anônimo em agradecimento. Mike Callahan, assessor geral do Yahoo na época, me contou que minha declaração tinha repercutido entre várias das mulheres mais graduadas em seu departamento jurídico e que iam seguir meu exemplo. O escritor Ken Auletta falou que nem se eu tivesse matado alguém a machadadas conseguiria mais manchetes. Fiquei contente em iniciar a discussão, mas, por outro lado, toda essa atenção me despertou a estranha sensação de que alguém ia objetar e me despedir. Tive de me tranquilizar dizendo que era absurdo. Mesmo assim, a repercussão me fez entender como seria incrivelmente difícil que alguém em um cargo mais baixo solicitasse ou adotasse esse horário de trabalho. Temos um longo caminho pela frente antes que um horário de trabalho flexível seja aceito na maioria das empresas. Só acontecerá se continuarmos levantando a questão.

As discussões podem ser difíceis, mas os pontos positivos são inúmeros. Não podemos mudar algo que não percebemos; mas, depois que percebemos, não podemos deixar de mudar.

Mesmo uma instituição solidamente estabelecida como a Escola de Administração de Harvard (EAH) pode evoluir com rapidez se as questões forem levantadas com clareza. Historicamente, os estudantes americanos do sexo masculino na EAH têm tido melhor desempenho acadêmico do que os estudantes estrangeiros e de sexo feminino. Quando Nitin Nohria foi nomeado diretor da faculdade, tomou como missão diminuir essa distância. Começou com a nomeação de Youngme Moon como diretora associada do programa de Mestrado em Administração de Empresas, a primeira mulher a ocupar esse cargo em mais de cem anos de história daquela faculdade. Também criou um novo cargo para Robin Ely, especialista em gênero e diversidade.

A diretora associada Moon, trabalhando com a professora Frances Frei, passou o primeiro ano examinando rigorosamente a mentalidade vigente na faculdade. Visitaram todas as classes e debateram os desafios enfrentados pelas mulheres e pelos estrangeiros do corpo discente. Então utilizaram esses dados para criar o que o diretor Nohria chama de "nível de consideração". Sem recorrer a grandes mudanças, atacaram pontos mais maleáveis — pequenos ajustes que os estudantes podiam fazer de imediato, como prestar mais atenção à linguagem que usavam em sala de aula. Estabeleceram uma nova definição de liderança, com sentido mais coletivo: "Liderar é melhorar os outros em função de sua própria presença e garantir que o impacto perdure em sua ausência". Com isso os estudantes se tornaram responsáveis pelo impacto de sua conduta sobre os outros. Quem transgredisse esse princípio ou mesmo abrigasse um evento onde se transgredisse tal princípio teria de prestar contas. No segundo ano, a EAH criou pequenos projetos em grupo para estimular a colaboração entre colegas que naturalmente não trabalhariam juntos. Também acrescentaram um ano de curso com trabalho de campo, que permite desenvolver os pontos fortes de estudantes que não se sentem à vontade para contribuir em turmas grandes.

Na formatura, a distância no grau de desempenho tinha praticamente desaparecido. Homens, mulheres e estrangeiros tiveram representação proporcional na distribuição das honras. Houve outro benefício também. Num resultado que surpreendeu a muitos, a satisfação discente geral aumentou, não só entre os estudantes estrangeiros e do sexo feminino, mas também entre os estudantes americanos de sexo masculino. Com um ambiente mais igualitário, todos ficaram mais felizes. E tudo isso foi realizado em apenas dois anos.[15]

Os ganhos sociais nunca são dados de mão beijada. Têm de ser conquistados. As líderes do movimento feminista — Susan B. Anthony, Jane Addams, Alice Paul, Bella Abzug, Flo Kennedy e tantas outras — se manifestaram com energia e coragem para exigir os direitos que agora temos. A bravura dessas mulheres mudou nossa cultura e nossas leis em benefício de todos nós. Olhando em retrospectiva, era absurdo que eu e minhas amigas de faculdade nos afastássemos das árduas conquistas das feministas anteriores. Devíamos ter aplaudido sua luta. Em vez disso, abaixamos a voz, pensando que a batalha tinha acabado, e com essa reticência prejudicamos a nós mesmas.

Agora digo com orgulho que sou feminista. Se Tip O'Neill ainda estivesse vivo, até lhe diria que sou animadora de torcida, sim: do feminismo. Faço votos que mais mulheres — e homens — se juntem a mim aceitando esse ilustre qualificativo. Hoje, apenas 24% das mulheres nos Estados Unidos se declaram feministas. Mas, diante de uma definição mais específica do feminismo — "Feminista é quem acredita na igualdade social, política e econômica dos sexos" —, a porcentagem de mulheres que concordam com essa posição sobe para 65%.[16] É um grande passo na direção certa.

A semântica pode ser importante, mas não creio que o avanço dependa de nossa disposição em aceitar um rótulo. Creio que ele depende de nossa disposição em expor claramente os efeitos da discriminação sexual sobre nós. Não podemos mais fingir que não existem discriminações nem contorná-las. E, como demonstrou a Escola de Administração de Harvard, quando se cria um ambiente mais igualitário, o resultado não é apenas um melhor desempenho para nossas organizações, mas muito provavelmente uma maior felicidade para todos.

11. Trabalhando juntos pela igualdade

Comecei este livro reconhecendo que as mulheres no mundo desenvolvido estão em condições melhores do que nunca, mas a meta da verdadeira igualdade ainda não foi atingida. Em primeiro lugar, temos de assumir que a verdadeira igualdade está longe e só será alcançada quando um número maior de mulheres subir ao topo de todos os governos e de todos os setores da economia. Posto isso, temos de trabalhar arduamente para chegar lá. Todos nós, homens e mulheres, temos de entender e reconhecer que os estereótipos e as discriminações toldam nossas convicções e perpetuam o *status quo*. Em vez de ignorar nossas diferenças, precisamos aceitá-las e superá-las.

Durante décadas, temos nos concentrado em dar às mulheres a opção entre trabalhar dentro ou fora de casa. Comemoramos que tenham o direito de fazer essa escolha, e isso é certo. Mas temos de nos perguntar se não estamos tão concentrados em dar apoio a escolhas pessoais que deixamos de incentivar as mulheres a almejar a liderança. É hora também de encorajar as moças e mulheres que querem tomar seu lugar à mesa, enfrentar desafios e fazer a carreira acontecer.

Hoje, apesar de todas as nossas conquistas, não há uma verdadeira escolha para ninguém, seja homem ou mulher. Enquanto as mulheres não tiverem empregadores e colegas dando apoio, bem como companheiros que dividam as responsabilidades familiares, elas não têm verdadeira escolha. E enquanto os homens não forem plenamente respeitados por ajudar em casa, tampouco eles têm verdadeira escolha. Oportunidades iguais não são iguais a menos que todos recebam o incentivo que permita aproveitá-las. Somente então homens e mulheres poderão realizar seu pleno potencial.[1]

Nada disso será possível a menos que tenhamos essas metas em comum. Os homens precisam apoiar as mulheres e, espero que nem seja necessário dizer, as mulheres também precisam apoiar as mulheres. A professora Deborah Gruenfeld, de Stanford, expõe a questão:

> Precisamos cuidar umas das outras, trabalhar juntas, agir mais como uma coalizão. Como indivíduos, temos baixos níveis de poder. Trabalhando juntas, somos 50% da população e, portanto, temos verdadeiro poder.[2]

Pode parecer óbvio, mas nem sempre as mulheres trabalharam juntas no passado. De fato, existem muitos exemplos desanimadores de mulheres que agiram exatamente ao contrário.

Somos uma nova geração e precisamos de uma nova abordagem.

No verão de 2012, Marissa Mayer, que foi minha colega no Google, foi nomeada diretora executiva do Yahoo. Eu sabia, como também sabiam vários amigos seus e o conselho de diretoria do Yahoo, que ela estava entrando no último trimestre de gravidez.

É claro que muitos homens aceitam grandes cargos quando as esposas estão a poucas semanas de dar à luz e ninguém vê nenhum problema nisso, mas a condição de Marissa logo se tornou a manchete do dia. Foi saudada como a primeira grávida diretora executiva de uma das quinhentas empresas de maior faturamento nos Estados Unidos segundo a *Fortune*. As feministas aplaudiram. Então Marissa anunciou: "Minha licença-maternidade é de poucas semanas e vou trabalhar durante toda ela".[3] Muitas feministas deixaram de aplaudir. Já que uma curta licença dessas não era factível ou desejável para todas, elas argumentaram que Marissa prejudicava a causa ao criar expectativas pouco razoáveis.

Então foi um gigantesco salto para o sexo feminino e um pequeno passinho para trás? Claro que não. Marissa se tornou a diretora executiva mais jovem de uma das quinhentas empresas da *Fortune*... durante a gravidez. Ela decidiu como queria administrar a carreira e a família e nunca alegou que sua escolha devia se aplicar a qualquer outra pessoa. Se tivesse cortado a licença-maternidade do Yahoo para duas semanas para todas as funcionárias, teríamos com que nos preocupar. Ela não cortou, mas mesmo assim foi extremamente criticada. Até um integrante de um governo europeu palpitou.[4] Como qualquer pessoa, Marissa sabe do que é capaz em suas condições. E, como também notou a jornalista Klara Swisher, Marissa "tem um marido que pode cuidar perfeitamente da criança, e parece que ninguém se lembra disso".[5] As mulheres que querem tirar licença de duas semanas, dois dias, dois anos ou vinte anos merecem o pleno apoio de todos.

Como demonstra a experiência de Marissa, as mulheres em posição de poder geralmente são objeto de um escrutínio mais cerrado. Como a grande maioria dos líderes são homens, não é possível generalizar a partir de um único exemplo. Mas a escassez de mulheres em papel de liderança faz com que uma delas seja tomada como representativa de todo o seu sexo.[6] E como as pessoas muitas vezes depreciam e antipatizam com líderes mulheres, tais generalizações costumam ser complicadas. Além de injustas com os indivíduos, elas reforçam o estigma de que as mulheres de sucesso não são estimadas pelos outros. Um ótimo exemplo pessoal ocorreu em maio de 2012, quando um blogueiro da *Forbes* postou um artigo intitulado "Sheryl Sandberg é a garota popular do Vale — como Kim Polese antes dela". Ele começava a comparação descrevendo Kim, uma das primeiras empresárias da indústria da informática, como um "astro" em meados dos anos 1990 que nunca mereceu realmente seu sucesso, pois apenas estava "no lugar certo, na hora certa [e era] jovem, bonita e falava bem". O blogueiro continuava: "Penso que Polese serve como uma boa advertência para... Sheryl Sandberg".[7] *Ui*.

Kim e eu nunca tínhamos nos encontrado ou conversado antes desse episódio, mas ela defendeu nós duas. Numa resposta pública, comentava que leu a postagem do blog e seu "pensamento imediato foi: *que tristeza*. Que tristeza que, como indústria e como sociedade, não tenhamos avançado nesses últimos vinte anos, quando se trata das opiniões sobre mulheres e cargos de liderança. Como todos os artigos anteriores, levianos e carregados de estereótipos, este distorce os fatos". Depois de corrigir os dados, Kim continuou: "Esse tipo de visão é lugar-comum e faz parte de um padrão muito disseminado que menospreza, deprecia e marginaliza as mulheres como líderes".[8] Foi tal a quantidade de leitores que se uniram a ela, dizendo que a postagem era machista, que o blogueiro postou um pedido de desculpas e uma retratação.[9]

Fiquei muito agradecida pelo apoio verbal de Kim. Quanto mais as mulheres saírem em mútua defesa, melhor. Infelizmente, isso nem sempre acontece. E parece acontecer menos ainda quando as mulheres expressam uma posição que envolve problemas relacionados ao gênero. Os ataques a Marissa por causa de seus planos para a licença-maternidade provieram quase exclusivamente de outras mulheres. Também passei por isso. Todo mundo adora uma briga — e *realmente* adora briga de mulher. A mídia não para de noticiar ataques de mulheres a outras mulheres, o que desvia a atenção dos verdadeiros problemas. Quando as discussões viram "ela disse/ ela disse", todos saímos perdendo.

Qualquer movimento social se debate com divergências internas, em parte porque os ativistas são ardorosos e não costumam concordar com todas as posições e soluções. Um episódio tolo que ficou famoso ocorreu quando Betty Friedan se recusou a trabalhar com Gloria Steinem — e até a lhe apertar a mão. As duas fizeram tanto para promover os direitos das mulheres! E se tivessem conseguido trabalhar juntas? A causa não teria avançado ainda mais?

Há tantas de nós que se preocupam profundamente com esses assuntos. Devíamos lutar para resolver logo nossas divergências e, quando discordamos, devíamos continuar concentradas em nossos objetivos comuns. Não estou defendendo que se debata menos, mas que o debate seja mais construtivo. No caso de Marissa, teria sido ótimo se concentrar nas fantásticas realizações dela. Graças à sua nomeação de alto nível, outras empresas poderiam pensar em contratar grávidas para grandes cargos, e as grávidas poderiam se sentir mais dispostas a se candidatar a eles. Ao minimizar a grande conquista de Marissa, os ataques minimizaram todas nós.

Uma triste verdade é que um dos obstáculos para que aumente o número de mulheres no poder é, às vezes, a mulher que já está no poder. As mulheres em gerações anteriores à minha acreditavam, em larga medida com razão, que apenas *uma* mulher devia chegar aos escalões mais altos numa empresa. Naqueles dias de dar uma migalha só para constar, as mulheres olhavam em torno da sala e, em vez de se unirem contra um sistema injusto, geralmente viam-se como concorrentes. A ambição alimentava a hostilidade, e as mulheres acabavam sendo ignoradas, depreciadas e, em alguns casos, até sabotadas por outras mulheres.

Nos anos 1970, esse fenômeno era tão comum que se usava o termo "abelha rainha" para descrever a mulher que se dava bem num papel de liderança, sobretudo em setores dominados pelo sexo masculino, e usava sua posição para manter as "abelhas operárias" em posição subordinada. Para algumas, era uma simples questão de sobrevivência. Para outras, refletia sua formação e entrada na maioridade numa sociedade que acreditava na superioridade masculina. Neste sentido, o comportamento de abelha rainha era não só causa, mas também consequência da discriminação sexual. As abelhas rainhas interiorizavam o estatuto subalterno das mulheres e, para se sentir merecedoras, queriam se associar apenas com homens. Frequentemente essas abelhas rainhas eram recompensadas por manter o *status quo* e não promover outras mulheres.[10]

Infelizmente, essa atitude de "só pode haver uma" ainda persiste. Não faz nenhum sentido que continuemos a achar que há uma competição entre nós, mas algumas ainda acham. Em certos casos, as mulheres questionam o grau de empenho profissional, o dinamismo e a capacidade de liderança de suas colegas.[11] Um estudo mostrou que docentes do sexo feminino acreditavam que doutorandos do sexo masculino eram mais comprometidos com suas carreiras do que as doutorandas mulheres, muito embora uma pesquisa entre os estudantes não tenha mostrado nenhuma diferença por gênero nos níveis declarados de compromisso com o trabalho.[12] Outra pesquisa sugere que, quando uma mulher tem sucesso, sobretudo num contexto com discriminação sexual, isso diminui sua capacidade de enxergar essa discriminação.[13]

Dói o coração pensar que uma mulher segure e refreie outra. Como disse certa vez a ex-secretária de Estado Madeleine Albright: "Há um lugar especial no inferno para as mulheres que não ajudam outras mulheres".[14] E as consequências vão além da dor pessoal. As opiniões negativas de mulheres sobre colegas do sexo feminino são vistas muitas vezes como uma avaliação objetiva — mais fidedigna do que as opiniões dos homens.[15] Ao exprimir uma discriminação por gênero, as mulheres a legitimam. Claro que uma atitude negativa não pode ser machista se parte de outra mulher, certo? *Errado*. Muitas vezes sem nem perceber, as mulheres interiorizam atitudes culturais depreciativas e passam a expressá-las. Assim, além de vítimas, as mulheres também podem infligir a discriminação sexual.

Há esperanças de que esta atitude esteja mudando. Uma pesquisa recente mostrou que "mulheres de alto potencial" trabalhando no mundo dos negócios querem retribuir dando a mesma oportunidade a outras e 73% ajudaram mulheres a desenvolver seus talentos.[16] Quase todas as mulheres que encontrei profissionalmente foram prestimosas. Quando eu era estagiária na McKinsey, conheci Diana Farrell, uma sumidade em consultoria, numa conferência da empresa no Colorado. Diana acabara de falar num painel de conferências a que assisti e nos encontramos depois — onde mais? — no banheiro feminino. No fim, a conversa se prolongou depois da conferência e ela se tornou uma grande amiga e conselheira de confiança. Anos depois, foi uma das poucas pessoas a me incentivar a entrar no Google.

Quanto mais nos ajudamos mutuamente, mais ajudamos a nós mesmas. Agir como aliadas realmente dá resultados. Em 2004, quatro executivas da Merrill Lynch começaram a almoçar juntas uma vez por mês. Contavam suas conquistas e frustrações. Falavam de negócios. Depois do almoço, voltavam a seus escritórios e repassavam as notícias das conquistas das outras. Não podiam se vangloriar de si mesmas, mas podiam louvar as colegas. A carreira de todas prosperou e elas chegaram aos níveis de gerência administrativa e executiva.[17] A abelha rainha foi expulsa e a colmeia ficou mais forte.

Sei que nem todas as mulheres encontram esse tipo de apoio feminino, mas, estranhamente, costumamos esperar por ele. Em geral, não imaginamos que os homens virão nos ajudar, mas supomos que poderemos ter um vínculo com nosso próprio sexo. Imaginamos que as mulheres agirão com espírito comunal, talvez por causa de nosso próprio viés discriminatório. Só uma vez em minha carreira, senti que uma mulher em alto cargo me tratou mal. Ela reclamava de mim e de minha equipe pelas costas, mas não comentava nada comigo, mesmo quando eu lhe perguntava diretamente. Quando a conheci, tinha grandes esperanças de que fosse uma aliada. Quando se mostrou não só indiferente, mas francamente desrespeitosa, o que senti não foi apenas decepção: senti-me traída.

Sharon Meers me explicou que esse sentimento de traição era previsível. De fato, homens e mulheres demandam mais tempo e receptividade das mulheres no local de trabalho. Esperamos mais gentileza das mulheres e podemos nos zangar quando elas não atendem a essa expectativa. "Creio que é um fator que pesa muito nos protestos de que as executivas são 'ruins' com outras mulheres", disse-me Sharon. "É um duplo critério que temos quando olhamos nossos superiores, contrapondo homens e mulheres."

Agora reconheço que, se aquela mulher de alto cargo fosse homem e agisse da mesma maneira, ainda me sentiria chateada, mas não teria levado a coisa tão a sério. É hora de abandonar o duplo critério. A questão do gênero não deve ampliar nem justificar um tratamento depreciativo e grosseiro. Devemos esperar de todos um comportamento profissional e gentil.

Qualquer aliança em favor das mulheres também precisa incluir os homens, muitos dos quais se preocupam tanto quanto elas com a desigualdade dos sexos. Em 2012, Kunal Modi, estudante na Escola Kennedy de Harvard, escreveu um artigo pedindo aos homens que "virassem homens em questões do trabalho e da família". Ele sustentou que:

> [...] em favor do desempenho das grandes empresas americanas e dos lucros dos acionistas, os homens devem desempenhar um papel *ativo* para assegurar que os trabalhadores jovens de mais talento (muitas vezes do sexo feminino...) sejam incentivados a promover seu avanço na carreira [...] Então, homens, envolvam-se já — e não da maneira condescendente que marginaliza essa atitude como se fosse algum gesto altruísta em favor de nossas mães, esposas e filhas — mas em favor de nós mesmos, de nossas empresas e do futuro de nosso país.[18]

Aplaudo a mensagem de Kunal, especialmente sua ênfase no engajamento ativo. Homens de todas as idades devem se empenhar em mudar as proporções dos sexos ocupando a liderança. Podem começar procurando ativamente candidatas qualificadas para contratar e promover. E se não se encontrarem candidatas qualificadas, então precisaremos investir em mais recrutamento, orientação e recomendação, para que as mulheres possam obter a experiência necessária.

Uma cruzada "nós contra eles" não nos levará à verdadeira igualdade. Tampouco uma cruzada "nós contra nós", que Joan Williams, professora de direito na U.C. Hastings chama de "guerras dos sexos". Essas guerras estão sendo travadas em muitas frentes, mas as guerras das mães, que lançam as mães que trabalham fora contra as mães que trabalham em casa, são as que atraem maior atenção. Como explica a professora Williams:

> Essas guerras das mães são ainda piores porque estão em jogo as identidades dos dois grupos devido a outro conflito entre ideais

sociais: o trabalhador ideal é definido como aquele sempre disponível para o trabalho, e a "boa mãe" é definida como sempre disponível para os filhos. Assim, as trabalhadoras ideais precisam provar que, embora nem sempre estejam ali, os filhos estão bem, muito bem, ótimos... As mulheres que rejeitaram a norma do trabalhador ideal e se estabeleceram numa carreira mais lenta (ou em nenhuma carreira) precisam provar que tal transigência foi necessária para o bem de suas famílias. Então você tem os dois grupos de mulheres se julgando mutuamente, porque nenhum deles é capaz de viver à altura de ideais incompatíveis.[19]

A professora William está coberta de razão. Um dos conflitos inerentes à possibilidade de escolha é que todas nós fazemos escolhas diferentes. As oportunidades sempre têm um preço e não conheço nenhuma mulher que se sinta bem com todas as suas decisões. Em decorrência disso, brandimos inadvertidamente esse desconforto contra aquelas que nos lembram do caminho que não tomamos. A culpa e a insegurança nos fazem duvidar de nós mesmas, o que nos leva a nos ressentir mutuamente.

Numa carta a *The Atlantic*, em junho de 2012, Debora Spar, diretora da Barnard, escreveu sobre essa emoção confusa e complicada, expondo por que ela e tantas mulheres de sucesso se sentem tão culpadas. Concluiu que é porque:

> viemos nos esforçando sutilmente durante toda a nossa vida para provar que empunhamos a tocha que nos foi legada pelo feminismo. Que não falhamos com as mães e avós que nos possibilitaram ter ambições. E no entanto, num sentido sério e profundo, estamos falhando. Porque o feminismo não pretendia nos fazer sentir culpadas, nem nos lançar em disputas constantes sobre quem cria melhor os filhos, quem consegue um casamento mais cooperativo ou quem dorme menos. O feminismo pretendia nos libertar —

nos dar não só a possibilidade de escolha, mas também a capacidade de fazer tais escolhas sem sentir constantemente que, de alguma maneira, escolhemos errado.[20]

As mães que ficam em casa podem me fazer sentir culpada e às vezes me intimidam. Em alguns momentos sinto como se me julgassem, e imagino que em alguns momentos elas sentem como se eu as julgasse. Mas, quando supero meus sentimentos de culpa e insegurança, sinto gratidão. Esses genitores em casa — majoritariamente as mães — constituem grande parte dos talentos que ajudam a sustentar nossas escolas, comunidades e entidades sem fins lucrativos. Lembram aquela mãe que chamou a atenção de meu filho, porque devia estar de camiseta verde no Dia de São Patrício? É uma voluntária incansável na escola e em nossa comunidade. Muita gente é beneficiada por sua dedicação ao trabalho.

A sociedade costuma subestimar as contribuições dos que trabalham sem remuneração. Minha mãe sentia agudamente essa desconsideração. Por dezessete anos, trabalhou como mãe e em favor dos judeus soviéticos numa jornada mais do que integral. Para ela, a recompensa por tanto trabalho era dar uma contribuição para melhorar a vida de pessoas perseguidas no outro lado do mundo, mas muita gente do próprio bairro não achava que fosse um trabalho tão importante quanto um "emprego de verdade". Ainda era vista como "apenas uma dona de casa", desconsiderando o trabalho de verdade não remunerado que era criar os filhos e lutar em defesa dos direitos humanos.

Todos queremos a mesma coisa: nos sentir bem com nossas escolhas, nos sentir legitimados pelos que nos cercam. Então vamos começar nos legitimando mutuamente. As mães que trabalham fora devem considerar as mães que trabalham em casa trabalhadoras de verdade. E as mães que trabalham em casa devem ter o mesmo respeito pelas que escolheram outra opção.

Alguns anos atrás, numa visita à Academia Naval dos Estados Unidos, conheci uma mulher extraordinária que estava prestes a ingressar na Força Submarina americana como uma de suas primeiras oficiais. Ela estava nervosa com a nova função e ciente dos riscos em ser oficial e *não* homem. Pedi que depois me contasse como foi. Um ano mais tarde, ela me atualizou com um e-mail muito sincero. "Realmente eu estava preparada para encontrar oposição e a possibilidade de ser menosprezada", escreveu. "Mas isso não aconteceu. Fui respeitada desde o momento em que entrei a bordo e posso realmente dizer que sou valorizada como parte da tripulação." Infelizmente, ela contou que encontrou ressentimento em outra fonte — as esposas dos colegas. Num jantar de "boas-vindas" em terra firme, as esposas a criticaram e acusaram de ser uma "feminista queimadora de sutiãs querendo provar algum ponto". Forçaram-na a defender sua opção de carreira, sua reputação e sua vida pessoal. "Fiquei chocada! Que situação mais incômoda!", comentou. "Tentei responder às perguntas da melhor maneira e mantive minha posição. Por fim desistiram e passaram para meu marido!"

Temos de nos empenhar mais para superar isso. As guerras dos sexos precisam de uma paz imediata e duradoura. A verdadeira igualdade só será alcançada quando *todas* combatermos os estereótipos que nos tolhem. Sentirmo-nos ameaçadas pelas escolhas alheias prejudica a todas nós. Pelo contrário, devemos canalizar nossas energias para romper esse círculo.

Sharon Meers conta uma história de uma reunião dos pais na escola a que ela foi, na qual as crianças apresentavam os genitores. Sammy, a filha de Sharon, apontou para o pai e disse: "Este é Steve, constrói prédios, tipo um arquiteto, e adora cantar". Então apontou para Sharon e disse: "Esta é Sharon, escreveu um livro, trabalha em tempo integral e nunca vem me buscar na escola". Diga-se em favor de Sharon que não se sentiu culpada ao ouvir essa apresentação. Disse, pelo contrário: "Fiquei louca da vida com as normas sociais que fazem minha filha se sentir diferente porque a mãe não segue essas normas".

O objetivo é trabalhar por um mundo onde não existam mais essas normas sociais. Se um maior número de crianças vir os pais pegando os filhos na escola e as mães ocupadas no emprego, poderão conceber mais opções para si mesmas. As expectativas se darão não pelo sexo, mas pelo gosto, talento e interesse pessoal.

Tenho plena consciência de que a maioria das mulheres não se concentra em mudar as normas sociais para a próxima geração, mas tenta simplesmente levar um dia depois do outro.[21] Também sei que muitas mulheres de talento dão o máximo de si para alcançar o topo e tropeçam em barreiras do sistema. Muitas outras recuam porque pensam que não têm escolha. Tudo isso me faz voltar à frase de Leymah Gbowee, de que precisamos de mais mulheres no poder. Quando a liderança insistir na mudança de tais políticas, a mudança virá. O Google criou uma área de estacionamento para grávidas quando pedi e ela continua lá, muito tempo depois que saí da empresa. Devemos atuar em todos os níveis.

Minha mãe teve menos escolhas do que eu, mas, com o apoio de meu pai, ela sempre trabalhou com muito empenho. Durante minha infância, escolheu ser mãe devotada e voluntária dedicada. Quando fui para a faculdade, ela voltou para a escola para aprender a dar aulas de inglês a estrangeiros. Foi professora em tempo integral durante quinze anos e sentia que era sua vocação. "A certa altura, me convidaram para ser diretora da escola", contou-me ela. "Falei que não, pois preferia ficar em sala de aula e trabalhar com meus alunos. Estava exatamente onde queria."

Em 2003, minha mãe parou de trabalhar para cuidar dos

pais doentes. Ficou com pena de deixar o ensino, mas sempre teve a família como principal prioridade. Depois que meus avós faleceram, ela voltou ao mercado de trabalho. Fundou a Ear Peace: Save Your Hearing, uma entidade sem fins lucrativos para prevenir a perda da audição entre jovens devido a ruídos. Aos 65 anos, retomou o amor pelo ensino, montando oficinas e falando a estudantes do nível fundamental ao médio.

Minha mãe fez acontecer a vida inteira. Criou os filhos, ajudou os pais a passar os últimos anos de vida com dignidade e conforto e continua a ser esposa, mãe e avó amorosa e dedicada. Sempre contribuiu para sua comunidade e para o mundo. Ela é minha inspiração.

Minha mãe também quer ver a sociedade alcançar a verdadeira igualdade. Ela vê as barreiras que as mulheres ainda enfrentam, mas também vê novas oportunidades. Acredita que o que conquistei, e muito mais, está ao alcance de muitas outras mulheres. Concordo. E, mais importante, muitas mulheres que conheço também concordam. Cheias de energia, otimismo e confiança, estão avançando por aquele trepa-trepa e se aproximando de seus sonhos de longo prazo.

Cabe a nós acabar com a ideia de que "as mulheres não podem fazer isso, as mulheres não podem fazer aquilo", crença que tem o poder de se materializar sozinha. Se jogarmos as mãos para cima, exclamando "Não dá para fazer", apenas garantimos que *nunca* será feito.

Escrevi este livro para incentivar as mulheres a sonhar alto, a abrir caminho entre os obstáculos e a realizar todo o seu potencial. Minha esperança é que cada mulher estabeleça suas próprias metas e se lance a elas com entusiasmo. E minha esperança é que cada homem faça sua parte apoiando as mulheres no trabalho e no lar, também com entusiasmo. Quando começarmos a usar os talentos de toda a população, nossas instituições serão mais produtivas, nossos lares mais felizes e os filhos criados nesses lares não serão mais tolhidos por estereótipos estreitos.

Sei que muitas mulheres não têm como interesse central chegar ao topo das organizações onde trabalham. Minha intenção não é excluí-las nem ignorar seus interesses legítimos. Acredito que, sendo maior o número de mulheres que fazem acontecer, podemos transformar a estrutura de poder de nosso mundo e estender as oportunidades a todas. Um maior número de mulheres na liderança levará a um tratamento mais justo de *todas* as mulheres. As experiências compartilhadas formam a base da empatia e, por sua vez, podem desencadear as mudanças institucionais de que precisamos.

Há quem me critique e zombe de mim por confiar que, estando as mulheres no poder, elas se ajudarão mutuamente, pois nem sempre foi este o caso.[22] Aceito a aposta. A primeira onda de mulheres que subiram a posições de liderança foi pequena e dispersa; para sobreviver, muitas se concentraram mais em se encaixar no sistema do que em ajudar as outras. A onda atual de lideranças femininas se mostra cada vez mais disposta a se manifestar em defesa das mulheres. Quanto maior o número de mulheres em posições de poder, menor a pressão para se adequarem e mais elas farão por outras mulheres. As pesquisas já indicam que empresas com mais mulheres em papéis de liderança possuem melhores políticas para equilibrar o trabalho e a vida pessoal, menores distâncias salariais entre os sexos na remuneração por cargos executivos e maior número de mulheres em cargos de nível médio.[23]

O grande trabalho das gerações anteriores mostra que a igualdade está a nosso alcance. Podemos eliminar o abismo das lideranças *agora*. O sucesso de cada um pode facilitar um pouco mais o sucesso do próximo. Podemos fazer isso — por nós mesmas, uns pelos outros, por nossas filhas e por nossos filhos. Se nos esforçarmos agora, esta próxima onda pode ser a última. No futuro, não haverá mais líderes femininas. Haverá apenas líderes.

Quando Gloria Steinem marchou nas ruas para lutar pelas oportunidades que tantas de nós agora consideramos certas, ela citou Susan B. Anthony, que a antecedera nos protestos em favor das mulheres, e concluiu: "Nossa tarefa não é fazer com que as jovens sejam gratas. É fazer com que sejam ingratas, para que sigam em frente".[24] Isso ainda vale para hoje. Precisamos ser gratas pelo que temos, mas insatisfeitas com o *status quo*. Essa insatisfação incita a lutar pela transformação. Devemos continuar em frente.

A marcha rumo à verdadeira igualdade prossegue. Nos corredores de governos, empresas, academias, hospitais, escritórios de advocacia, entidades sem fins lucrativos, laboratórios de pesquisas e em todas as organizações, grandes e pequenas. Devemos isso — continuar lutando — às gerações que nos antecederam e às gerações que nos sucederão. Acredito que as mulheres podem comandar mais no local de trabalho. Acredito que os homens podem contribuir mais em casa. E acredito que assim se criará um mundo melhor, um mundo onde metade de nossas instituições seja dirigida por mulheres e metade de nossos lares seja dirigida por homens.

Enxergo bem o mundo que quero para todas as crianças, inclusive as minhas. Minha maior esperança é que meu filho e minha filha possam escolher o que fazer com suas vidas sem obstáculos internos ou externos que os atrapalhem ou os levem a questionar suas escolhas. Se meu filho quiser se dedicar ao importante trabalho de criar seus filhos em tempo integral, espero que seja respeitado e receba apoio. Se minha filha quiser trabalhar fora em tempo integral, espero que seja respeitada, receba apoio e também seja querida por suas realizações.

Espero que ambos cheguem exatamente aonde querem chegar. E quando descobrirem onde residem suas verdadeiras paixões, espero que ambos façam acontecer — sempre.

Vamos continuar a falar disso...

Meu objetivo é que este livro seja não o fim, mas o começo da conversa.

Convido vocês a continuarem a conversar comigo entrando na comunidade Lean In em <www.facebook.com/leaninorg>. Vamos continuar a falar sobre essas questões e a nos dar mútuo apoio. Mulheres e homens de todas as idades são bem-vindos.

Também quero convidá-los a acessar <www.leanin.org> para informações práticas e experiências pessoais que podem ajudá-los a alcançar seus objetivos. Aqui vocês podem explorar temas essenciais para o sucesso — desde negociar de maneira eficiente a entender seus pontos fortes. Vocês também podem criar e ingressar nos Lean In Circles, pequenos grupos de pessoas com interesses semelhantes, que se encontram ao vivo para um constante incentivo e desenvolvimento.

Agradecimentos

Agradeço às várias pessoas que acreditaram nessas ideias e deram muito de si para possibilitar a publicação de *Faça acontecer*. Meus mais profundos agradecimentos vão para minha parceira neste livro, Nell Scovell. Nell e eu estamos trabalhando juntas em palestras e discursos desde a Conferência Forrestal de 2011 na Academia Naval, onde usei pela primeira vez a expressão *"lean in"* [numa tradução aproximada, vá à luta, faça acontecer]. Quando comecei a pensar em escrever este livro, percebi que só o faria se Nell colaborasse comigo. Ela respondeu que estava "não só dentro, mas totalmente dentro", o que já diz tudo sobre sua dedicação. Nell deu um intervalo no trabalho como jornalista, autora e produtora de tevê para dar prioridade ao livro. Dedicou noites, começos da manhã, finais de semana e feriados a isso, para casar com minha agenda. Acima de tudo, ela insistiu que procurássemos até encontrar a maneira certa de falar sobre essas questões emocionais e complicadas. O talento de Nell para escrever só é igualado por seu senso de humor e sua crença inabalável de que um maior número de mulheres em posições de liderança resultará num mundo melhor e mais justo. Agradeço a ela não só pela dedicação e grande experiência, mas também pela amizade, que vim a estimar muito. Seu coração ressoa com sinceridade e clareza em todas as páginas deste livro.

Marianne Cooper também viveu e respirou este livro nos últimos dezoito meses. Como socióloga no Instituto Clayman de Pesquisas Sobre os Sexos na Universidade de Stanford e especialista em desigualdade social e sexual, Marianne trouxe seu vasto conhecimento como principal pesquisadora neste livro. Tem uma abordagem meticulosa e um talento sem igual para sintetizar as pesquisas, tornando-as concisas, compreensíveis e convincentes. Aprendi muito com seu raciocínio claro, sua percepção profunda e seu rigor analítico.

Este livro não existiria se não fosse Jennifer Walsh. Com sua profunda convicção, força de vontade e absoluta obstinação em não aceitar uma negativa, Jennifer me convenceu a escrevê-lo. Disse-me que esse processo seria uma experiência pessoal importante para mim, e tinha razão. Ela ficou a meu lado do começo ao fim, me orientando, encorajando e lembrando em momentos cruciais por que eu estava fazendo isso.

Minha editora, Jordan Pavlin, acreditou tanto neste projeto que dedicou muitas horas durante muitos meses até eu me decidir plenamente. Ela teve um papel fundamental em ajudar a dar forma às ideias iniciais e a converter essas ideias em esboços e depois em capítulos. Jordan nunca lia um relato episódico sem pensar que podia ser ampliado e me incentivou constantemente a partilhar mais minhas emoções e experiências. Também devo muitos agradecimentos a Sonny Mehta, editor-chefe da Knopf, cujo apoio contínuo deu agilidade a este projeto.

David Dreyer e Eric London foram indispensáveis para a redação do livro. Como bons conselheiros e brilhantes artífices da palavra, leram atentamente todos os rascunhos, do primeiro ao último. Aplicaram seu discernimento impecável e sua experiência em comunicação a todos os aspectos, sugerindo desde amplas mudanças estruturais até o aprimoramento de detalhes. Eles sempre (*sempre*) evitavam dispersão, conseguiam ver as questões de diversos ângulos e aconselhavam com rapidez e senso de humor. Elliot Schrage, Brandee Barker, Sarah Feinberg, Debbie Frost e especialmente Ashley Zandy deram apoio e conselhos inestimáveis. Foi uma alegria trabalhar de perto com Ellen Feldman e Amy Ryan, e passei a depender da precisão no uso das palavras, da cuidadosa atenção aos detalhes e da inesgotável paciência de ambas. Gina Bianchini, Rachel Thomas e Debi Hemmeter canalizaram sua paixão e compromisso com a mensagem deste livro para a criação da Lean In Community.

A equipe da agência WME foi fundamental para todos os aspectos deste livro. Ari Emanuel deu o pontapé inicial apresentando-me a Jennifer, e agradeço sua amizade e todas as suas ligações para conferir o andamento, sempre divertidas e estimulantes. Tracy Fisher comandou todo o trabalho internacional do livro, e sua dedicação para gerir todos os aspectos da publicação e da divulgação foi inestimável. Contei muito com sua experiência e aconselhamento. Agradeço também a Theresa Brown, Margaret Riley, Kathleen Nishimoto, Caitlin Moore, Raffaella De Angelis, Laura Bonner, Annemarie Blumenhagen, Eric Zohn, Michelle Feehan, Rachel McGhee, Covey Crolius, Olivia Shean, Caitlin Mahony, Janine Kamouth e David Young.

Para esta edição, quero expressar minha gratidão e entusiasmo em trabalhar com a equipe da Companhia das Letras, liderada pela estimada editora Julia Bussius. Também agradeço a Denise Bottmann, Lígia Azevedo, Camila Leme, Ana Paula Hisayama, Juliana Vettore, Clara Dias, Mariana Figueiredo, Lucila Lombardi e Vanessa Ferrari por seu apoio e trabalho árduo.

Sou imensamente grata a Luiza Helena Trajano por compartilhar sua história pessoal no prefácio deste livro. Sua segurança, sua capacidade de liderar e sua coragem estão ajudando a transformar o Brasil e o mundo. Ela está absolutamente correta quando diz que "a diversidade é fundamental". É a mais pura verdade. Eu a admiro por sua ambição, sua força e por seu exemplo a todas as mulheres.

Se você leu este livro, sabe como considero importante ter um *feedback*, e agradeço muito às várias pessoas que me deram esse retorno. Desde o momento em que decidi escrevê-lo, minha cunhada Amy Scheffer se prontificou a ajudar. Ela enviou reflexões detalhadas sobre temas que eu deveria abordar quando estava no rascunho inicial, entrevistou todas as suas amigas, me fez relatos pessoais e leu várias vezes todos os rascunhos de todos os capítulos. Seu entusiasmo e sua paixão por este projeto, bem como seu amor e apoio, foram realmente inspiradores.

Gloria Steinem compartilhou seus conhecimentos comigo desde a feliz ocasião em que a conheci, seis anos atrás. Se vim a entender os desafios que se apresentam às mulheres, devo isso em larga medida ao tempo que ela me dedicou generosamente. Ninguém refletiu sobre as mulheres — e sobre toda a humanidade — de maneira mais profunda do que Gloria. E ela avalia todas as questões com humildade, humor e um intenso desejo de construir um mundo justo. Como ativista, seu trabalho continua a nos conduzir rumo à verdadeira igualdade. Como escritora, muitas vezes suas palavras conseguem sintetizar magistralmente um tema numa única frase, e é por isso que Gloria é citada neste livro com tanta frequência. A expressão "interiorizar a revolução" vem dela e traz ressonâncias de seu livro *A revolução interior*. É com amor e gratidão que cito suas palavras nestas páginas.

Arianna Huffington tem sido fonte constante de apoio há muitos anos, em todos os aspectos de minha vida. Ela enviou seus comentários sobre o rascunho de todos os lugares do mundo, acrescentando seu profundo conhecimento e sua compreensão das correntes culturais. Oprah Winfrey me incentivou a me concentrar no projeto do livro. Quando eu hesitava em partilhar algo pessoal, ouvia sua voz em minha cabeça — ou nas mensagens de texto que ela mandava — lembrando-me do poder de ser autêntica. Gene Sperling é uma das pessoas mais ocupadas que conheço, e mesmo assim encontrou tempo para redigir várias páginas com sugestões essenciais. Ele tem uma capacidade incomparável de chegar ao cerne das questões referentes a políticas públicas e a problemas que afetam as pessoas em todas as circunstâncias da vida.

Mindy Levy, amiga de infância, estava de visita com sua família quando a arrastei para olhar um capítulo. Ela se revelou mestra na organização e estrutura do texto, que então aplicou aos rascunhos seguintes. Mellody Hobson me incentivou a falar de coração, com confiança e convicção. Ela é o exemplo do que significa ser mulher, sem precisar se justificar. Karen Kehela Sherwood ajudou a cristalizar várias ideias fundamentais, inclusive o momento de revelação ao perceber que a percepção que se tem das mulheres quando estão negociando pode ser utilizada como instrumento de negociação. E, assim como fez com muitos escritos meus por muitos anos, minha colega de quarto da faculdade, Carrie Weber, ficou acordada até tarde durante várias noites revisando cada frase do texto. Ela ajudou de uma maneira que apenas uma amiga querida e escritora talentosa poderia fazer.

Muitas outras pessoas leram rascunhos e deram sugestões, às vezes com prazos muito apertados. Meus sinceros agradecimentos a Stephanie Flanders, Molly Graham, Larry Summers, Bill McKibben, Tina Bennett, Scott e Clia Tierney, Amanda McCall, Jami Passer, Michelle Ebersman, Stepehn Paul, Diana Farrell, Adam Freed, Phil Deutch, Marne Levine, Joel Kaplan, Eric Antonow, Lorna Borenstein, Marcus Buckingham, Michael Grimes, Anna Fieler, Kim Scott, Kim Jabal, Carole Geithner, Don Graham, Zander Lurie e Michael Balaoing.

Muitos contribuíram para as pesquisas que dão sustentação a este livro. Shelley Correll e Lori Mackenzie, do Instituto Clayman de Pesquisas Sobre os Sexos na Universidade de Stanford, me colocaram em contato com Marianne e depois lhe deram apoio para que ela pudesse dedicar muito tempo a este projeto. Mana Nakagawa, uma candidata ao doutorado no programa de Ensino Internacional Comparado na Universidade de Stanford, realizou as pesquisas internacionais necessárias para que o livro se mostrasse pertinente para um público mundial. A professora Deborah Gruenfeld, da Escola de Pós-Graduação em Administração de Stanford, começou a me ensinar sobre questões de gênero mais de cinco anos atrás, e assim continua desde então. Kathleen McCartney, diretora da Escola de Pós-Graduação em Educação de Harvard, expôs o estudo NICHD sobre os cuidados à primeira infância e o desenvolvimento infantil. A professora Jennifer Aaker, da Escola de Pós-Graduação em Administração de Stanford, compartilhou sua pesquisa sobre a importância de estabelecer metas para buscar a felicidade. A professora Hannah Riley Bowles, de Harvard, interrompeu suas férias para passar horas ao telefone discutindo seu estudo sobre negociações. O professor Francis Flynn, da Escola de Pós-Graduação em Administração de Stanford, me conduziu passo a passo pelas descobertas de seu extraordinário estudo sobre Heidi/ Howard. Sharon Meers compartilhou generosamente todas as pesquisas durante anos para seu livro *Getting to 50/50*. Christine Silva, diretora de pesquisas do Catalyst, forneceu detalhes importantes sobre vários estudos. Kim Parker, pesquisadora-chefe no projeto Pew de Tendências Sociais e Demográficas, discutiu o relatório da pesquisa Pew sobre sexo e aspirações profissionais. Deixo um agradecimento especial a Phil Garland, vice-presidente de metodologia na SurveyMonkey, por seus argutos comentários sobre diversos rascunhos, bem como pela assistência com análises estatísticas.

Agradeço a Divesh Makan da Iconiq por sua ajuda estrutural e organizacional e a Gary Stiffelman da Ziffren Brittenham por sua cuidadosa atenção aos detalhes. Também quero agradecer a Jill Gillett e Chris Sanagustin pelo apoio ao trabalho de Nell neste projeto.

Meu especial agradecimento a todas as mulheres e homens que me procuraram depois de minha palestra no TED e em outros lugares, para contar suas histórias, lutas e vitórias. Eu não teria continuado a falar sobre este assunto nem teria escrito este livro se não fosse por suas reações e reflexões. Quando precisava de inspiração, lia e relia seus e-mails e suas cartas.

Também estou em dívida com as várias pessoas que me deram oportunidades e orientação ao longo de minha carreira. Larry Summers se ofereceu para orientar meu trabalho de conclusão de curso na graduação, me deu meu primeiro emprego quando saí da faculdade e desde então tem sido uma presença importante em minha vida. Lant Pritchett, meu primeiro chefe, me ensinou a examinar seriamente os dados e a dizer a verdade sem retoques. Eric Schmidt, Larry Page, Sergey Brin e Omid Kordestani me contrataram no Google, apesar de minha total inexperiência na área e me deram apoio nos diversos anos que trabalhei para eles. Richard Skolnik, Salim Habayeb e Maria Clark me convidaram para entrar em sua equipe do Banco Mundial na Índia. Doug Elmendorf me ajudou a criar um grupo feminino de economia quando eu estava na faculdade e me ensinou muito ao longo dos anos. Don Graham, Pat Mitchell, John Doerr, Dan Rosenweig, Michael Lynton, Bob Iger, Howard Schultz e Bob Rubin me deram conselhos fundamentais em conjunturas críticas de minha carreira. Fred Kofman compartilhou suas ideias sobre liderança, autenticidade e responsabilidade.

Tenho a sorte de trabalhar diariamente com pessoas extraordinárias no Facebook. Camille Hart trabalha comigo há mais de dez anos. Grande parte do que sou capaz de fazer se deve à sua experiência, grande discernimento e busca incansável de eficiência. Chris Cox, Mike Schroepfer, Elliot Schrage, David Ebersman, Ted Ullyot, Libby Leffler, Charlton Gholson, Kelly Hoffman, Anikka Fragodt, Eric Antonow, David Fischer, Lori Goler e Dan Rose me desafiam a estar à altura de seus critérios elevados e me dão a amizade e o apoio que fazem valer a pena vir trabalhar diariamente. Mark Zuckerberg me deu uma oportunidade única e desde então continua a me inspirar e a me apoiar. Ensinou-me com seu exemplo a traçar meu próprio curso e me encoraja a fazer o que eu faria se não tivesse medo.

Tenho a dádiva de estar cercada de amigos afetuosos neste projeto e em todas as demais coisas. Sou muito grata a minhas amigas de infância Eve Greenbarg, Mindy Levy, Jami Passer, Beth Redlich, Elise Scheck, Pam Srebrenik, Brook Rose, Merle Saferstein e Amy Trachter, e a meus amigos mais próximos na vida adulta Carrie Weber, Marne Levine, Phil Deutch, Katie e Scott Mitic, Craig e Kirsten Nevill-Manning, Adam Freed, Joel Kaplan, Clia e Scott Tierney, Kim Jabal, Lorna Borenstein, David Lawee, Chamath Palihapitiya, Zander Lurie, Kim Keating, Diana Farrell, Scott Pearson, Lori Talingting e Larry Brilliant.

O apoio irrestrito de minha família tem sido a base de toda a minha vida. Minha mais profunda gratidão e amor a meus pais Adele e Joel Sandberg, meu irmão David Sandberg, minha irmã Michelle Sandberg, minha sogra Paula Goldberg, meus cunhados e cunhadas Amy Schefle, Marc Bodnick e Rob e Leslye Goldberg, e minha afilhada Elise Geithner.

Este livro não apenas recomenda uma parceria verdadeira;

ele mesmo é fruto de diversas parcerias verdadeiras. Colin Summers, marido de Nell, diminuiu o ritmo de sua carreira de arquiteto para ser o responsável primário nos cuidados aos filhos. Em vinte anos, ele nunca deixou de incentivá-la na carreira. Entre suas contribuições a esta missão, leu muitos rascunhos do livro, discutiu seu conteúdo durante inúmeras refeições e foi sozinho a vários eventos na escola. Sempre que alguém sugere que as mães são mais adequadas para criar os filhos, Nell sabe muito bem, da maneira mais profunda possível, que os pais podem criá-los com o mesmo amor, devoção e alegria.

Scott Saywell, marido de Marianne, incentivou-a a participar deste projeto, apesar de sua relutância inicial. Quando fiz minha proposta, ela tinha seu próprio livro para escrever e um segundo bebê com alergia alimentar que não estava dormindo direito. Scott insistiu que eles conseguiriam dar um jeito, reorganizou seu trabalho e os horários de descanso, e de fato deu certo. Além de dar apoio, ele estava entusiasmado por Marianne.

E por fim quero agradecer a meu marido realmente fantástico, Dave Goldberg. Dave é meu melhor amigo, meu conselheiro mais próximo, pai dedicado e amor da minha vida. Nós dois sabemos que a redação deste livro se daria basicamente em detrimento do tempo que passamos juntos e, assim, escrever *Faça acontecer* foi uma decisão nossa, tanto dele quanto minha. Ele me deu apoio em cada passo do caminho, como sempre faz, com paciência, grande percepção, humor e amor.

Notas

INTRODUÇÃO — INTERIORIZANDO A REVOLUÇÃO [pp. 15-24]

1. International Labour Organization, *ILO Global Estimates of Forced Labour, Results and Methodology* (Genebra: ILO Publications, 2012), 13-4, disponível em: <www.ilo.org/wcmsp5/groups/public/---ed_norm/---declaration/documents/publication/wcms_182004.pdf>.
2. Caroline Wyatt, "What Future for Afghan Woman Jailed for Being Raped?", BBC News, South Asia, 14 de janeiro de 2012, disponível em: <www.bbc.co.uk/news/world-south-asia-16543036>.
3. Segundo o Departamento de Estado dos Estados Unidos, existem 195 países independentes no mundo. Ver U.S. State Department, *Independent States in the World*, Fact Sheet (janeiro de 2012), disponível em: <www.state.gov/s/inr/rls/4250.htm#note3>. O cálculo para o número de estados independentes governados por mulheres, entendendo-se a função de presidente, primeiro-ministro ou outro cargo executivo, foi feito a partir das informações mais recentes publicadas pela CIA antes da publicação. Ver Central Intelligence Agency, *Chiefs of State & Cabinet Members of Foreign Governments* (dezembro de 2012), disponível em: <www.cia.gov/library/publications/world-leaders-1/pdf-version/December2012ChiefsDirectory.pdf>. Mas o cálculo também inclui duas mudanças que não aparecem nas informações da CIA: a eleição de Park Geun-Hye, que será a primeira presidente mulher da Coreia do Sul em 2013, e o final do mandato da

presidente suíça Eveline Widmer-Schlumpf em dezembro de 2012. Cabe notar que a Suíça é governada por um Conselho Federal composto por sete membros. Anualmente, a Assembleia Federal elege um presidente e um vice-presidente entre os sete membros do Conselho. Em 2013, a presidência da Suíça será ocupada por Ueli Maurer. Três dos sete membros do Conselho Federal são mulheres (Eveline Widmer-Schlumph, Simonetta Sommaruga e Doris Leuthard). As eleições variam de país para país, em termos de periodicidade e data de realização. Assim, o total de mulheres chefes de estado ou líderes de governo mudará nos próximos ciclos eleitorais dos vários países. Para informações sobre o Brasil, ver Wilson Center, *Council of Women World Leaders* (2012), disponível em: <www.wilsoncenter.org/article/learn-more-about-the-council-members>.

4. Inter-Parliamentary Union, *Women in National Parliaments* (2012), disponível em: <www.ipu.org/wmn-e/world.htm>.

5. Center for American Women and Politics, "Women Who Will Be Serving in 2013", disponível em: <www.cawp.rutgers.edu/fast_facts/elections/2013_womenserving.php>; e Center for American Women and Politics, "Record Number of Women Will Serve in Congress; New Hampshire Elects Women to All Top Posts", *Election Watch*, 7 de novembro de 2012, disponível em: <www.cawp.rutgers.edu/press_room/news/documents/PressRelease_11-07-12.pdf>.

6. Inter-Parliamentary Union, *Women in National Parliaments* (2012). Disponível em: <www.ipu.org/wmn-e/arc/classif51200.htm>.

7. Patricia Sellers, "*Fortune* 500 Women CEOs Hits a Milestone", CNNMoney, 12 de novembro de 2012, disponível em: <postcards.blogs.fortune.cnn.com/2012/11/12/fortune-500-women-ceos-3/>.

8. Catalyst, *2012 Catalyst Census: Fortune 500 Women Executive Officers and Top Earners* (dezembro de 2012), disponível em: <www.catalyst.org/knowledge/2012-catalyst-census-fortune-500-women-executive-officers-and-top-earners>.

A Catalyst define um "executivo" como alguém "indicado e eleito pelo conselho de diretoria", inclusive o "diretor executivo e até dois níveis abaixo dele", e os indivíduos "registrados como executivos nos arquivos do SEC"; ver Apêndice 1, Methodology Section, *2009 Catalyst Census: Fortune 500*, disponível em: <www.catalyst.org/etc/Census_app/09US/2009_Fortune_500_Census_Appendix_1.pdf>; e Catalyst, *2012 Catalyst Census: Fortune 500 Women Board Directors* (dezembro de 2012), disponível em: <www.catalyst.org/knowledge/2012-catalyst-census-fortune-500-women-board-directors>. Catalyst, *Targeting Inequity: The Gender Gap in U.S. Corporate Leadership* (setembro de 2010), disponível em: <www.jec.senate.gov/public/index.cfm?a=Files.Serve&File_id=90f0aade-d9f5-43e7-8501-46bbd1c69bb8>.

9. U.S. Equal Employment Opportunity Commission, *2011 Job Patterns*

for Minorities and Women in Private Industry, 2011 EEO-1 National Aggregate Report (2011), disponível em: <www1.eeoc.gov/eeoc/statistics/employment/jobpat-eeo1/index.cfm> (a definição da Comissão para os cargos corporativos mais altos inclui gerentes e executivos de nível de diretoria); Catalyst, *2012 Catalyst Census: Fortune 500 Women Board Directors;* e Center for American Women and Politics, "Record Number of Women Will Serve in Congress". Ver também Catalyst, *Women of Color Executives: Their Voices, Their Journeys* (junho de 2001), disponível em: <www.catalyst.org/publication/54/women-of-color--executives-their-voices-their-journeys>.

10. Comissão Europeia, *National Factsheet: Gender Balance in Boards* (outubro de 2012), disponível em: <www.google.com/url?sa=t&rct=j&q=&esrc=s&source=web&cd=6&cad=rja&ved=0CFkQFjAF&url=ec.europa.eu/justice/gender-equality/files/womenonboards/womenonboards-factsheet-de_en.pdf&ei=AO-yUOyvBYS7igKoooHABg&usg=AFQjCNGx1TMiB2mfY8pcGwTAV-Ao-dV7xA&sig2=W_rwUkNhOfAhpiRawWh70Q>.

11. Os números foram extraídos de um relatório de 2010, o mais recente disponível. Ver Sarah de Sainte Croix, "Brazil's Petrobras Taps First Female CEO", *The Rio Times*, 24 de janeiro de 2012, disponível em: <riotimesonline.com/brazil-news/rio-business/brazils-petrobras-taps-first-female-ceo/#>.

12. Essa tendência pode começar a se alterar, tendo a Petrobrás, maior empresa de petróleo da América Latina, nomeado sua primeira diretora executiva em 2012. Ver Joachim Bamrud e Gabriela Calderon, "Latin America: Few Female CEOs", Latin Business Chronicle, 8 de março de 2012, disponível em: <www.latinbusinesschronicle.com/app/article.aspx?id=5530>.

13. Ariane Hegewisch, Claudia Williams e Anlan Zhang, *The Gender Wage Gap: 2011*, Fact Sheet (março de 2012), disponível em: <www.iwpr.org/publications/pubs/the-gender-wage-gap-2011>; e Carmen DeNavas-Walt, Bernadette D. Proctor e Jessica C. Smith, *Income, Poverty, and Health Insurance Coverage in the United States: 2010*, U.S. Census Bureau, Current Population Reports, P60-239 (Washington, D.C.: U.S. Government Printing Office, 2011), 12, disponível em: <www.census.gov/prod/2011pubs/p60-239.pdf>. As estatísticas citadas foram extraídas dos cálculos da diferença de remuneração entre os sexos, baseados nos vencimentos anuais. Segundo a dra. Pamela Coukos, assessora-chefe da Agência de Programas Federais de Observância Contratual no Departamento do Trabalho, a estimativa da distância salarial entre os sexos citada com maior frequência se baseia na diferença entre os rendimentos anuais médios dos homens e das mulheres. Outra estimativa dessa distância salarial muito utilizada toma como base a diferença entre os rendimentos semanais médios dos homens e das mulheres. Alguns estudiosos creem que os cálculos por renda semanal são mais exatos, porque levam mais em conta as diferenças no total de horas traba-

lhadas; visto que os homens geralmente trabalham um número maior de horas do que as mulheres, essa diferença pode explicar em parte a distância entre os salários de cada gênero. Outros estudiosos sustentam que as cifras dos rendimentos anuais médios são preferíveis, porque incluem mais tipos de remuneração (como bônus, pensões etc.). Um dado importante é que as duas abordagens mostram que as mulheres ganham menos do que os homens. Segundo os rendimentos anuais médios recentes, as mulheres ganham 77 centavos para cada dólar recebido pelos homens. Segundo os rendimentos semanais médios recentes, as mulheres ganham 82 centavos para cada dólar recebido pelos homens.

14. Marlo Thomas, "Another Equal Pay Day? Really?", *The Huffington Post*, 12 de abril de 2011, disponível em: <www.huffingtonpost.com/marlo-thomas/equal-pay-day_b_847021.html>.

15. O relatório de 2012 cita dados de 2007, os mais recentes disponíveis. Ver Hugo Nopo, *New Century, Old Disparities: Gender and Ethnic Earnings Gaps in Latin America and the Caribbean*, Inter-American Development Bank (Washington D.C.: Inter-American Development Bank, 2012), disponível em: <idbdocs.iadb.org/wsdocs/getdocument.aspx?docnum=37204390>.

16. Os dados referentes a 2010 foram extraídos de um relatório de 2012, o mais recente disponível. A mensuração da distância salarial entre os sexos varia de país para país, dependendo das fontes e medições usadas nos levantamentos de cada um deles. Os dados aqui apresentados se baseiam nos valores médios dos vencimentos brutos sem ajuste, para trabalhadores em tempo integral. Ver OECD, "Panel B. The Pay Gap is Higher For Incomes at the Top of the Earnings Distribution: Gender Pay Gap in Earnings for Full-Time Employees, Across the Earnings Distribution, 2010", Closing the Gender Gap: Act Now (OECD Publishing: 2012), disponível em: <dx.doi.org/10.1787/9789264179370-en>.

17. A socióloga Arlie Russell Hochschild cunhou a expressão "a revolução empacada" em seu livro *The Second Shift* (Nova York: Avon Books, 1989), p. 12.

18. Cabe notar que nem todas as líderes mulheres dão apoio aos interesses do gênero. Ver Nicholas D. Kristof, "Women Hurting Women", *The New York Times*, 9 de setembro de 2012, disponível em: <www.nytimes.com/2012/09/30/opinion/sunday/kristof-women-hurting-women.html?hp>.

Para pesquisas e discussões sobre os benefícios a todas as mulheres quando é o número de mulheres em posições de poder é maior, ver cap. 11.

19. Joanna Barsh e Lareina Yee, *Special Report: Unlocking the Full Potential of Women in the U.S. Economy,* McKinsey & Company (abril de 2011), p. 6, disponível em: <www.mckinsey.com/Client_Service/Organization/Latest_thinking/Unlocking_the_full_potential.aspx>.

1. O ABISMO NAS AMBIÇÕES DE LIDERANÇA: O QUE VOCÊ FARIA SE NÃO TIVESSE MEDO? [pp. 25-42]

1. De 1981 a 2005, o índice de evasão de mulheres brancas de nível universitário, casadas e com filhos, diminuiu de 25,2% para 21,3%, atingindo o mínimo de 16,5% em 1993. Desde meados dos anos 1990, houve um pequeno aumento no grupo que decidiu deixar o mercado de trabalho. Apesar disso, o índice parece ter se estabilizado e não retornou aos números de trinta ou quarenta anos atrás (Stone e Hernandez, 2012). Esse padrão de saída segue as linhas gerais das tendências dos índices de emprego das mulheres desde os anos 1960. A partir daí até os anos 1990, houve um expressivo aumento da participação feminina no mercado de trabalho, atingindo o pico de alta em 1999, quando 60% das mulheres trabalhavam. Desde 1999, houve um lento declínio nos índices de emprego das mulheres (Bureau of Labor Statistics, 2007 e 2011). Acompanhando essas curvas históricas de emprego entre as mulheres, a evasão atingiu o pico de baixa em 1993, na década que registrou os índices mais elevados de participação das mulheres no mercado de trabalho, e teve seu aumento mais acentuado entre 1999 e 2002, os mesmos anos que marcaram o começo do declínio nos índices gerais de emprego das mulheres (Stone e Hernandez, 2012). Assim, a recente diminuição nos índices de emprego de mães com nível universitário precisa ser cotejada com os declínios no nível de emprego entre outros grupos, inclusive dos homens e das mulheres sem filhos. Todos estão provavelmente relacionados, em parte, com um mercado de trabalho vulnerável (Boushey, 2008). Apesar dessa baixa no emprego, as mulheres de grau universitário têm os índices mais altos de participação no mercado de trabalho entre todas as mães (Stone e Hernandez, 2012). Segundo pesquisas recentes da Agência do Censo dos Estados Unidos, o percentual de mães que ficam em casa tende a ser maior entre jovens hispânicas de menor grau de escolaridade (Kreider e Elliott, 2010). Para estudos sobre os índices de participação feminina no mercado de trabalho e evasão, ver Pamela Stone e Lisa Ackerly Hernandez, "The Rhetoric and Reality of 'Opting Out'", in *Women Who Opt Out: The Debate over Working Mothers and Work-Family Balance*, org. Bernie D. Jones (Nova York: New York University Press, 2012), 33-56; Heather Boushey, "'Opting Out?' The Effect of Children on Women's Employment in the United States", *Feminist Economics* 14, nº 1 (2008): 1-36; Rose M. Kreider e Diana B. Elliott, "Historical Changes in Stay-at-Home Mothers: 1969-2009", comunicação apresentada na Reunião Anual da Associação de Sociologia Americana, Atlanta, GA, agosto de 2010, disponível em: <www.census.gov/population/www/socdemo/ASA2010_Kreider_Elliott.pdf>; Bureau of Labor Statistics, "Changes in Men's and Women's Labor Force Participation

Rates", *The Editor's Desk*, 10 de janeiro de 2007, disponível em: <www.bls.gov/opub/ted/2007/jan/wk2/art03.htm>; e Bureau of Labor Statistics, *Women in the Labor Force: A Datebook*, relatório 1034 (dezembro de 2011), disponível em: <www.bls.gov/cps/wlf-databook-2011.pdf>.

Apesar da grande maioria de mulheres e mães no mercado de trabalho, quando comparadas a seus correspondentes masculinos, surge uma distância considerável no nível de emprego. Pesquisas entre homens e mulheres com nível superior mostram que os índices de emprego e horas trabalhadas são maiores para os homens do que para as mulheres com pós-graduação, principalmente entre os que têm filhos. Uma pesquisa com três turmas de estudantes de Harvard, de 1969 a 1972, de 1979 a 1982 e de 1989 a 1992, mostrou que, quinze anos depois de se formarem, cerca de 90% a 94% dos homens estavam empregados em tempo integral, durante o ano inteiro, contra 60% a 63,5% das mulheres. O índice de emprego em tempo integral durante o ano inteiro entre as mulheres formadas com dois filhos era ainda mais baixo, variando de 41% a 47% (Goldin e Katz, 2008). Uma pesquisa nas turmas da Escola de Administração da Universidade de Chicago de 1990 a 2006 mostrou que, no ano seguinte à formatura, entre 92% e 94% dos homens e 89% das mulheres tinham emprego em tempo integral durante o ano todo. Mas, com o tempo, essa porcentagem das mulheres diminui e, seis anos depois de formadas, 78% delas têm emprego em tempo integral durante o ano todo. Depois de nove anos, a porcentagem baixa para 69%. Após dez anos ou mais, apenas 62% das mulheres têm emprego em tempo integral durante o ano todo. A porcentagem é ainda mais baixa para as mulheres com filhos. Após dez anos ou mais, apenas cerca da metade das mulheres com um ou mais filhos tem emprego em tempo integral durante o ano todo. Em qualquer ano depois de se formarem, apenas 1% dos homens não trabalha e apenas 2% a 4% trabalham em tempo parcial. Em contraste, a proporção de mulheres que não trabalham ou trabalham em tempo parcial aumenta com o tempo após se formarem, de modo que, depois de dez anos ou mais, 17% delas não trabalham e 22% trabalham em período parcial. Os pequenos percentuais restantes de homens e mulheres que trabalhavam menos de 52 semanas por ano. A pesquisa também mostrou que mulheres com filhos trabalhavam 24% menos horas do que a média masculina, e mulheres sem filhos trabalhavam 3,3% menos horas (Bertand, Goldin e Katz, 2010).

Outra pesquisa publicada em 2000, sobre os formados nos doze principais programas de Mestrado em Administração de Empresas de 1981 a 1995, mostrou que 95% dos homens e apenas 71% das mulheres trabalhavam em tempo integral. Quanto mais tempo após a formatura, menor o índice de emprego das mulheres em tempo integral (Catalyst, Center for the Education of Women at the University of Michigan, University of Michigan Business School, 2000).

Para mais informações sobre essas pesquisas, ver Claudia Goldin e Lawrence F. Katz, "Transitions: Career and Family Life Cycles of the Educational Elite", *American Economic Review: Papers & Proceedings* 98, nº 2 (2008): 363-9; Marianne Bertrand, Claudia Goldin e Lawrence F. Katz, "Dynamics of the Gender Gap for Young Professionals in the Financial and Corporate Sectors", *American Economic Journal: Applied Economics* 2, nº 3 (2010): 228-55; e Catalyst, Center for the Education of Women at the University of Michigan, University of Michigan Business School, *Women and the MBA: Gateway to Opportunity* (2000).

2. Judith Rodin, em conversa com a autora, 19 de maio de 2011.

3. National Center for Education Statistics, "Table 283: Degrees Conferred by Degree-Granting Institutions, by Level of Degree and Sex of Student: Selected Years, 1869-70 through 2021-2", Digest of Education Statistics (2012), disponível em: <nces.ed.gov/programs/digest/d12/tables/dt12_283.asp >.

4. Os dados de 2010, os mais recentes disponíveis, constam num estudo de 2012. Os níveis de ensino superior se baseiam na International Standard Classification of Education. Os números citados se referem ao ensino superior de tipo A, definido como programas de base essencialmente teórica, destinados a preparar os estudantes para programas avançados de pesquisa e profissões com exigências de alto nível de qualificação. Esses programas são em geral, mas não exclusivamente, oferecidos em universidades e têm uma duração de três a quatro ou mais anos. Ver Organização para a Cooperação e o Desenvolvimento Econômico (OECD), Education at a Glance 2012: OECD Indicators, OECD Publishing, disponível em: <dx.doi.org/10.1787/eag-2012-en>.

5. Hanna Rosen, *The End of Men: And the Rise of Women* (Nova York: Riverhead Books, 2012).

6. Debra Myhill, "Bad Boys and Good Girls? Patterns of Interaction and Response in Whole Class Teaching", *British Educational Research Journal* 28, nº 3 (2002): 350.

7. Os 4 mil entrevistados durante a pesquisa eram funcionários de catorze empresas, quase todas entre as quinhentas empresas de maior faturamento apontadas pela *Fortune* ou de porte semelhante. Ver Joanna Barsh e Lareina Yee, *Unlocking the Full Potential of Women at Work,* McKinsey & Company (abril de 2012), 7, disponível em: <www.mckinsey.com/careers/women/~/media/Reports/Women/2012%20WSJ%20Women%20in%20the%20Economy%20white%20paper%20FINAL.ashx>.

A maioria das pesquisas sobre os objetivos de alcançar níveis mais altos mostra uma grande distância por gênero, com maior número de homens aspirando a esses cargos de direção. Uma pesquisa entre executivos de alto nível, realizada em 2003 pelo Family and Work Institute, Catalyst e pelo Center for Work & Family na Faculdade de Boston, mostrou que 19% dos homens e apenas

9% das mulheres tinham como meta se tornarem diretores executivos ou sócios-gerentes. A mesma pesquisa mostrou que 54% dos homens e apenas 43% das mulheres esperam chegar aos cargos de gerência mais altos. Além disso, entre os executivos que disseram ter reduzido suas aspirações (25%), as mulheres foram majoritárias, com 34% contra 21% dos homens. A razão mais citada para essa redução das metas foi a mesma para ambos os sexos: 67% deram como razão muito importante "os sacrifícios que eu teria de fazer em minha vida pessoal ou familiar". Também é importante notar que as que pensam que houve pouco avanço na questão das mulheres no trabalho mostram maior tendência em reduzir suas aspirações do que as que acreditam que houve progressos. Ver Families and Work Institute, Catalyst, Center for Work & Family at Boston College, *Leaders in a Global Economy: A Study of Executive Women and Men* (janeiro de 2003), 4, disponível em: <www.catalyst.org/publication/80/leaders-in-a-global-economy-a-study-of-executive-women-and-men>.

Um estudo de 2003 sobre as aspirações profissionais de estudantes de administração mostrou que 81% dos homens e apenas 67% das mulheres almejam os cargos administrativos mais altos. Ver Gary N. Powell e D. Anthony Butterfield, "Gender, Gender Identity, and Aspirations to Top Management", *Women in Management Review* 18, nº 1 (2003): 88-96.

Um estudo de 2007 sobre profissionais qualificados e gerentes empregados matriculados nos programas de mestrado também mostrou que as mulheres tinham aspirações relativamente menores a cargos administrativos altos. Ver Barrie Litzsky e Jeffrey Greenhaus, "The Relationship Between Gender and Aspirations to Senior Management", *Career Development International* 12, nº 7 (2007): 637-59. Um estudo dos formados nos doze principais programas de Mestrado em Administração de Empresas de 1981 a 1995 mostrou que apenas 44% das mulheres concordavam enfaticamente ou simplesmente concordavam que tinham "desejo de avançar para uma alta posição", contra 60% dos homens que concordavam enfaticamente ou simplesmente concordavam. Ver Catalyst, Center for the Education of Women at the University of Michigan e University of Michigan Business School, *Women and the MBA*. Um relatório da McKinsey & Company mostrou que, à medida que as mulheres envelhecem, seu desejo de avançar na carreira diminui mais rápido do que o dos homens. O relatório concluiu que, em qualquer idade, "um maior número de homens quer assumir mais responsabilidade em suas organizações e ter maior controle sobre os resultados". Ver Joanna Barsh e Lareina Yee, *Special Report: Unlocking the Full Potential of Women in the U.S. Economy,* McKinsey & Company (abril de 2011), 6, disponível em: <www.mckinsey.com/Client_Service/Organization/Latest_thinking/Unlocking_the_full_potential.aspx>.

Embora a maioria das pesquisas mostre maior percentual masculino aspirando às posições mais altas, uma exceção notável é uma pesquisa de 2004 do Catalyst, com cerca de setecentas mulheres em posição de liderança e 250 homens em posição de liderança trabalhando nas mil empresas de maior faturamento indicadas pela *Fortune*. Essa pesquisa mostrou aspirações semelhantes ao nível de diretoria executiva entre mulheres (55%) e homens (57%). A pesquisa também mostrou que, entre os que ocupavam cargos de gestão de pessoal e de linha, era maior o número de mulheres que almejavam a diretoria executiva. Ver Catalyst, *Women and Men in U.S. Corporate Leadership: Same Workplace, Different Realities?* (2004), 14-6, disponível em: <www.catalyst.org/publication/145/women-and-men-in-us-corporate-leadership-same-workplace-different-realities>.

Há várias explicações para as aspirações menores das mulheres em comparação aos homens. As mulheres sentem que não há compatibilidade entre si mesmas (suas características pessoais) e altos cargos de liderança, que com frequência são caracterizados em termos masculinos; sentem que há obstáculos demais a superar; não querem colocar a carreira acima da família; dão menos importância do que os homens a características profissionais comuns a papéis de liderança, como alta remuneração, poder e prestígio; a atribuição social de um papel ao sexo feminino exerce influência nas atitudes e escolhas das moças e mulheres quanto às realizações profissionais; ocupam com maior frequência posições que não oferecem oportunidades de avanço na carreira e reduzem suas aspirações em resposta a essa posição estrutural desvantajosa. Para uma análise de algumas dessas explicações, ver Litzsky e Greenhaus, "The Relationship Between Gender and Aspirations to Senior Management", 637-59. Para uma análise das escolhas educacionais e profissionais das mulheres, ver Jacquelynne S. Eccles, "Understanding Women's Educational and Occupational Choices: Applying the Eccles et al. Model of Achievement-Related Choices", *Psychology of Women Quarterly* 18, nº 4 (1994): 585-609. Para uma análise de como a posição estrutural determina as aspirações, ver Naomi Casserir e Barbara Reskin, "High Hopes: Organizational Position, Employment Experiences, and Women's and Men's Promotion Aspirations", *Work and Occupations* 27, nº 4 (2000): 438-63; e Rosabeth Moss Kanter, *Men and Women of the Corporation*, 2ª ed. (Nova York: Basic Books, 1993).

8. Alison M. Konrad et al., "Sex Differences and Similarities in Job Attribute Preferences: A Meta-Analysis", *Psychological Bulletin* 126, nº 4 (2000): 593-641; e Eccles, "Understanding Women's Educational and Occupational Choices", 585--609. Uma pesquisa entre mulheres altamente qualificadas mostrou que apenas 15% delas apontaram "uma posição poderosa" como meta importante em suas carreiras. Ver Sylvia Ann Hewlett e Carolyn Buck Luce, "Off-Ramps and On--Ramps: Keeping Talented Women on the Road to Success", *Harvard Business*

Review 83, nº 3 (2005): 48. Estudos sobre as preferências das características do emprego mostram que é maior o número de homens, comparado ao número de mulheres, que preferem empregos caracterizados por um trabalho desafiador, por poder e influência sobre os outros, com altos níveis de responsabilidade, riscos, oportunidades de realização e avanço na carreira e alto prestígio. As mulheres tendem a preferir empregos que se caracterizam pela possibilidade de ajudar aos outros, por permite-lhes desenvolver suas capacidades e habilidades e por lhes dar tempo para se dedicar à família. Para um levantamento recente das pesquisas sobre este tema, ver Erica S. Weisgram, Lisa M. Dinella e Megan Fulcher, "The Role of Masculinity/Femininity, Values, and Occupational Value Affordances in Shaping Young Men's and Women's Occupational Choices", *Sex Roles* 65, nºs 3-4 (2011): 243-58.

9. Linda Schweitzer et al., "Exploring the Career Pipeline: Gender Differences in Pre-Career Expectations", *Relations Industrielles* 66, nº 3 (2011): 422-44. Essa pesquisa com 23 413 estudantes canadenses formados no ensino médio mostrou que alcançar nível de gerência no prazo de três anos após a formatura era uma grande prioridade de carreira para 10% dos homens, mas para apenas 5% das mulheres.

10. Hewlett e Luce, "Off-Ramps and On-Ramps", 48. Este estudo sobre mulheres e homens altamente qualificados mostrou que quase metade dos homens se descreviam como "extremamente ambiciosos" ou "muito ambiciosos", contra cerca de um terço das mulheres. Interessante notar que a proporção de mulheres que se descreviam como "muito ambiciosas" foi maior entre mulheres em administração (43%), direito e medicina (ambos 51%).

11. Eileen Patten e Kim Parker, *A Gender Reversal on Career Aspirations*, Pew Research Center (abril de 2012), disponível em: <www.pewsocialtrends.org/2012/04/19/a-gender-reversal-on-career-aspirations/>. A descoberta de que as jovens dão mais ênfase do que os rapazes ao sucesso na carreira não se sustenta quando se considera o nível de instrução. Entre os indivíduos com formação universitária abaixo de quarenta anos, não há diferença significativa entre homens e mulheres na parcela que dá grande ênfase ao sucesso na carreira. Há uma diferença significativa entre os sexos nos indivíduos sem formação universitária abaixo de quarenta anos. Esses dados se baseiam em amostragens pequenas e devem ser interpretados com cautela.

12. Tipicamente, definem-se como geração do milênio ou geração Y os indivíduos nascidos entre 1980 e 2000.

13. Essa pesquisa sobre os adultos da geração Y mostrou que 36% dos homens e apenas 25% das mulheres declararam que a afirmativa "Almejo um papel de liderança em qualquer campo em que venha a trabalhar" se aplicava "muito bem" a eles. Ver Darshan Goux, *Millennials in the Workplace*, Ben-

tley University Center for Women and Business (2012), 17-25, disponível em: <www.bentley.edu/centers/sites/www.bentley.edu.centers/files/centers/cwb/millennials-report.pdf>.

Outra pesquisa, realizada em 2008 pela Girl Scouts, não mostrou nenhuma diferença entre meninos e meninas quanto à tendência a aspirar a liderança e se considerar líder. A pesquisa mostrou que as meninas se preocupam mais com a reação social negativa. Um terço das meninas que disseram não querer ser líderes atribuiu essa falta de vontade ao "medo de ser ridicularizada, de zangar os outros, de parecer mandona ou de não ser querida pelos outros". Ver Girl Scouts Research Institute, *Change It Up: What Girls Say About Redefining Leadership* (2008), 19, disponível em: <www.girlscouts.org/research/pdf/change_it_up_executive_summary_english.pdf>.

14. Samantha Ettus, "Does the Wage Gap Start in Kindergarten?", *Forbes*, 13 de junho de 2012, disponível em: <www.forbes.com/sites/samanthaettus/2012/06/13/kindergarten-wage-gap/>.

15. Um estudo sobre mulheres e homens de sucesso com credenciais para concorrer a cargos políticos mostrou que 62% dos homens contra 46% das mulheres tinham pensado em se candidatar. O estudo mostrou que 22% dos homens contra 14% das mulheres tinham interesse em concorrer no futuro. Os homens também tinham tendência quase 60% maior de se considerar "muito qualificados" para disputar eleições. Ver Jennifer L. Lawless e Richard L. Fox, *Men Rule: The Continued Under-Representation of Women in U.S. Politics* (Washington, D.C.: Women & Politics Institute, American University School of Public Affairs, janeiro de 2012), disponível em: <www.american.edu/spa/wpi/upload/2012-Men-Rule-Report-final-web.pdf>.

16. Uma pesquisa com mais de 4 mil estudantes do ensino fundamental e médio mostrou que apenas 22% das meninas, mas 37% dos meninos disseram que "estar encarregado de outras pessoas" era "extremamente importante" ou "muito importante" para eles num futuro emprego. A pesquisa também mostrou que 37% das meninas e 51% dos meninos disseram que "ser meu próprio patrão" era "extremamente importante" ou "muito importante" para eles num futuro emprego. Ver Deborah Marlino e Fiona Wilson, *Teen Girls on Business: Are They Being Empowered?*, The Committee of 200, Simmons College School of Management (abril de 2003), 21, disponível em: <www.simmons.edu/som/docs/centers/TGOB_report_full.pdf>.

17. Jenna Johnson, "On College Campuses, a Gender Gap in Student Government", *The Washington Post*, 16 de março de 2011, disponível em: <www.washingtonpost.com/local/education/on-college-campuses-a-gender-gap-in--student-government/2011/03/10/ABim1Bf_story.html>.

18. Para pesquisas sobre a maneira como mulheres agressivas transgridem

as normas sociais, ver Madeline E. Heilman e Tyler G. Okimoto, "Why Are Women Penalized for Success at Male Tasks? The Implied Communality Deficit", *Journal of Applied Psychology* 92, nº 1 (2007): 81-92; Madeline E. Heilman et al., "Penalties for Success: Reactions to Women Who Succeed at Male Gender-Typed Tasks", *Journal of Applied Psychology* 89, nº 3 (2004): 416-27; Alice H. Eagly e Steven J. Karau, "Role Congruity Theory of Prejudice Toward Female Leaders", *Psychological Review* 109, nº 3 (2002): 573-98; e Madeline E. Heilman, "Description and Prescription: How Gender Stereotypes Prevent Women's Ascent up the Organizational Ladder", *Journal of Social Issues* 57, nº 4 (2001): 657-74.

19. Gayle Tzemach Lemmon, "We Need to Tell Girls They Can Have It All (Even If They Can't)", *The Atlantic*, 29 de junho de 2012, disponível em: <www.theatlantic.com/business/archive/2012/06/we-need-to-tell-girls-they-can-have-it-all-even-if-they-cant/259165/>.

20. Para uma análise das pesquisas, ver May Ling Halim e Diane Ruble, "Gender Identity and Stereotyping in Early and Middle Childhood", in *Handbook of Gender Research in Psychology: Gender Research in General and Experimental Psychology*, vol. 1, org. Joan C. Chrisler e Donald R. McCreary (Nova York: Springer, 2010), 495-525; org. Michael S. Kimmel e Amy Aronson, *The Gendered Society Reader*, 3ª ed. (Oxford: Oxford University Press, 2008); e Campbell Leaper e Carly Kay Friedman, "The Socialization of Gender", in *Handbook of Socialization: Theory and Research*, org. Joan E. Grusec e Paul D. Hastings (Nova York: Guilford Press, 2007), 561-87.

21. Melissa W. Clearfield e Naree M. Nelson, "Sex Differences in Mother's Speech and Play Behavior with 6, 9, and 14-Month-Old Infants", *Sex Roles* 54, nᵒˢ 1-2 (2006): 127-37. Estudos mostram que os genitores tendem a falar mais com as filhas do que com os filhos. Além disso, as mães têm conversas de maior complexidade emocional e usam um estilo de comunicação mais discursivo e de maior apoio com as filhas do que com os filhos. Para análise das pesquisas, ver Clearfield e Nelson, "Sex Differences in Mother's Speech and Play Behavior", 127-37; e Gretchen S. Lovas, "Gender and Patterns of Language Development in Mother-Toddler and Father-Toddler Dyads", *First Language* 31, nº 1 (2011): 83-108.

22. Emily R. Mondschein, Karen E. Adolph e Catherine S. Tamis-Le Monda, "Gender Bias in Mothers' Expectations About Infant Crawling", *Journal of Experimental Child Psychology* 77, nº 4 (2000): 304-16.

23. Clearfield e Nelson, "Sex Differences in Mother's Speech and Play Behavior", 127-37. Outro estudo, examinando de perto oitocentas famílias em quatro jurisdições diferentes, mostrou que, em três dos quatro locais, era maior o percentual dos bebês do sexo masculino aprendendo a andar que podiam tentar sozinhos do que o percentual dos bebês de sexo feminino. Ver G. Mitchell et al.,

"Reproducing Gender in Public Places: Adults' Attention to Toddlers in Three Public Places", *Sex Roles* 26, nºs 7-8 (1992): 323-30.

24. Emma Gray, "Gymboree Onesies: 'Smart Like Dad' for Boys, 'Pretty Like Mommy' for Girls", *The Huffington Post*, 16 de novembro de 2011, disponível em: <www.huffingtonpost.com/2011/11/16/gymboree-onesies_n_1098435.html>.

25. Andrea Chang, "JC Penney Pulls 'I'm Too Pretty to Do Homework' Shirt", blog do *Los Angeles Times*, 31 de agosto de 2011, disponível em: <latimesblogs.latimes.com/money_co/2011/08/jcpenney-pulls-im-too-pretty-to-do-homework-shirt.html>.

26. Nos últimos quarenta anos, as diferenças entre os sexos e a discriminação sexual têm sido objeto de estudos constantes. No geral, os estudos mostram que os professores dão mais atenção aos meninos do que às meninas. Os meninos também tendem a ter uma presença mais dominante na sala de aula. Mesmo assim, dependendo da metodologia utilizada (como a idade dos alunos, a disciplina ministrada e o nível de aproveitamento da turma), alguns estudos mostram poucas diferenças nas interações dos professores e no comportamento em classe entre meninos e meninas. Notadamente, pouquíssimos estudos registram casos de maior atenção dos professores às meninas do que aos meninos. Para análise das pesquisas, ver Robyn Beaman, Kevin Wheldall e Carol Kemp, "Differential Teacher Attention to Boys and Girls in the Classroom", *Educational Review* 58, nº 3 (2006): 339-66; Susanne M. Jones e Kathryn Dindia, "A Meta-Analytic Perspective on Sex Equity in the Classroom", *Review of Educational Research* 74, nº 4 (2004): 443-71; Ellen Rydell Altermatt, Jasna Javanovic e Michelle Perry, "Bias or Responsivity? Sex and Achievement-Level Effects on Teachers' Classroom Questioning Practices", *Journal of Educational Psychology* 90, nº 3 (1998): 516-27; Myra Sadker, David Sadker e Susan Klein, "The Issue of Gender in Elementary and Secondary Education", *Review of Research in Education* 17 (1991): 269-334; e Roberta M. Hall e Bernice R. Sandler, *The Classroom Climate: A Chilly One for Women?* (Washington, D.C.: Association of American Colleges, 1982).

27. Riley Maida, "4 Year Old Girl Questions Marketing Strategies", vídeo no YouTube, 1min12s, postado por Neuroticy 2, 28 de dezembro de 2011, disponível em: <www.youtube.com/watch?v=P3mTTIoB_oc>.

28. Kelly Danaher e Christian S. Crandall, "Stereotype Threat in Applied Settings Re-Examined", *Journal of Applied Social Psychology* 38, nº 6 (2008): 1639-55. Baseando-se em suas análises dos sexos, da ameaça do estereótipo e do desempenho no exame de cálculo do Advanced Placement (AP), Danaher e Crandall estimam que, se a pergunta sobre o sexo ficasse no final da folha de prova, mais 4763 garotas teriam passado. Para mais pesquisas sobre a ameaça do estereótipo e sua influência para diminuir o grau de desempenho das mulheres,

ver Catherine Good, Joshua Aronson e Jayne Ann Harder, "Problems in the Pipeline: Stereotype Threat and Women's Achievement in High-Level Math Courses", *Journal of Applied and Developmental Psychology* 29, nº 1 (2008): 17-28.

Já se demonstrou que todos os tipos de estereótipos, desde "os brancos não conseguem saltar" até "os asiáticos são melhores em matemática", influem tanto no desempenho quanto na avaliação do desempenho. Ver Jeff Stone, Zachary W. Perry e John M. Darley, "'White Men Can't Jump': Evidence for the Perceptual Confirmation of Racial Stereotypes Following a Basketball Game", *Basic and Applied Social Psychology* 19, nº 3 (1997): 291-306; Jeff Stone et al., "Stereotype Threat Effects on Black and White Athletic Performance", *Journal of Personality and Social Psychology* 77, nº 6 (1999): 1213-27; e Margaret Shih, Todd L. Pittinsky e Nalini Ambady, "Stereotype Susceptibility: Identity Salience and Shifts in Quantitative Performance", *Psychological Science* 10, nº 1 (1999): 80-3.

29. Jenessa R. Shapiro e Amy M. Williams, "The Role of Stereotype Threats in Undermining Girls' and Women's Performance and Interest in STEM Fields", *Sex Roles* 66, nºs. 3-4 (2011): 175-83.

30. Goux, *Millennials in the Workplace*, 32.

31. Sarah Jane Glynn, *The New Breadwinners: 2010 Update,* Center for American Progress (abril de 2012), 2, disponível em: <www.americanprogress.org/issues/labor/report/2012/04/16/11377/the-new-breadwinners-2010-update/>. Em 2009, 41,4% das mães sustentavam a família e outros 22,5% ajudavam a sustentar.

32. Heather Boushey, "The New Breadwinners", in *The Shriver Report: A Woman Nation Changes Everything,* org. Heather Boushey e Ann O'Leary, "A Report by Maria Shriver and the Center for American Progress" (outubro de 2009), 34, disponível em: <www.americanprogress.org/issues/women/report/2009/10/16/6789/the-shriver-report/>.

33. Mark Mather, *U.S. Children in Single-Mother Families,* Population Reference Bureau, Data Brief (maio de 2012).

34. Janet C. Gornick e Marcia K. Meyers, "Supporting a Dual-Earner/Dual-Career Society: Policy Lessons from Abroad", in *A Democracy that Works: The Public Dimensions of the Work and Family Debate,* org. Jody Hemann e Christopher Beem (Nova York: The New Press, no prelo).

35. Human Rights Watch, *Failing Its Families: Lack of Paid Leave and Work-Family Supports in the US* (fevereiro 2011), disponível em: <www.hrw.org/sites/default/files/reports/us0211webwcover.pdf>.

36. Ellen Bravo, "'Having It All?' — The Wrong Question for Most Women", *Women's Media Center,* 26 de junho de 2012, disponível em: <www.womensmediacenter.com/feature/entry/having-it-allthe-wrong-question-for-most-women>.

37. Sharon Meers e Joanna Strober, *Getting to 50/50: How Working Couples Can Have It All by Sharing It All* (Nova York: Bantam Books, 2009).

38. Rosalind Chait Barnett, "Women and Multiple Roles: Myths and Reality", *Harvard Review of Psychology* 12, nº 3 (2004): 158-64; Rosalind Chait Barnett e Janet Shibley Hyde, "Women, Men, Work, and Family: An Expansionist Theory", *American Psychologist* 56, nº 10 (2001): 781-96; e Rosalind Chait Barnett e Caryl Rivers, *She Works/He Works: How Two-Income Families are Happy, Healthy, and Thriving* (Cambridge, MA: Harvard University Press, 1998).

39. Cheryl Buehler e Marion O'Brian, "Mothers' Part-Time Employment: Associations with Mother and Family Well-Being", *Journal of Family Psychology* 25, nº 6 (2011): 895-906; Rebekah Coley et al., "Maternal Functioning, Time, Money: The World of Work and Welfare", *Children and Youth Services Review* 29, nº 6 (2007): 721-41; Leslie Bennetts, *The Feminine Mistake: Are We Giving Up Too Much?* (Nova York: Hyperion, 2007); Lynne P. Cook, "'Doing' Gender in Context: Household Bargaining and the Risk of Divorce in Germany and the United States", *American Journal of Sociology* 112, nº 2 (2006): 442-72; e Barnett, "Women and Multiple Roles",158-64.

40. Esta frase foi usada pela primeira vez por Spencer Johnson em seu livro *Quem mexeu no meu queijo?*, publicado em 1998. Ver Spencer Johnson, *Quem mexeu no meu queijo? Uma maneira fantástica de lidar com as mudanças no trabalho e na sua vida* (Rio de Janeiro: Record, 2001).

2. UM LUGAR À MESA [pp. 43-56]

1. Peggy McIntosh, "Feeling Like a Fraud", Wellesley Centers for Women working paper nº 18, (Wellesley, MA: Stone Center Publications, 1985).

2. As pesquisas iniciais sobre a síndrome do impostor no final dos anos 1970 indicavam que ela predominava entre mulheres com altas realizações. Estudos posteriores nos anos 1980 e 1990 eram ambíguos, alguns concordando e outros mostrando que os homens às vezes também eram vulneráveis a esse tipo de medo em índices semelhantes. Recentemente, estudos com universitários, doutorandos e médicos fazendo residência em clínica geral mostraram mais uma vez que a síndrome predomina entre as mulheres. A maioria das pesquisas e discussões sobre a síndrome do impostor sustenta que as mulheres são mais tolhidas por ela porque são acometidas com maior frequência e intensidade do que os homens. Para uma discussão sobre o tema, ver Gina Gibson-Beverly e Jonathan P. Schwartz, "Attachment, Entitlement, and the Imposter Phenomenon in Female Graduate Students", *Journal of College Counseling* 11, nº 2 (2008): 120-1; e Shamala Kumar e Carolyn M. Jagacinski, "Imposters Have Goals Too:

The Imposter Phenomenon and Its Relationship to Achievement Goal Theory", *Personality and Individual Differences* 40, nº 1 (2006): 149. Para outros estudos recentes, ver Gregor Jöstl et al., "When Will They Blow My Cover? The Imposter Phenomenon Among Austrian Doctoral Students", *Zeitschrift für Psychologie* 220, nº 2 (2012): 109-20; Loretta Neal McGregor, Damon E. Gee e K. Elizabeth Posey, "I Feel Like a Fraud and It Depresses Me: The Relation Between the Imposter Phenomenon and Depression", *Social Behavior and Personality* 36, nº 1 (2008): 43-8; e Kathy Oriel, Mary Beth Plane e Marlon Mundt, "Family Medicine Residents and the Imposter Phenomenon", *Family Medicine* 36, nº 4 (2004): 248-52. Para o estudo original, ver Pauline Rose Clance e Suzanne Ament Imes, "The Imposter Phenomenon in High Achieving Women: Dynamics and Therapeutic Intervention", *Psychotherapy: Theory, Research and Practice* 15, nº 3 (1978): 241-7.

3. "Tina Fey: From Spoofer to Movie Stardom", *The Independent*, 19 de março de 2010, disponível em: <www.independent.co.uk/arts-entertainment/films/features/tina-fey—from-spoofer-to-movie-stardom-1923552.html>.

4. S. Scott Lind et al., "Competency-Based Student Self-Assessment on a Surgery Rotation", *Journal of Surgical Research* 105, nº 1 (2002): 31-4.

5. Jennifer L. Lawless e Richard L. Fox, *Men Rule: The Continued Under-Representation of Women in U.S. Politics* (Washington, D.C.: Women & Politics Institute, American University School of Public Affairs, janeiro de 2012), disponível em: <www.american.edu/spa/wpi/upload/2012-Men-Rule-Report-final-web.pdf>.

6. Working Group on Student Experiences, *Study on Women's Experiences at Harvard Law School* (Cambridge, MA: Working Group on Student Experiences, fevereiro de 2004), disponível em: <www.law.harvard.edu/students/experiences/FullReport.pdf>. Foi maior o percentual de estudantes de direito do sexo masculino, em comparação ao percentual do sexo feminino, que se consideraram no quintil superior de sua turma nas seguintes categorias: raciocínio jurídico (33% vs. 15%), raciocínio quantitativo (40% vs. 11%), presença de espírito (28% vs. 17%), redação de súmulas (23% vs. 18%), sustentação oral (24% vs. 13%), pesquisa (20% vs. 11%), formação de consenso (27% vs. 21%) e persuasão de terceiros (20% vs. 12%). Em apenas num item, questões éticas, a porcentagem das estudantes do sexo feminino (26%) ficou ligeiramente acima da porcentagem dos homens (25%), classificando-se no quintil superior da turma.

7. Para estudos mostrando como as mulheres avaliam suas capacidades perante terceiros, ver Kimberly A. Daubman, Laurie Heatherington e Alicia Ahn, "Gender and the Self-Presentation of Academic Achievement", *Sex Roles* 27, nos 3-4 (1992): 187-204; Laurie Heatherington et al., "Two Investigations of 'Female Modesty' in Achievement Situations", *Sex Roles* 29, nos 11-2 (1993): 739-54; e

Laurie Heatherington, Laura S. Townsend e David P. Burroughs, "'How'd You Do on That Test?' The Effects of Gender on Self-Presentation of Achievement to Vulnerable Men", *Sex Roles* 45, n°s 3-4 (2001): 161-77. Para levantamento e análise de como as mulheres julgam a si mesmas em tarefas masculinas, ver Sylvia Beyer, "The Effects of Gender, Dysphoria, and Performance Feedback on the Accuracy of Self-Evaluations", *Sex Roles* 47, n°s 9-10 (2002): 453-64.

8. Sylvia Beyer, "Gender Differences in Causal Attributions by College Students of Performance on Course Examinations", *Current Psychology* 17, nº 4 (1998): 346-58. As pesquisas têm documentado a tendência de meninas e mulheres a subestimar suas habilidades, suas capacidades e seu desempenho em comparação a meninos e homens, sobretudo em tarefas masculinas. Mas, dependendo da metodologia específica utilizada, alguns estudos mostram que as mulheres fazem avaliações mais precisas de seu desempenho, enquanto os homens o superestimam. Foram apresentadas diversas explicações para elucidar por que as mulheres tendem a abaixar suas autoavaliações, inclusive baixo grau de autoconfiança; a "modéstia feminina", segundo a qual, para agir em conformidade com os estereótipos sobre os papéis atribuídos a seu sexo e/ou para evitar as consequências negativas da imodéstia feminina, meninas e mulheres se apresentam de maneira mais humilde; e o cuidado em não ferir os sentimentos alheios. Dessa perspectiva das relações humanas, as mulheres querem preservar um senso de igualdade e compatibilidade em seus relacionamentos pessoais, e por isso fazem autoavaliações piores, para evitar a impressão de estar se gabando ou para evitar que outra pessoa que eventualmente tenha tido pior desempenho se sinta mal. Constatou-se que o sexo da pessoa perante a qual as mulheres apresentam suas autoavaliações afeta o grau de autodesvalorização, com algumas indicações de que as mulheres se subestimam na presença de parceiros vulneráveis, por exemplo diminuindo suas médias escolares diante de um parceiro preocupado com suas notas. Mas os estudos sobre este ponto específico apresentam incoerências. Para um quadro geral dessas explicações, ver Heatherington, Townsend e Burroughs, "'How'd You Do on That Test?,'" 161-77; e Laurie Heatherington, Andrea B. Burns e Timothy B. Gustafson, "When Another Stumbles: Gender and Self-Presentation to Vulnerable Others", *Sex Roles* 38, n°s 11-2 (1998): 889-913.

9. Tomi-Ann Roberts e Susan Nolan-Hoeksema, "Sex Differences in Reactions to Evaluative Feedback", *Sex Roles* 21, n°s 11-2 (dezembro de 1989), 725-47; e Maria Johnson e Vicki S. Helgeson, "Sex Differences in Response to Evaluative Feedback: A Field Study", *Psychology of Women Quarterly* 26, nº 3 (2002): 242-51.

10. Sylvia Beyer, "Gender Differences in Causal Attributions by College Students of Performance on Course Examinations", *Current Psychology* 17, nº 4, (1998): 354. Para um quadro geral das consequências de uma autoavaliação

negativa, incluindo depressão e redução das metas, ver Sylvia Beyer e Edward M. Bowden, "Gender Differences in Self-Perception: Convergent Evidence from Three Measures of Accuracy and Bias", *Personality and Social Psychology Bulletin* 23, nº 2 (1997): 169.

11. Nicole Perlroth e Claire Cain Miller, "The $1.6 Billion Woman, Staying on Message", *The New York Times*, 4 de fevereiro de 2012, disponível em: <www.nytimes.com/2012/02/05/business/sheryl-sandberg-of-facebook-staying-on--message.html?pagewanted=all>.

12. Dana R. Carney, Amy J. C. Cuddy e Andy J. Yap, "Power Posing: Brief Nonverbal Displays Affect Neuroendocrine Levels and Risk Tolerance", *Psychological Science* 21, nº 10 (2010): 1363-8.

13. Bianca Bosker, "Cisco Tech Chief Outlines the Advantages of Being a Woman in Tech", *The Huffington Post*, 27 de outubro de 2011, disponível em: <www.huffingtonpost.com/2011/10/27/cisco-chief-technology-officer-woman-in-tech_n_1035880.html>.

14. Claire Cain Miller, "For Incoming I.B.M. Chief, Self-Confidence Is Rewarded", *The New York Times*, 27 de outubro de 2011, disponível em: <www.nytimes.com/2011/10/28/business/for-incoming-ibm-chief-self-confidence--rewarded.html>.

15. Caroline Howard, "The World's 100 Most Powerful Women: This Year It's All About Reach", *Forbes*, 24 de agosto de 2011, disponível em: <www.forbes.com/sites/carolinehoward/2011/08/24/the-worlds-100-most-powerful-women-this-year-its-all-about-reach/>.

3. SUCESSO E SIMPATIA [pp. 57-71]

1. O professor Frank J. Flynn fez uma descrição e análise do estudo em conversa com a autora, em 22 de junho de 2011.

2. Para ler o estudo de caso, ver Kathleen McGinn e Nicole Tempest, *Heidi Roizen*, Harvard Business School Case Study #9-800-228 (Boston: Harvard Business School Publishing, 2009).

3. Madeline E. Heilman e Tyler G. Okimoto, "Why Are Women Penalized for Success at Male Tasks?: The Implied Communality Deficit", *Journal of Applied Psychology* 92, nº 1 (2007): 81-92; Madeline E. Heilman et al., "Penalties for Success: Reactions to Women Who Succeed at Male Gender-Typed Tasks", *Journal of Applied Psychology* 89, nº 3 (2004): 416-27; e Madeline E. Heilman, Caryn J. Block e Richard F. Martell, "Sex Stereotypes: Do They Influence Perceptions of Managers?" *Journal of Social Behavior and Personality* 10, nº 6 (1995): 237-52. Para um bom quadro geral das questões pertinentes, ver Alice H. Eagly e Steven

J. Karau, "Role Congruity Theory of Prejudice Toward Female Leaders", *Psychological Review* 109, nº 3 (2002): 573-98; Madeline E. Heilman, "Description and Prescription: How Gender Stereotypes Prevent Women's Ascent up the Organizational Ladder", *Journal of Social Issues* 57, nº 4 (2001): 657-74; e Cecilia L. Ridgeway, "Gender, Status, and Leadership", *Journal of Social Issues* 57, nº 4 (2001): 637-55. Cabe notar que as mulheres bem-sucedidas pagam o preço de ser menos queridas especificamente nas áreas consideradas como domínios masculinos.

4. Cyndi Kernahan, Bruce D. Bartholow e B. Ann Bettencourt, "Effects of Category-Based Expectancy Violation on Affect-Related Evaluations: Toward a Comprehensive Model", *Basic and Applied Social Psychology* 22, nº 2 (2000): 85-100; e B. Ann Bettencourt et al., "Evaluations of Ingroup and Outgroup Members: The Role of Category-Based Expectancy Violation", *Journal of Experimental Social Psychology* 33, nº 3 (1997): 244-75. A pesquisa sobre esse item, conhecido como "teoria da expectativa", mostra que tendemos a avaliar as pessoas baseando-nos em estereótipos sobre os grupos a que elas pertencem. Quando agem contrariando nossas expectativas preconcebidas, percebemos e avaliamos essas pessoas de maneira mais extrema e intensa do que faríamos normalmente.

5. Shankar Vendantam, "'Nicer Sex' Image at Play in Politics", *Chicago Tribune*, 13 de novembro de 2007, disponível em: <articles.chicagotribune.com/2007-11-13/news/0711120690_1_female-leaders-women-and-leadership-social-psychologist>.

6. Ken Auletta, "A Woman's Place: Can Sheryl Sandberg Upend Silicon Valley's Male-Dominated Culture?", *The New Yorker*, 11 de julho de 2012, disponível em: <www.newyorker.com/reporting/2011/07/11/110711fa_fact_auletta?currentPage=all>.

7. Professora Deborah H. Gruenfeld, conversa com a autora, 22 de junho de 2012.

8. Um estudo de Madeline E. Heilman et al. (2004) mostrou que, entre funcionários igualmente competentes, os menos queridos recebiam menos recomendações positivas na empresa (como aumentos salariais, agilização nas promoções etc.) do que os funcionários queridos. Ver Heilman et al., "Penalties for Success", 416-27.

9. Laurie A. Rudman, "Self-Promotion as a Risk Factor for Women: The Costs and Benefits of Counterstereotypical Impression Management", *Journal of Personality and Social Psychology* 74, nº 3 (1998): 629-45; Laurie A. Rudman e Peter Glick, "Feminized Management and Backlash Toward Agentic Women: The Hidden Costs to Women of a Kinder, Gentler Image of Middle-Managers", *Journal of Personality and Social Psychology* 77, nº 5 (1999): 1004-10; e Laurie A. Rudman e Peter Glick, "Prescriptive Gender Stereotypes and Backlash Toward Agentic Women", *Journal of Social Issues* 57, nº 4 (2001): 743-62.

10. Professor Francis J. Flynn, em conversa com a autora, 22 de junho de 2011.

11. Madeline E. Heilman e Julie J. Chen, "Same Behavior, Different Consequences: Reactions to Men's and Women's Altruistic Citizenship Behaviors", *Journal of Applied Psychology* 90, nº 3 (2005): 431-41.

12. Catalyst, *The Double-Bind Dilemma for Women in Leadership: Damned if You Do, Doomed if You Don't* (julho 2007), 1, disponível em: <www.catalyst.org/file/45/the%20double-bind%20dilemma%20for%20women%20in%20leadership%20damned%20if%20you%20do,%20doomed%20if%20you%20don%E2%80%99t.pdf>.

13. Linda Babcock e Sara Laschever, *Women Don't Ask* (Nova York: Bantam Books, 2007), 1-4; Linda Babcock et al., "Gender Differences in the Propensity to Initiate Negotiations", in *Social Psychology and Economics,* org. David De Cremer, Marcel Zeelenberg e J. Keith Murnighan (Mahwah, NJ: Lawrence Erlbaum, 2006), 239-59; e Fiona Greig, "Propensity to Negotiate and Career Advancement: Evidence from an Investment Bank that Women Are on a 'Slow Elevator'", *Negotiation Journal* 24, nº 4 (2008): 495-508. Em geral, os estudos mostram que os homens negociam mais que as mulheres e tendem a colher mais retorno por seus esforços. Mas essas tendências dependem do contexto em que se dá a negociação. Small et al. (2007) mostraram que a diferença entre os sexos para iniciar uma negociação desaparece quando a situação é caracterizada como uma oportunidade de "pedir", em contraposição à oportunidade de "negociar". E Bowles et al. (2005) mostraram que o desempenho das mulheres melhora expressivamente quando negociam para outros, e não para si mesmas. Ver Deborah A. Small et al., "Who Goes to the Bargaining Table? The Influence of Gender and Framing on the Initiation of Negotiation", *Journal of Personality and Social Psychology* 93, nº 4 (2007): 600-13; e Hannah Riley Bowles et al., "Constraints and Triggers: Situational Mechanics of Gender in Negotiation", *Journal of Personality and Social Psychology* 89, nº 6 (2005): 951-65.

14. Babcock e Laschever, *Women Don't Ask,* 1-2.

15. Emily T. Amanatullah e Catherine H. Tinsley, "Punishing Female Negotiators for Asserting Too Much… Or Not Enough: Exploring Why Advocacy Moderates Backlash Against Assertive Female Negotiators", *Organizational Behavior and Human Decision Processes* 120, nº 1 (2013): 110-22; e Hannah Riley Bowles, Linda Babcock e Lei Lai, "Social Incentives for Gender Differences in the Propensity to Initiate Negotiations: Sometimes It Does Hurt to Ask", *Organizational Behavior and Human Decision Processes* 103, nº 1 (2007): 84-103.

16. Emily T. Amanatullah e Michael W. Morris, "Negotiating Gender Roles: Gender Differences in Assertive Negotiating Are Mediated by Women's Fear of Backlash and Attenuated When Negotiating on Behalf of Others", *Journal of*

Personality and Social Psychology 98, nº 2 (2010): 256-67; e Bowles et al., "Constraints and Triggers", 951-65.

17. Bowles, Babcock e Lai, "Social Incentives for Gender Differences", 84-103.

18. Hannah Riley Bowles e Linda Babcock, "How Can Women Escape the Compensation Negotiation Dilemma? Relational Accounts Are One Answer", *Psychology of Women Quarterly*, artigo no prelo (2012), 2, disponível em: <dx.doi.org/10.1177/0361684312455524>.

19. Id., ibid., 1-17.

20. Cecilia L. Ridgeway, "Status in Groups: The Importance of Motivation", *American Sociological Review* 47, nº 1 (1982): 76-88. Em situações coletivas masculinas, constatou-se que as mulheres tinham mais influência quando faziam declarações envolvendo o grupo (por exemplo: "Acho que é importante cooperarmos").

21. Bowles e Babcock, "How Can Women Escape the Compensation Negotiation Dilemma?". 1-17.

22. Linda Babcock e Sara Laschever, *Ask for It: How Women Can Use the Power of Negotiation to Get What They Really Want* (Nova York: Bantam Dell, 2008), 253.

23. Para mais informações e conselhos sobre como ser "incansavelmente agradável", ver Linda Babcock e Sara Laschever, *Ask for It*, 251-66.

24. E. B. Boyd, "Where Is the Female Mark Zuckerberg?", *San Francisco*, dezembro de 2011, disponível em: <www.modernluxury.com/san-francisco/story/where-the-female-mark-zuckerberg>.

25. Jessica Valenti, "Sad White Babies with Mean Feminist Mommies", blog de Jessica Valenti, 19 de junho de 2012, disponível em: <jessicavalenti.tumblr.com/post/25465502300/sad-white-babies-with-mean-feminist-mommies--the>.

4. É UM TREPA-TREPA, NÃO UMA ESCADA [pp. 72-85]

1. Bureau of Labor Statistics, *Number of Jobs Held, Labor Market Activity, and Earnings Growth Among the Youngest Baby Boomers: Results from a Longitudinal Study* (julho de 2012), disponível em: <www.bls.gov/news.release/pdf/nlsoy.pdf>. Esse relatório mostrou que, na média, as pessoas nascidas entre 1957 e 1964 tiveram 11,3 empregos entre os 18 e os 46 anos, sendo que quase metade desses empregos se concentrou entre os 18 e os 24 anos.

2. Para uma apresentação das pesquisas mostrando que as mulheres tendem a evitar mais riscos do que os homens, ver Marianne Bertrand, "New Perspectives on Gender", in *Handbook of Labor Economics*, vol. 4B, org. Orley Ashenfelter

e David Card (Amsterdam: North Holland, 2010), 1544-90; Rachel Croson e Uri Gneezy, "Gender Differences in Preferences", *Journal of Economic Literature* 47, nº 2 (2009): 448-74; e Catherine C. Eckel e Phillip J. Grossman, "Men, Women, and Risk Aversion: Experimental Evidence", in *Handbook of Experimental Economics Results*, vol. 1, org. Charles R. Plott e Vernon L. Smith (Amsterdam: North Holland, 2008), 1061-73.

3. Centers for Disease Control and Prevention, *Drowning Risks in Natural Water Settings*, disponível em: <www.cdc.gov/Features/dsDrowningRisks/>.

4. Karen S. Lyness e Christine A. Schrader, "Moving Ahead or Just Moving? An Examination of Gender Differences in Senior Corporate Management Appointments", *Gender & Organization Management* 31, nº 6 (2006): 651-76. Esse estudo examinou 952 notícias no *Wall Street Journal* sobre a nomeação para cargos de gestão. A análise das notícias mostrou que, em comparação a seus colegas homens, as novas funções das mulheres eram mais parecidas com suas funções anteriores e que as mulheres mudavam menos para novas empresas. Entre as que estavam em posições de gestão de recursos, foi menor a proporção de mulheres que passaram para uma posição na gestão de linha ou para uma área de funções diferentes. Essas diferenças sugerem que a mudança de emprego pode oferecer para as mulheres menos benefícios de carreira do que para os homens.

5. Londa Schiebinger, Andrea Davies e Shannon K. Gilmartin, *Dual-Career Academic Couples: What Universities Need to Know*, Clayman Institute for Gender Research, Stanford University (2008), disponível em: <gender.stanford.edu/sites/default/files/DualCareerFinal_0.pdf>; Kimberlee A. Shauman and Mary C. Noonan, "Family Migration and Labor Force Outcomes: Sex Differences in Occupational Context", *Social Forces* 85, nº 4 (2007): 1735-64; e Pam Stone, *Opting Out? Why Women Really Quit Careers and Head Home* (Berkeley: University of California Press, 2007).

6. Irene E. De Pater et al., "Challenging Experiences: Gender Differences in Task Choice", *Journal of Managerial Psychology* 24, nº 1 (2009): 4-28. Neste estudo, os autores examinaram quase cem estudantes de administração em suas experiências como estagiários. A pesquisa mostrou que, em condições de "maior latitude decisória", quando os estagiários tinham maior controle sobre suas atividades durante o estágio, as mulheres registraram uma menor quantidade de desafios. Em Irene E. De Pater et al., "Individual Task Choice and the Division of Challenging Tasks Between Men and Women", *Group & Organization Management* 34, nº 5 (2009): 563-89, os pesquisadores mostraram que, quando homens e mulheres negociavam a distribuição de tarefas, os homens ficavam com as que apresentavam mais desafios. Quanto a dados sugerindo que noções baseadas em diferenças de sexo como "mulheres precisam de proteção" (machismo benevolente) impedem o acesso das mulheres a tarefas que apresentam desafios, ver

Eden B. King et al., "Benevolent Sexism at Work: Gender Differences in the Distribution of Challenging Developmental Experiences", *Journal of Management* 38, nº 6 (2012): 1835-66.

7. Georges Desvaux, Sandrine Devillard-Hoellinger e Mary C. Meaney, "A Business Case for Women", *The McKinsey Quarterly* (setembro de 2008): 4, disponível em: <www.rctaylor.com/Images/A_Business_Case_for_Women.pdf>.

8. A Lloyds TSB mostrou que suas funcionárias tendiam a não se apresentar para promoções, embora tivessem 8% mais de chance de atender ou superar os critérios de desempenho do que seus colegas do sexo masculino. Ver Desvaux, Devillard-Hoellinger e Meaney, "A Business Case for Women", 4. Estudos sobre sexo e promoção sobretudo no nível universitário na Inglaterra e na Austrália também mostram que as mulheres hesitam em se apresentar para promoções, muitas vezes porque subestimam suas capacidades, habilitações e experiência profissional. Ver Anne Ross-Smith e Colleen Chesterman, "'Girl Disease': Women Managers' Reticence and Ambivalence Towards Organizational Advancement", *Journal of Management & Organization* 15, nº 5 (2009): 582-95; Liz Doherty e Simonetta Manfredi, "Women's Progression to Senior Positions in English Universities", *Employee Relations* 28, nº 6 (2006): 553-72; e Belinda Probert, "'I Just Couldn't Fit It In': Gender and Unequal Outcomes in Academic Careers", *Gender, Work and Organization* 12, nº 1 (2005): 50-72.

9. Hannah Seligson, "Ladies, Take off Your Tiara!", *The Huffington Post*, 20 de fevereiro de 2007, disponível em: <www.huffingtonpost.com/hannah-seligson/ladies-take-off-your-tiar_b_41649.html>.

5. VOCÊ É MEU MENTOR? [pp. 86-99]

1. Os mentores ou orientadores dão aconselhamento, apoio e retorno para seus orientandos. Os patrocinadores ocupam cargos altos e utilizam seu poder e sua influência para recomendar seus orientandos e lhes conseguir uma promoção ou uma nova tarefa além de suas atribuições. Para uma abordagem das diferenças entre orientação e recomendação ou patrocínio, ver Herminia Ibarra, Nancy M. Carter e Christine Silva, "Why Men Still Get More Promotions than Women", *Harvard Business Review* 88, nº 9 (2010): 80-5; e Sylvia Ann Hewlett et al., *The Sponsor Effect: Breaking Through the Last Glass Ceiling*, a *Harvard Business Review* Research Report (dezembro de 2010): 5-7.

2. Estudos mostram que pessoas com mentor e patrocinador apresentam mais sucesso na carreira (como remuneração mais alta, maior número de promoções, mais satisfação com a carreira e o emprego e maior compromisso com a carreira). Ver Tammy D. Allen et al., "Career Benefits Associated with Men-

toring for Protégés: A Meta-Analysis", *Journal of Applied Psychology* 89, nº 1 (2004): 127-36. Um estudo com vários milhares de funcionários de escritório com titulação mínima de bacharel mostrou que homens e mulheres que contavam com um patrocinador pareciam mais estimulados a pedir tarefas além de suas atribuições e aumentos salariais. Entre os homens entrevistados que contavam com um patrocinador, 56% pediriam tarefas além de suas atribuições e 49% pediriam aumento de salário. Em contraste, entre os homens entrevistados sem patrocinador, apenas 43% pediriam tarefas além de suas atribuições e 37% pediriam aumento salarial. Entre as mulheres entrevistadas que contavam com um patrocinador, 44% pediriam tarefas além de suas atribuições e 38% pediriam aumento de salário. Em contraste, entre as mulheres entrevistadas sem patrocinador, apenas 36% pediriam tarefas além de suas atribuições e 30% pediriam aumento salarial. Ver Hewlett et al., *The Sponsor Effect*, 9-11.

3. Para uma apresentação das dificuldades que podem enfrentar as mulheres com a orientação, ver Kimberly E. O'Brien et al., "A Meta-Analytic Investigation of Gender Differences in Mentoring", *Journal of Management* 36, nº 2 (2010): 539-40. Em geral, homens e mulheres recebem uma quantidade parecida de orientação, mas nem todos os tipos de orientação resultam nos mesmos tipos de benefícios e recompensas. Por exemplo, mentores ou orientadores que têm mais poder e influência em suas organizações (tipicamente homens brancos) podem proporcionar melhores oportunidades de carreira a seus protegidos do que os mentores ou orientadores com menos poder (normalmente mulheres e membros de minorias). As pesquisas indicam que os homens, em particular os brancos, tendem a possuir mentores mais influentes do que as mulheres ou os homens das minorias. Um estudo do Catalyst mostrou que, enquanto 78% dos profissionais empresariais masculinos eram orientados por um diretor executivo ou outro executivo de alto escalão, apenas 69% das profissionais mulheres eram orientadas por mentores nos níveis mais altos. Essa diferença é desvantajosa para as mulheres porque os profissionais que contam com mentores de escalão mais alto registram avanços mais rápidos na carreira. Ver Ibarra, Carter e Silva, "Why Men Still Get More Promotions than Women", 80-5. Ver também George F. Dreher e Taylor H. Cox Jr., "Race, Gender, and Opportunity: A Study of Compensation Attainment and the Establishing of Mentoring Relationships", *Journal of Applied Psychology* 81, nº 3 (1996): 297-308.

4. A pesquisa de Hewlett et al. com funcionários de escritório com bom nível de instrução mostrou que 19% dos homens disseram ter patrocinadores, contra 13% das mulheres. Ver Hewlett et al., *The Sponsor Effect*, 8-11. Um estudo de 2010 sobre homens e mulheres de grande potencial mostrou que, em comparação a seus correspondentes masculinos, as mulheres eram "orientadas demais e recomendadas de menos". Ver Ibarra, Carter e Silva, "Why Men Still Get More Promotions than Women", 80-5.

5. Romila Singh, Belle Rose Ragins e Phyllis Tharenou, "Who Gets a Mentor? A Longitudinal Assessment of the Rising Star Hypothesis", *Journal of Vocational Behavior* 74, nº 1 (2009): 11-17; e Tammy D. Allen, Mark L. Poteet e Joyce E. A. Russell, "Protégé Selection by Mentors: What Makes the Difference?", *Journal of Organizational Behavior* 21, nº 3 (2000): 271-82.

6. Alvin W. Gouldner, "The Norm of Reciprocity: A Preliminary Statement", *American Sociological Review* 25, nº 2 (1960): 161-78.

7. Tammy D. Allen, Mark L. Poteet e Susan M. Burroughs, "The Mentor's Perspective: A Qualitative Inquiry and Future Research Agenda", *Journal of Vocational Behavior* 51, nº 1 (1997): 86.

8. Hewlett et al., *The Sponsor Effect*, 35.

9. Ibarra, Carter e Silva, "Why Men Still Get More Promotions than Women", 80-5.

6. BUSQUE E DIGA A VERDADE COMO VOCÊ A VÊ [pp. 100-116]

1. Denise L. Loyd et al., "Expertise in Your Midst: How Congruence Between Status and Speech Style Affects Reactions to Unique Knowledge", *Group Processes & Intergroup Relations* 13, nº 3 (2010): 379-95; e Lawrence A. Hosman, "The Evaluative Consequences of Hedges, Hesitations, and Intensifiers: Powerful and Powerless Speech Styles", *Human Communication Research* 15, nº 3 (1989): 383-406. Para uma análise de como o poder molda o comportamento, ver Dacher Keltner, Deborah H. Gruenfeld e Cameron Anderson, "Power, Approach, Inhibition", *Psychological Review* 110, nº 2 (2003): 265-84. Para uma análise de gênero e linguagem, ver Cecilia L. Ridgeway e Lynn Smith-Lovin, "The Gender System and Interaction", *Annual Review of Sociology* 25, nº 1 (1999): 202-3.

2. Bell Leadership Institute, *Humor Gives Leaders the Edge* (2012), disponível em: <www.bellleadership.com/pressreleases/press_template.php?id=15>.

3. Uma pesquisa de Kimberly D. Elsbach, professora de administração na Universidade da Califórnia em Davis, e colegas mostrou que, quando as mulheres choram no trabalho, na maioria das vezes recebem reações negativas dos colegas, a menos que o choro esteja relacionado com uma questão pessoal séria, como divórcio ou morte em família. Chorar durante uma reunião ou por causa de divergências ou pressões profissionais é visto como atitude "não profissional", "que atrapalha", "fraca" e até "manipuladora". Para uma descrição mais extensa das descobertas da professora Elsbach, ver Jenna Goudreau, "Crying at Work, a Woman's Burden", *Forbes*, 11 de janeiro de 2011, disponível em: <www.forbes.com/sites/jennagoudreau/2011/01/11/crying-at-work-a-womans-burden-study-men-sex-testosterone-tears-arousal/>.

4. Marcus Buckingham, "Leadership Development in the Age of the Algorithm", *Harvard Business Review* 90, nº 6 (2012): 86-94; e Bill George et al., "Discovering Your Authentic Leadership", *Harvard Business Review* 85, nº 2 (2007): 129-38.

7. NÃO SAIA ANTES DE SAIR [pp. 117-131]

1. Em geral, as pesquisas sobre esse tema mostram que as mulheres jovens, embora muitas vezes declarem ter grande compromisso com sua futura carreira e sua futura família, preveem que será difícil conciliar ambas e terão de abrir mão de alguma coisa. Janelle C. Fetterolf e Alice H. Eagly, "Do Young Women Expect Gender Equality in Their Future Lives? An Answer from a Possible Selves Experiment", *Sex Roles* 65, nºs 1-2 (2011): 83-93; Elizabeth R. Brown e Amanda B. Diekman, "What Will I Be? Exploring Gender Differences in Near and Distant Possible Selves", *Sex Roles* 63, nºs 7-8 (2010): 568-79; e Linda Stone e Nancy P. McKee, "Gendered Futures: Student Visions of Career and Family on a College Campus", *Anthropology & Education Quarterly* 31, nº 1 (2000): 67-89.

2. Lesley Lazin Novack e David R. Novack, "Being Female in the Eighties and Nineties: Conflicts between New Opportunities and Traditional Expectations Among White, Middle Class, Heterosexual College Women", *Sex Roles* 35, nºs 1-2 (1996): 67. Novack e Novack mostraram em seu estudo que, obrigados a escolher entre se casar ou ter uma carreira, 18% dos estudantes do sexo masculino e 38% das estudantes do sexo feminino escolheriam se casar. Também mostraram que 67% dos rapazes e 49% das moças escolheriam a carreira em vez do casamento. Notadamente, cerca de 22% dos rapazes e 15% das moças preferiram não responder a essa pergunta "casamento ou carreira", e em sua maioria criaram sua própria resposta de que teriam casamento e carreira. Os autores afirmam que "muitos homens consideraram inaceitável a escolha entre casamento ou carreira, provavelmente porque têm sido capazes de manter essas duas opções ao longo da história". Uma pesquisa recente do Pew Research Center mostrou que, entre jovens de 18 a 34 anos, a porcentagem de mulheres declarando que "ter um casamento bem-sucedido" é "uma das coisas mais importantes" na vida delas tem aumentado, mas a dos homens tem diminuído desde 1997. Ver Eileen Patten e Kim Parker, *A Gender Reversal on Career Aspirations*, Pew Research Center (abril de 2012), disponível em: <www.pewsocialtrends.org/2012/04/19/a-gender-reversal-on-career-aspirations/>. Outro estudo recente sobre jovens de 18 a 31 anos mostrou que as mulheres têm maior "impulso de se casar" do que os homens. Ver Judith E. Owen Blakemore, Carol A. Lawton

e Lesa Rae Vartanian, "I Can't Wait to Get Married: Gender Differences in Drive to Marry", *Sex Roles* 53, nºs 5-6 (2005): 327-35. Para uma exceção notável, ver Mindy J. Erchull et al., "Well... She Wants It More: Perceptions of Social Norms About Desires for Marriage and Children and Anticipated Chore Participation", *Psychology of Women Quarterly* 34, nº 2 (2010): 253-60, que pesquisou entre estudantes universitários e não encontrou diferenças entre homens e mulheres no nível da vontade de se casar, conforme suas declarações.

3. Para estudos sobre rotatividade e satisfação no emprego, ver Petri Böckerman e Pekka Ilmakunnas, "Job Disamenities, Job Satisfaction, Quit Intentions, and Actual Separations: Putting the Pieces Together", *Industrial Relations* 48, nº 1 (2009): 73-96; e Brooks et al., "Turnover and Retention Research: A Glance at the Past, a Closer Review of the Present, and a Venture into the Future", *The Academy of Management Annals* 2, nº 1 (2008): 231-74.

4. Caroline O'Connor, "How Sheryl Sandberg Helped Make One Entrepreneur's Big Decision", *Harvard Business Review*, Blog Network, 26 de setembro de 2011, disponível em: <blogs.hbr.org/cs/2011/09/how_sheryl_sandberg_helped_mak.html>.

5. Cerca de 80% das mulheres sem filhos fazem parte do mercado de trabalho. Para mulheres com filhos, esse número cai para 70,6%. Para os homens, ter filhos aumenta a participação no mercado de trabalho. Cerca de 86% dos homens sem filhos e 94,6% dos homens com filhos estão na ativa. Esses índices de participação no mercado de trabalho se baseiam nos índices de emprego de homens e mulheres de 25 a 44 anos de idade, sem filhos e com filhos com menos de 18 anos. Bureau of Labor Statistics, "Table 6A: Employment Status of Persons by Age, Presence of Children, Sex, Race, Hispanic or Latino Ethnicity, and Marital Status, Annual Average 2011", Current Population Survey, Employment Characteristics, tabela inédita (2011).

6. Organização para a Cooperação e o Desenvolvimento Econômico (OECD), "Chart LMF1.2B: Maternal Employment Rates by Age of Youngest Child, 2009", OECD Family Database, Social Policy Division, Directorate of Employment, Labour and Social Affairs, disponível em: <www.oecd.org/els/familiesandchildren/38752721.pdf>.

7. David Cotter, Paula England e Joan Hermsen, "Moms and Jobs: Trends in Mothers' Employment and Which Mothers Stay Home", in *Families as They Really Are*, org. Barbara J. Risman (Nova York: W.W. Norton, 2010), 416-24. Mulheres cujos maridos ganham menos (no quarto inferior dos vencimentos masculinos) compõem o grupo de mulheres com mais probabilidade de ficar em casa, seguido pelo grupo de mulheres cujos maridos estão entre os 5% de vencimentos masculinos mais elevados.

8. The National Association of Child Care Resource & Referral Agencies, *Parents and the High Cost of Child Care: 2010 Update* (2010), 1, disponível em: <eyeonkids.ca/docs/files/cost_report_073010-final.pdf>.

9. Child Care Aware of America, *Parents and the High Cost of Child Care: 2012 Report* (2012), 7, disponível em: <www.naccrra.org/sites/default/files/default_site_pages/2012/cost_report_2012_final_081012_0.pdf>.

10. Há uma proporção significativa de programas e instituições do governo para atendimento a crianças em toda a União Europeia, mas os custos que as famílias pagam para participar variam entre os diversos países. Em países que dependem mais de recursos do setor privado, tem-se um amplo acesso, mas a custos relativamente altos para as famílias tomadas individualmente. Em outros países, usam-se recursos tributários para reduzir os custos dos cuidados à criança, mas não para todas as faixas etárias. Ver Parlamento Europeu, "The Cost of Childcare in EU Countries: Transversal Analysis Part 1 of 2", Policy Department, Economic and Scientific Policy (2006), disponível em: <www.europarl.europa.eu/document/activities/cont/201107/20110718ATT24321/20110718ATT24321EN.pdf>; e Parlamento Europeu, "The Cost of Childcare in EU Countries: Country Reports, Part 2 of 2", Policy Department, Economic and Scientific Policy (2006), disponível em: <www.europarl.europa.eu/document/activities/cont/201107/20110718ATT24319/20110718ATT24319EN.pdf>.

11. Youngjoo Cha, "Reinforcing Separate Spheres: The Effect of Spousal Overwork on Men's and Women's Employment in Dual-Earner Households", *American Sociological Review* 75, nº 2 (2010): 318. Esse estudo também mostrou que as chances de sair do mercado de trabalho entre mães cujos maridos trabalham sessenta ou mais horas semanais são 112% mais altas do que as de mães profissionais qualificadas cujos maridos trabalham menos de cinquenta horas semanais.

12. Os dados da pesquisa da Escola de Administração de Harvard (EAH) de 2007 foram fornecidos por seu Departamento de Desenvolvimento Profissional e de Carreira à autora em 15 de outubro de 2012. Outra pesquisa com os estudantes formados das turmas de 1981, 1985 e 1991 da EAH, com dois ou mais filhos, mostrou que mais de 90% dos homens trabalhavam em tempo integral, contra apenas 38% das mulheres das mesmas turmas. Dados fornecidos por Myra M. Hart, professora emérita da Escola de Administração de Harvard, em mensagem de e-mail à pesquisadora, 23 de setembro de 2012. Os resultados dessas pesquisas da EAH podem ter sido influenciados pelo índice desproporcionalmente baixo de respostas das mulheres em comparação aos homens. Além disso, essas pesquisas não davam espaço aos entrevistados para explicar o que estavam fazendo se não trabalhavam em tempo integral numa atividade remunerada.

Quando os entrevistados declaram que não trabalham em tempo integral, podem estar envolvidos ativamente em organizações comunitárias ou sem fins lucrativos ou podem fazer parte de conselhos de diretoria. Deve-se notar que as mulheres tendem mais do que os homens a interromper a carreira por causa dos filhos, por dar prioridade a metas pessoais e para atender às responsabilidades familiares. Para mais dados sobre os caminhos não lineares das mulheres em suas carreiras, ver Lisa A. Mainiero e Sherry E. Sullivan, "Kaleidoscope Careers: An Alternate Explanation for the 'Opt-Out' Revolution", *The Academy of Management Executive* 19, nº 1 (2005): 106-23.

Outra pesquisa mostrou que os índices de participação das mulheres no mercado de trabalho ativo variam entre as profissões. Um estudo das mulheres que se formaram em Harvard entre 1988 e 1991 mostrou que, quinze anos após a formatura, as mulheres casadas e com filhos que tinham se formado em medicina tinham o maior índice de participação no mercado de trabalho (94,2%), enquanto mulheres casadas e com filhos com outras titulações apresentavam índices de participação muito mais baixos: com grau máximo de doutorado (Ph.D.: 85,5%), habilitação para exercer advocacia (J.D.: 77,6%), mestrado em administração de empresas (MBA: 71,7%). Esses dados sugerem que as mentalidades dominantes nas profissões desempenham um papel nos índices de emprego das mulheres. Ver Jane Leber Herr e Catherine Wolfram, "Work Environment and 'Opt-Out' Rates at Motherhood Across Higher-Education Career Paths" (novembro de 2011), disponível em: <faculty.haas.berkeley.edu/wolfram/Papers/OptOut_ILRRNov11.pdf>.

13. Essa pesquisa com alunos formados em Yale, das turmas de 1979, 1984, 1989 e 1994, foi realizada em 2000, cf. cit. in Louise Story, "Many Women at Elite Colleges Set Career Path to Motherhood", *The New York Times*, 20 de setembro de 2005, disponível em: <www.nytimes.com/2005/09/20/national/20women.html?pagewanted=all>.

14. Amy Sennett, "Work and Family: Life After Princeton for the Class of 2006" (julho de 2006), disponível em: <www.princeton.edu/~paw/archive_new/PAW05-06/15-0719/features_familylife.html>.

15. Hewlett and Luce, "Off-Ramps and On-Ramps", 46.

16. Stephen J. Rose e Heidi I. Hartmann, *Still a Man's Labor Market: The Long-Term Earnings Gap*, Institute for Women's Policy Research (2004), 10, disponível em: <www.aecf.org/upload/publicationfiles/fes3622h767.pdf>.

17. Id., ibid.

18. Hewlett and Luce, "Off-Ramps and On-Ramps", 46.

19. OECD, "Figure 13.3: The Price of Motherhood is High Across OECD Countries: Gender Pay Gap by Presence of Children, 25-44 Years Old", Closing the Gender Gap: Act Now (OECD Publishing: 2012), disponível em: <dx.doi.org/10.1787/9789264179370-en>.

8. FAÇA DE SEU COMPANHEIRO UM COMPANHEIRO DE VERDADE
[pp. 132-152]

1. Melissa A. Milkie, Sara B. Raley e Suzanne M. Bianchi, "Taking on the Second Shift: Time Allocations and Time Pressures of U.S. Parents with Preschoolers", *Social Forces* 88, nº 2 (2009): 487-517.

2. Scott S. Hall e Shelley M. MacDermid, "A Typology of Dual Earner Marriages Based on Work and Family Arrangements", *Journal of Family and Economic Issues* 30, nº 3 (2009): 220.

3. O Brasil está atualmente fazendo seu primeiro estudo do uso do tempo. Os dados citados foram extraídos de uma pesquisa realizada numa cidade de Minas Gerais, com uma amostra de 376 lares. Ver Kimberly Fisher e John Robinson, "Daily Life in 23 countries", *Social Indicators Research 101*, nº 2 (2010): 295-304.

4. Entre 1965 e 2000, a quantidade de tempo por semana que os pais casados nos Estados Unidos dedicavam ao cuidado dos filhos quase triplicou e a quantidade de tempo que os pais casados dedicavam ao serviço doméstico mais do que dobrou. Em 1965, os pais casados passavam 2,6 horas por semana cuidando dos filhos. Em 2000, os pais casados passavam 6,5 horas cuidando dos filhos. A maior parte desse aumento se deu após 1985. Em 1965, os pais casados passavam cerca de 4,5 horas por semana com serviços domésticos. Em 2000, os pais casados passavam quase dez horas por semana com serviços domésticos. A maior parte desse aumento no serviço doméstico se deu entre 1965 e 1985. A quantidade de tempo que os pais casados passam semanalmente fazendo trabalhos domésticos não aumentou muito depois de 1985. Ver Suzanne M. Bianchi, John P. Robinson e Melissa A. Milkie, *Changing Rhythms of American Family Life* (Nova York: Russell Sage Foundation, 2006). Uma análise feita por Hook (2006) abrangendo vinte países mostrou que entre 1965 e 2003 os pais casados e empregados aumentaram sua quantidade de serviços domésticos não remunerados em cerca de seis horas por semana. Ver Jennifer L. Hook, "Care in Context: Men's Unpaid Work in 20 Countries, 1965-2003", *American Sociological Review* 71, nº 4 (2006): 639-60.

5. Letitia Anne Peplau e Leah R. Spalding, "The Close Relationships of Lesbians, Gay Men, and Bisexuals", in *Close Relationships: A Sourcebook*, org. Clyde A. Hendrick e Susan S. Hendrick (Thousand Oaks, CA: Sage, 2000), 111-24; e Sondra E. Solomon, Esther D. Rothblum e Kimberly F. Balsam, "Money, Housework, Sex, and Conflict: Same-Sex Couples in Civil Unions, Those Not in Civil Unions, and Heterosexual Married Siblings", *Sex Roles* 52, nos 9-10 (2005): 561--75.

6. Lynda Laughlin, *Who's Minding the Kids? Child Care Arrangements: Spring 2005 and Summer 2006*, U.S. Census Bureau, Current Population Reports, P70--121 (agosto de 2010), 1. Para comentários, ver K. J. Dell'Antonia, "The Census Bureau Counts Fathers as 'Child Care'", *The New York Times*, 8 de fevereiro de 2012, disponível em: <parenting.blogs.nytimes.com/2012/02/08/the-census--bureau-counts-fathers-as-child-care/>.

7. Laughlin, *Who's Minding the Kids?*, 7-9.

8. Gary Barker, "Engaging Men and Boys in Caregiving: Reflections from Research, Practice and Policy Advocacy in Latin America", United Nations Division for the Advancement of Women, Expert Group Meeting on "Equal Sharing of Responsibilities Between Women and Men, Including Care-Giving in the Context of HIV/AIDS" (2008), disponível em: <www.un.org/womenwatch/daw/egm/equalsharing/EGM-ESOR-2008-EP1Gary%20Barker.pdf>.

9. Maria Shriver, "Gloria Steinem", *Interview*, 15 de julho de 2011, disponível em: <www.interviewmagazine.com/culture/gloria-steinem/>.

10. Para um levantamento dos estudos sobre a fiscalização materna, ver Sarah J. Schoppe-Sullivan et al., "Maternal Gatekeeping, Coparenting Quality, and Fathering Behavior in Families with Infants", *Journal of Family Psychology* 22, nº 3 (2008): 389-90.

11. Sarah M. Allen e Alan J. Hawkins, "Maternal Gatekeeping: Mothers' Beliefs and Behaviors That Inhibit Greater Father Involvement in Family Work", *Journal of Marriage and Family* 61, nº 1 (1999): 209.

12. Richard L. Zweigenhaft e G. William Domhoff, *The New CEOs: Women, African American, Latino and Asian American Leaders of Fortune 500 Companies* (Lanham, MD: Rowman & Littlefield, 2011), 28-9.

13. James B. Stewart, "A C.E.O.'s Support System, aka Husband", *The New York Times*, 4 de novembro de 2011, disponível em: <www.nytimes.com/2011/11/05/business/a-ceos-support-system-a-k-a-husband.html?pagewanted=all>.

14. Pamela Stone, *Opting Out? Why Women Really Quit Careers and Head Home* (Berkeley: University of California Press, 2007), 62.

15. Stewart, "A C.E.O.'s Support System".

16. Para um extenso levantamento, ver Michael E. Lamb, *The Role of the Father in Child Development* (Hoboken, NJ: John Wiley & Sons, 2010); e Anna Sarkadi et al., "Fathers' Involvement and Children's Developmental Outcomes: A Systematic Review of Longitudinal Studies", *Acta Paediatrica* 97, nº 2 (2008): 153-8.

17. Elisabeth Duursma, Barbara Alexander Pan e Helen Raikes, "Predictors and Outcomes of Low-Income Fathers' Reading with Their Toddlers", *Early Childhood Research Quarterly* 23, nº 3 (2008): 351-65; Joseph H. Pleck e Brian P. Masciadrelli, "Paternal Involvement in U.S. Residential Fathers: Levels, Sources, and Consequences", in *The Role of the Father in Child Development*, org. Michael

E. Lamb (Hoboken, NJ: John Wiley & Sons, 2004): 222-71; Ronald P. Rohner e Robert A. Veneziano, "The Importance of Father Love: History and Contemporary Evidence", *Review of General Psychology* 5, nº 4 (2001): 382-405; W. Jean Yeung, "Fathers: An Overlooked Resource for Children's Educational Success", in *After the Bell — Family Background, Public Policy, and Educational Success*, org. Dalton Conley e Karen Albright (Londres: Routledge, 2004), 145-69; e Lois W. Hoffman e Lise M. Youngblade, *Mother's at Work: Effects on Children's Well--Being* (Cambridge: Cambridge University Press, 1999).

18. Para uma apresentação dos estudos sobre o impacto dos pais no desenvolvimento emocional e social dos filhos, ver Rohner e Veneziano, "The Importance of Father Love", 392.

19. Robyn J. Ely e Deborah L. Rhode, "Women and Leadership: Defining the Challenges", in *Handbook of Leadership Theory and* Practice, org. Nitin Nohria e Rakesh Khurana (Boston: Harvard Business School Publishing, 2010), 377-410; e Deborah L. Rhode e Joan C. Williams, "Legal Perspectives on Employment Discrimination", in *Sex Discrimination in the Workplace: Multidisciplinary Perspectives*, org. Faye J. Crosby, Margaret S. Stockdale e S. Ann Ropp (Malden, MA: Blackwell, 2007), 235-70. Uma pesquisa com 53 das cem empresas da *Fortune* mostrou que 73,6% ofereciam às mães licença remunerada familiar ou por incapacidade, mas apenas 32,1% ofereciam licença familiar remunerada aos pais. Ver Joint Economic Committee of the U.S. Congress, *Paid Family Leave at Fortune 100 Companies: A Basic Standard but Still Not a Gold Standard* (março de 2008), 6.

20. Os cinco estados que têm programas de auxílio por incapacidade de curto prazo e fornecem licença médica remunerada às mães que dão à luz são Califórnia, Havaí, New Jersey, Nova York e Rhode Island. A Califórnia e New Jersey também fornecem seis semanas de licença remunerada que podem ser utilizadas pela mãe ou pelo pai. O estado de Washington aprovou uma lei sobre licença remunerada aos genitores, mas não conseguiu implementá-la devido a restrições orçamentárias. Ver National Partnership for Women & Families, *Expecting Better: A State-by-State Analysis of Laws That Help New Parents* (maio de 2012).

21. Uma pesquisa com quase mil pais que trabalham em escritórios de grandes empresas mostrou que cerca de 75% deles só tiravam uma semana ou menos de licença quando suas companheiras davam à luz e 16% deles não tiravam nem um dia de folga. Ver Brad Harrington, Fred Van Deusen e Beth Humberd, *The New Dad: Caring, Committed and Conflicted*, Boston College, Center for Work & Family (2011): 14-5. Um relatório sobre a nova política de licença familiar remunerada mostrou que os pais que utilizavam essa licença tiravam uma média de três semanas para criar uma ligação com o recém-nascido e cuidar dele. Ver Eileen Applebaum e Ruth Milkman, *Leaves That Pay: Employer and*

Worker Experiences with Paid Family Leave in California, Center for Economic and Policy Research (janeiro de 2011), 18.

22. European Parliament, "The Cost of Childcare in eu Countries: Transversal Analysis Part 1 of 2", Policy Department, Economic and Scientific Policy (2006), disponível em: <www.europarl.europa.eu/document/activities/cont/20 1107/20110718ATT24321/20110718ATT24321EN.pdf>.

23. As mães brasileiras que trabalham no funcionalismo público podem receber até seis meses (sendo quatro meses obrigatórios no setor privado) de licença. Os pais que trabalham no funcionalismo público podem receber até dez dias (sendo cinco dias obrigatórios no setor privado). Ver Bila Sorj, "Brazil", International Network on Leave Policies and Research (2012), disponível em: <www.leavenetwork.org/fileadmin/Leavenetwork/Country_notes/2012/Brazil. FINAL.7may.pdf>.

24. Joan C. Williams e Heather Boushey, *The Three Faces of Work-Family Conflict: The Poor, The Professionals, and the Missing Middle*, Center for American Progress and Center for WorkLife Law (janeiro de 2010), 54-5, disponível em: <www.americanprogress.org/issues/2010/01/three_faces_report.html>.

25. Laurie A. Rudman e Kris Mescher, "Penalizing Men Who Request a Family Leave: Is Flexibility Stigma a Femininity Stigma?", *Journal of Social Issues*, no prelo.

26. Jennifer L. Berhdahl e Sue H. Moon, "Workplace Mistreatment of Middle Class Workers Based on Sex, Parenthood, and Caregiving", *Journal of Social Issues*, no prelo; Adam B. Butler e Amie Skattebo, "What Is Acceptable for Women May Not Be for Men: The Effect of Family Conflicts with Work on Job-Performance Ratings", *Journal of Occupational and Organization Psychology* 77, n° 4 (2004): 553-64; Julie Holliday Wayne e Bryanne L. Cordeiro, "Who Is a Good Organizational Citizen? Social Perception of Male and Female Employees Who Use Family Leave", *Sex Roles* 49, n°s 5-6 (2003): 233-46; e Tammy D. Allen e Joyce E. A. Russell, "Parental Leave of Absence: Some Not So Family-Friendly Implications", *Journal of Applied Social Psychology* 29, n° 1 (1999): 166-91.

27. Em 2011, os pais correspondiam a 3,4% dos genitores que ficavam em casa. Ver U.S. Census Bureau, "Table SHP-1 Parents and Children in Stay--at-Home Parent Family Groups: 1994 to Present", America's Families and Living Arrangements, Current Population Survey, Annual Social and Economic Supplement (2011), disponível em: <webcache.googleusercontent.com/ search?q=cache:ffg107mTTwAJ:www.census.gov/population/socdemo/hh--fam/shp1.xls+&cd=3&hl=en&ct=clnk&gl=us>. Para um levantamento das pesquisas sobre o isolamento social dos pais que ficam em casa, ver Harrington, Van Deusen e Mazar, *The New Dad*, 6.

28. Um estudo com 207 pais em tempo integral mostrou que cerca de 45%

deles declararam ter recebido comentários negativos ou reações críticas de outro adulto. Essas reações e comentários depreciativos provieram, em sua grande maioria, de mães em tempo integral. Ver Aaron B. Rochlen, Ryan A. McKelley e Tiffany A. Whittaker, "Stay-At-Home Fathers' Reasons for Entering the Role and Stigma Experiences: A Preliminary Report", *Psychology of Men & Masculinity* 11, nº 4 (2010): 282.

29. Em 2010, as esposas ganhavam mais do que os maridos em 29,2% das famílias americanas em que os dois membros do casal eram remunerados. Ver Bureau of Labor Statistics, *Wives Who Earn More Than Their Husbands, 1987-2010, 1988-2011*, Annual Social and Economic Supplements to the Current Population Survey, disponível em: <webcache.googleusercontent.com/search?q=cache:r-eatNjOmLsJ:www.bls.gov/cps/wives_earn_more.xls+&cd=7&hl=en&ct=clnk&gl=us>. Para estatísticas da OECD, ver Organização para a Cooperação e o Desenvolvimento Econômico (OECD), "Gender Brief", OECD Social Policy Division (2010), disponível em: <www.oecd.org/social/familiesandchildren/44720649.pdf>.

30. The Cambridge Women's Pornography Cooperative, *Porn for Women* (San Francisco: Chronicle Books, 2007).

31. Para uma análise, ver Scott Coltrane, "Research on Household Labor: Modeling and Measuring Social Embeddedness of Routine Family Work", *Journal of Marriage and Family* 62, nº 4 (2000): 1208-33.

32. Lynn Price Cook, "'Doing' Gender in Context: Household Bargaining and Risk of Divorce in Germany and the United States", *American Journal of Sociology* 112, nº 2 (2006): 442-72.

33. Scott Coltrane, *Family Man: Fatherhood, Housework, and Gender Equality* (Oxford: Oxford University Press, 1996).

34. Para uma discussão sobre os rendimentos e o poder de negociação no lar, ver Frances Woolley, "Control Over Money in Marriage", in *Marriage and the Economy: Theory and Evidence from Advanced Industrial Societies,* org. Shoshana A. Grossbard-Shechtman e Jacob Mincer (Cambridge: Cambridge University Press, 2003), 105-28; e Leora Friedberg e Anthony Webb, "Determinants and Consequences of Bargaining Power in Households", NBER Working Paper 12367 (julho de 2006), disponível em: <www.nber.org/papers/w12367>. Para pesquisas sobre o emprego como fator atenuante das consequências financeiras do divórcio para as mulheres, ver Matthew McKeever e Nicholas H. Wolfinger, "Reexamining the Economic Costs of Marital Disruption for Women", *Social Science Quarterly* 82, nº 1 (2001): 202-17. Para uma discussão sobre as mulheres, a longevidade e a segurança financeira, ver L. Carstensen, *A Long Bright Future: An Action Plan for a Lifetime of Happiness, Health, and Financial Security* (Nova York: Broadway Books, 2009).

35. Constance T. Gager e Scott T. Yabiku, "Who Has the Time? The Relationship Between Household Labor Time and Sexual Frequency", *Journal of Family Issues* 31, nº 2 (2010): 135-63; Neil Chethik, *VoiceMale: What Husbands Really Think About Their Marriages, Their Wives, Sex, Housework, and Commitment* (Nova York: Simon & Schuster, 2006); e K. V. Rao and Alfred DeMaris, "Coital Frequency Among Married and Cohabitating Couples in the United States", *Journal of Biosocial Science* 27, nº 2 (1995): 135-50.

36. Sanjiv Gupta, "The Consequences of Maternal Employment During Men's Childhood for Their Adult Housework Performance", *Gender & Society* 20, nº 1 (2006): 60-86.

37. Richard W. Johnson e Joshua M. Wiener, *A Profile of Frail Older Americans and Their Care Givers*, Occasional Paper Number 8, The Retirement Project, Urban Institute (fevereiro de 2006), disponível em: <www.urban.org/UploadedPDF/311284_older_americans.pdf>.

38. Gloria Steinem, "Gloria Steinem on Progress and Women's Rights", entrevista a Oprah Winfrey, *Oprah's Next Chapter*, vídeo no YouTube, 3min52s, 16 de abril de 2012, publicado por Oprah Winfrey Network em: <www.youtube.com/watch?v=orrmWHnFjqI&feature=relmfu>.

39. Essa pesquisa com um pouco mais de mil adultos mostrou que 80% dos homens na casa dos quarenta anos declararam que "fazer um trabalho que me desafia a empregar minhas habilidades e capacidades" era muito importante para eles. Entre os homens na faixa dos vinte aos trinta anos de idade, a pesquisa mostrou que 82% declararam que "ter um horário de trabalho que me permita passar tempo com minha família" era muito importante para eles. Ver Radcliffe Public Policy Center, *Life's Work: Generational Attitudes Toward Work and Life Integration* (Cambridge, MA: Radcliffe Public Policy Center, 2000).

9. O MITO DE FAZER TUDO [pp. 153-174]

1. Sharon Poczter, "For Women in the Workplace, It's Time to Abandon 'Have it All' Rhetoric'", *Forbes*, 25 de junho de 2012, disponível em: <www.forbes.com/sites/realspin/2012/06/25/for-women-in-the-workplace-its-time-to-abandon-have-it-all-rhetoric/>.

2. U.S. Census Bureau, "Table FG1 Married Couple Family Groups, by Labor Force Status of Both Spouses, and Race and Hispanic Origin of the Reference Person", America's Families and Living Arrangements, Current Population Survey, Annual Social and Economic Supplement (2011), disponível em: <www.census.gov/hhes/families/data/cps2011.html>.

3. U.S. Census Bureau, "Table FG10 Family Groups", America's Families and

Living Arrangements, Current Population Survey, Annual Social and Economic Supplement (2011), disponível em: <www.census.gov/hhes/families/data/cps2011.html>. Os cálculos foram obtidos em grupos familiares com filhos abaixo de dezoito anos de idade.

4. O relatório de 2011 utiliza os dados de 2006, os mais recentes disponíveis. Ver Organização para a Cooperação e o Desenvolvimento Econômico (OECD), *Doing Better for Families*, OECD Publishing, (2011), disponível em: <dx.doi.org/10.1787/9789264098732-en>.

5. Tina Fey, *Bossypants* (Nova York: Little, Brown, 2011), 256.

6. Gloria Steinem, "Gloria Steinem on Progress and Women's Rights", entrevista a Oprah Winfrey, *Oprah's Next Chapter*, vídeo no YouTube, 3min52s, 16 de abril de 2012, publicado por Oprah Winfrey Network em: <www.youtube.com/watch?v=orrmWHnFjqI&feature=relmfu>.

7. Beth Saulnier, "Meet the Dean", *Weill Cornell Medicine Magazine*, primavera de 2012, 25.

8. Jennifer Stuart, "Work and Motherhood: Preliminary Report of a Psychoanalytic Study", *The Psychoanalytic Quarterly* 76, nº 2 (2007): 482.

9. Nora Ephron, discurso de formatura de 1996, Wellesley College, disponível em: <new.wellesley.edu/events/commencementarchives/1996commencement>.

10. Robyn J. Ely e Deborah L. Rhode, "Women and Leadership: Defining the Challenges", in *Handbook of Leadership Theory and Practice,* org. Nitin Nohria e Rakesh Khurana (Boston: Harvard Business School Publishing, 2010), 377-410; Deborah L. Rhode e Joan C. Williams, "Legal Perspectives on Employment Discrimination", in *Sex Discrimination in the Workplace: Multidisciplinary Perspectives,* org. Faye J. Crosby, Margaret S. Stockdale e S. Ann Ropp (Malden, MA: Blackwell, 2007), 235-70; e Ann Crittenden, *The Price of Motherhood: Why the Most Important Job in the World Is Still the Least Valued* (Nova York: Metropolitan Books, 2001).

11. Pamela Stone, *Opting Out? Why Women Really Quit Careers and Head Home* (Berkeley: University of California Press, 2007); Leslie A. Perlow, "Boundary Control: The Social Ordering of Work and Family Time in a High-Tech Corporation", *Administrative Science Quarterly* 43, nº 2 (1998): 328-57; e Arlie Russell Hochschild, *The Time Bind: When Work Becomes Home and Home Becomes Work* (Nova York: Metropolitan Books, 1997). Joan Williams, professora de direito e diretora fundadora do Center for WorkLife Law na Faculdade de Direito Hastings, na Universidade da Califórnia, refere-se a essas penalizações como "estigma da flexibilidade".

12. Jennifer Glass, "Blessing or Curse? Work-Family Policies and Mother's Wage Growth over Time", *Work and Occupations* 31, nº 3 (2004): 367-94; e Mindy Fried, *Taking Time: Parental Leave Policy and Corporate Culture* (Filadélfia:

Temple University Press, 1998). Dependendo do tipo de trabalho com horário flexível, mulheres em serviços não qualificados também podem sofrer grande penalização. Por exemplo, Webber e Williams (2008) examinaram dois grupos de mães (com e sem qualificação profissional) e concluíram que os dois grupos eram penalizados por trabalhar em tempo parcial (salários mais baixos, rebaixamentos etc.). Ver Gretchen Webber e Christine Williams, "Mothers in 'Good' and 'Bad' Part-Time Jobs: Different Problems, Same Result", *Gender & Society* 22, nº 6 (2008): 752-77.

13. Nicholas Bloom et al., "Does Working from Home Work? Evidence from a Chinese Experiment" (julho de 2012), disponível em: <www.stanford.edu/~nbloom/WFH.pdf>. Novas pesquisas também sugerem que trabalhos que podem ser feitos em casa, como no sistema do teletrabalho, têm aspectos negativos, como o aumento da jornada e a intensificação das exigências aos funcionários. Ver Mary C. Noonan e Jennifer L. Glass, "The Hard Truth about Telecommuting", *Monthly Labor Review* 135, nº 6 (2012): 38-45.

14. Novas pesquisas sugerem que uma longa jornada de trabalho reduz a produtividade. A professora Leslie A. Perlow, da Escola de Administração de Harvard, mostrou que, obrigando os consultores do Boston Consulting Group a trabalhar menos, eles se tornaram mais eficientes. Para ter uma noite fixa de folga por semana, Perlow fez com que as equipes de trabalho estabelecessem uma comunicação franca e aberta, para poderem dividir o trabalho com maior eficiência. Também fez com que as equipes elaborassem planos e compartilhassem informações, para que os consultores pudessem cobrir a noite de folga dos colegas. Em decorrência dessas mudanças relativamente pequenas, os consultores passaram a se sentir melhor em relação ao trabalho e ao equilíbrio entre trabalho e vida pessoal. Os consultores e seus supervisores avaliaram seu trabalho mais positivamente. Diminuiu o número de pedidos de demissão. A comunicação das equipes melhorou. E um maior número de consultores que tiravam folga passou a sentir que estava tratando melhor os clientes, em comparação à parcela de consultores que continuaram a trabalhar num horário muito prolongado. Ver Leslie Perlow, *Sleeping with Your Smartphone: How to Break the 24/7 Habit and Change the Way You Work* (Boston: Harvard Business Review Press, 2012).

15. Colin Powell com Tony Koltz, *It Worked For Me: In Life and Leadership* (Nova York: HarperCollins, 2012), 40.

16. Joan C. Williams e Heather Boushey, *The Three Faces of Work-Family Conflict: The Poor, The Professionals, and the Missing Middle*, Center for American Progress and Center for WorkLife Law (janeiro de 2010), 7. Disponível em: <www.americanprogress.org/issues/2010/01/three_faces_report.html>.

17. Economic Policy Institute, "Chart: Annual Hours of Work, Married Men

and Women, 25-54, with Children, 1979-2010, by Income Fifth", *The State of Working America*, disponível em: <stateofworkingamerica.org/chart/swa-income-table-2-17-annual-hours-work-married/>. Tomando-se cinquenta semanas de trabalho por ano, homens e mulheres casados e com filhos, de renda média, em 2010 trabalharam 428 mais horas do que em 1979, ou seja, uma média de 8,6 horas a mais por semana.

Enquanto alguns grupos de americanos podem ter trabalho demais, falta trabalho a outros grupos, particularmente a trabalhadores menos qualificados de baixo salário. Os sociólogos denominam essa tendência como "dispersão crescente" das horas de trabalho entre trabalhadores com maior e menor nível de instrução. Para mais informações sobre a dispersão das horas de trabalho, ver Arne L. Kallenberg, *Good Jobs, Bad Jobs: The Rise of Polarized and Precarious Employment Systems in the United States, 1970s to 2000s* (Nova York: Russell Sage Foundation, 2011), 152-4; e Jerry A. Jacobs e Kathleen Gerson, *The Time Divide: Work, Family, Gender Inequality* (Cambridge, MA: Harvard University Press, 2004).

18. Peter Kuhn e Fernando Lozano, "The Expanding Workweek? Understanding Trends in Long Work Hours among U.S. Men, 1979-2006", *Journal of Labor Economics* 26, nº 2 (2008): 311-43; e org. Cynthia Fuchs Epstein e Arne L. Kalleberg, *Fighting for Time: Shifting Boundaries of Work and Social Life* (Nova York: Russell Sage Foundation, 2004).

19. Sylvia Ann Hewlett e Carolyn Buck Luce, "Extreme Jobs: The Dangerous Allure of the 70-Hour Workweek", *Harvard Business Review* 84, nº 12 (2006): 51.

20. Desde a década de 1990, os governos de vários Estados de bem-estar social na Europa têm regulamentado o horário de trabalho em favor das famílias em que os dois membros do casal têm suas carreiras e trabalham para sustentar a casa. Em 2000, os governos já tinham reduzido a jornada normal para menos de quarenta horas semanais em Alemanha, Holanda, Luxemburgo, França e Bélgica. Os Estados Unidos registram as jornadas mais longas entre os países mais industrializados. Ver Janet C. Gornick e Marcia K. Meyers, "Supporting a Dual--Earner/Dual-Career Society: Policy Lessons from Abroad", in *A Democracy that Works: The Public Dimensions of the Work and Family Debate*, org. Jody Hemann e Christopher Beem (Nova York: The New Press, no prelo).

21. Sarah Perez, "80% of Americans Work 'After Hours,' Equaling an Extra Day of Work Per Week", *Techcrunch*, 2 de julho de 2012, disponível em: <techcrunch.com/2012/07/02/80-of-americans-work-after-hours-equaling--an-extra-day-of-work-per-week/>.

22. Bronwyn Fryer, "Sleep Deficit: The Performance Killer", *Harvard Business Review* 84, nº 10 (2006): 53-9, disponível em: <hbr.org/2006/10/sleep--deficit-the-performance-killer>. Para dados sobre o impacto cognitivo de um

número insuficiente de horas de sono, ver Paula A. Alhola e Paivi Polo-Kantola, "Sleep Deprivation: Impact on Cognitive Performance", *Neuropsychiatric Disease and Treatment* 3, nº 5 (2007): 553-67; e Jeffrey S. Durmer e David F. Dinges, "Neurocognitive Consequences of Sleep Deprivation", *Seminars in Neurology* 25, nº 1 (2005): 117-29.

23. Suzanne M. Bianchi, John P. Robinson e Melissa A. Milkie, *The Changing Rhythms of American Family Life* (Nova York: Russell Sage Foundation, 2006), 74-7. Esse estudo sobre a quantidade de tempo que os genitores declaram cuidar dos filhos mostra que, em 2000, mães com e sem emprego passaram, na média, quase 6,5 horas a mais por semana do que suas análogas declararam em 1975. Tais constatações levaram os autores a concluir: "É como se tivesse ocorrido uma mudança cultural que levou todas as mães a passar mais tempo com seus filhos" (p. 78). O aumento na quantidade de tempo que os genitores passam com os filhos se explica em larga medida porque os genitores somam as atividades de cuidado e de lazer, o que significa que "ou o cuidado à criança passou a se orientar mais para brincadeiras ou os genitores estão incluindo com maior frequência os filhos em suas próprias atividades de lazer" (p. 85). Essa mudança de atividades de lazer apenas para adultos, passando a incluir os filhos, bem como o aumento na execução de várias tarefas enquanto passam o tempo livre com os filhos, apontam uma disposição dos genitores em sacrificar o tempo pessoal a fim de passar mais tempo com os filhos. Um estudo de 2009 mostrou que, comparadas a mães sem emprego, as mães com emprego em tempo integral passam menos tempo por semana em qualquer atividade de lazer, desde assistir a programas de tevê a atividades comunitárias e de socialização, resultando em dez horas a menos de tempo de lazer por semana. Em contraste com as mães, há pouca diferença na quantidade de tempo de lazer entre os pais com esposas que trabalham em tempo integral e os pais com esposas que trabalham em tempo parcial. Ver Melissa A. Milkie, Sara B. Raley e Suzanne M. Bianchi, "Taking on the Second Shift: Time Allocations and Time Pressures of U.S. Parents with Preschoolers", *Social Forces* 88, nº 2 (2009): 487-517.

24. Sharon Hays, *The Cultural Contradictions of Motherhood* (New Haven, CT: Yale University Press, 1996).

25. NICHD Early Child Care Research Network, *Child Care and Child Development: Results from the NICHD Study of Early Child Care and Youth Development* (Nova York: Guilford, 2005).

26. National Institute of Child Health and Human Development, *Findings for Children up to Age 4 1/2 Years,* The NICHD Study of Early Child Care and Youth Development, NIH Pub. nº 05-4318 (2006), 1, disponível em: <www.nichd.nih.gov/publications/pubs/upload/seccyd_06.pdf>.

27. Id., ibid.; ver também NICHD Early Child Care Research Network,

"Child-Care Effect Sizes for the NICHD Study of Early Child-Care and Youth Development", *American Psychologist* 61, nº 2 (2006): 99-116. Em alguns casos, o estudo americano mostrou que crianças que passavam mais tempo em creches apresentavam maior frequência de problemas de comportamento, como acessos de raiva ou respostas malcriadas. Esses problemas surgiam com menor frequência em ambientes de cuidado infantil de alta qualidade, e no sexto ano diminuíam em larga medida. Como observou Kathleen McCartney, diretora da Escola de Pós-Graduação em Educação de Harvard e uma das principais pesquisadoras do estudo: "O efeito das horas na creche e no maternal é pequeno segundo qualquer critério. Qualquer risco associado a mais horas nos centros de cuidado infantil precisava ser avaliado em comparação com os benefícios do emprego materno, inclusive a diminuição da depressão materna e maior renda familiar" (e-mail à autora, 26 de fevereiro de 2012). Para uma discussão dessas questões e dados, ver Kathleen McCartney et al., "Testing a Series of Causal Propositions Relating Time in Child Care to Children's Externalizing Behavior", *Development Psychology* 46, nº 1 (2010): 1-17. Para uma meta-análise do emprego materno e das realizações dos filhos, ver Wendy Goldberg et al., "Maternal Employment and Children's Achievement in Context: A Meta-Analysis of Four Decades of Research", *Psychological Bulletin* 134, nº 1 (2008): 77-108.

Os estudiosos têm notado que, embora a grande maioria dos dados mostre que o emprego materno não exerce nenhum efeito adverso no desenvolvimento dos filhos pequenos, no primeiro ano de vida tem sido associado a um menor desenvolvimento cognitivo e a problemas de comportamento para algumas crianças. Vários fatores atenuam esses dados, desde o nível de sensibilidade dos genitores à qualidade dos cuidados aos bebês. Ver Jane Waldfogel, "Parental Work Arrangements and Child Development", *Canadian Public Policy* 33, nº 2 (2007): 251-71.

Os estudos mostram sistematicamente que é a qualidade dos cuidados que mais importa, quer sejam dados por um dos genitores ou por outra pessoa. As crianças precisam receber uma atenção sensível e que atenda a suas necessidades particulares. Para uma discussão a esse respeito, ver Jane Waldfogel, *What Children Need* (Cambridge, MA: Harvard University Press, 2006).

28. National Institute of Child Health and Human Development, *Findings for Children up to Age 4½Years*; National Institute of Child Health and Human Development Early Child Care and Research Network, "Fathers' and Mothers' Parenting Behavior and Beliefs as Predictors of Children's Social Adjustment and Transition to School", *Journal of Family* Psychology 18, nº 4 (2004): 628-38.

29. NICHD Early Child Care and Research Network, "Child-Care Effect Sizes", 113.

30. Um estudo no Reino Unido com 11 mil crianças revelou que as crianças

que demonstraram os níveis mais altos de bem-estar pertenciam a lares onde os dois genitores trabalhavam fora. Tendo como variáveis o grau de instrução materna e o rendimento doméstico, os filhos de famílias nos quais o casal trabalhava fora, especialmente as meninas, apresentaram o menor número de problemas de comportamento, como hiperatividade ou sentimentos de tristeza e preocupação. Ver Anne McMunn et al., "Maternal Employment and Child Socio-Emotional Behavior in the UK: Longitudinal Evidence from the UK Millennium Cohort Study", *Journal of Epidemiology & Community Health* 66, nº 7 (2012): 1-6.

31. Robin W. Simon, "Gender, Multiple Roles, Role Meaning, and Mental Health", *Journal of Health and Social Behavior* 36, nº 2 (1995): 182-94.

32. Marie C. Wilson, *Closing the Leadership Gap: Add Women, Change Everything* (Nova York: Penguin, 2007), 58.

33. Melanie Rudd, Jennifer Aaker e Michael I. Norton, "Leave Them Smiling: How Small Acts Create More Happiness than Large Acts", comunicação (2011), disponível em: <faculty-gsb.stanford.edu/aaker/pages/documents/LeaveThemSmiling_RuddAakerNorton12-16-11.pdf>.

34. Mary C. Curtis, "There's More to Sheryl Sandberg's Secret", *The Washington Post*, 4 de abril de 2012, disponível em: <www.washingtonpost.com/blogs/she-the-people/post/theres-more-to-sheryl-sandbergs-secret/2012/04/04/gIQAGhZsvS_blog.html>.

10. VAMOS COMEÇAR A FALAR DISSO [pp. 175-196]

1. Gloria Steinem, "In Defense of the 'Chick-Flick'", *Alternet*, 6 de julho de 2007, disponível em: <www.alternet.org/story/56219/gloria_steinem%3A_in_defense_of_the_'chick_flick'>.

2. Marianne Cooper, "The New F-Word", *Gender News*, 8 de fevereiro de 2011, disponível em: <gender.stanford.edu/news/2011/new-f-word>.

3. Susan Faludi, *Backlash: The Undeclared War Against American Women* (Nova York: Crown, 1991).

4. Richard H. Thaler e Cass R. Sunstein, *Nudge: Improving Decisions About Health, Wealth, and Happiness* (New Haven, CT: Yale University Press, 2008).

5. Corinne A. Moss-Racusin et al., "Science Faculty's Subtle Gender Biases Favor Male Students", *Proceedings of the National Academy of Sciences of the United States of America* 109, nº 41 (2012): 16474-9.

6. Para um estudo sobre candidatos a emprego, ver Rhea E. Steinpreis, Katie A. Anders e Dawn Ritzke, "The Impact of Gender on the Review of Curricula Vitae of Job Applicants and Tenure Candidates: A National Empirical Study", *Sex Roles* 41, nºs 7-8 (1999): 509-28. Para um estudo sobre discriminação se-

xual e bolsas de estudos, ver Christine Wennerås e Agnes Wold, "Nepotism and Sexism in Peer Review", *Nature* 387 (1997): 341-3. Para o estudo sobre a discriminação em testes para orquestra, ver Claudia Goldin e Cecilia Rouse, "Orchestrating Impartiality: The Impact of 'Blind' Auditions on Female Musicians", *The American Economic Review* 90, nº 4 (2000): 715-41.

7. As economistas Claudia Goldin e Cecilia Rouse examinaram as práticas de contratação entre as principais orquestras dos Estados Unidos e constataram que a adoção de testes cegos, em que os juízes ouviam, mas não viam o candidato, reduziu a discriminação contra as mulheres. Elas calculam que a adoção de testes cegos é responsável por 30% do aumento na proporção de mulheres nas novas contratações. Ver Goldin e Rouse, "Orchestrating Impartiality", 715-41.

8. Emily Pronin, Thomas Gilovich e Lee Ross, "Objectivity in the Eye of the Beholder: Divergent Perceptions of Bias in Self Versus Others", *Psychological Review* 111, nº 3 (2004): 781-99; Emily Pronin, Daniel Y. Lin e Lee Ross, "The Bias Blind Spot: Perceptions of Bias in Self Versus Others", *Personality and Social Psychology Bulletin* 28, nº 3 (2002): 369-81.

9. Eric Luis Uhlmann e Geoffrey L. Cohen, "Constructed Criteria: Redefining Merit to Justify Discrimination", *Psychological Science* 16, nº 6 (2005): 474-80. No geral, esse estudo mostrou que, quando um homem possuía um traço ou característica particular, essa qualidade era classificada como critério de contratação mais importante do que quando ele não possuía tal qualidade. Mesmo qualidades tipicamente femininas, como "ter interesses voltados para a família" ou "ter filhos", recebiam maior peso como critério de contratação quando um homem as tinha do que quando não as tinha. Esse tipo de favoritismo não apareceu em relação à candidata do sexo feminino. De fato, em relação a um sólido histórico escolar, o estudo descobriu uma tendência invertida, isto é, quando uma candidata mulher tinha um sólido histórico escolar, esse atributo recebia menor peso como critério de contratação do que quando ela não o possuía. No entanto, essa tendência de inversão não chegou a ser estatisticamente significativa.

Esse estudo mostrou que os avaliadores redefinem os critérios de contratação para empregos marcados por estereótipos sexuais para que se adaptem às experiências e credenciais específicas que um candidato do sexo desejado venha a apresentar. Para o cargo estereotipicamente masculino de delegado de polícia, favorecia-se o candidato homem. Mas, quando os autores realizaram o mesmo tipo de experiência para o emprego estereotipicamente feminino de professora de estudos sobre as mulheres, a candidata do sexo feminino ganhava um empurrãozinho. Neste caso, um sólido histórico de defesa pública das questões femininas contava como um critério importante para a contratação quando a candidata tinha esse histórico sólido, e não importante quando a candidata não o tinha. Esse tipo de favoritismo não se estendia ao candidato do sexo masculino. Outras pesquisas corroboram a ideia de que os avaliadores podem alterar sutilmente os critérios que usam para suas decisões de contratação em detrimento de candidatos atípicos em termos de raça e sexo. Por exemplo, um estudo de 2008 realizado por Phelan et al. examinou os critérios de contratação utilizados para avaliar candidatos a um emprego de gerência, de ambos os sexos, com perfil dominador (altamente competentes, confiantes, ambiciosos) ou perfil comunal (modestos, sociáveis). Os resultados mostraram que os avaliadores "deram maior peso à competência do que às habilidades sociais para todos os candidatos, com a exceção das mulheres de perfil dominador, cujas habilidades sociais receberam maior peso do que a competência". Os autores concluíram que "os avaliadores mudaram os critérios de contratação para as mulheres de perfil dominador, transferindo-os de seu trunfo (a competência) para o que viam como déficit (habilidades sociais), para justificar a discriminação".

Uhlmann e Cohen relatam que, na experiência com o emprego de delegado, a discriminação em favor dos homens era exercida em larga medida pelos avaliadores do sexo masculino. Embora os avaliadores de ambos os sexos tendessem a elaborar critérios de contratação favoráveis ao candidato de sexo masculino, os homens apresentavam mais esse viés discriminatório. Nas avaliações para a contratação, os avaliadores homens faziam avaliações mais positivas do candidato de sexo masculino do que da candidata com idênticas qualificações, ao passo que as avaliadoras mulheres faziam avaliações equivalentes. Na experiência com a vaga de ensino de estudos sobre as mulheres, o viés discriminatório era aplicado pelas avaliadoras do sexo feminino. Eram elas, e não os avaliadores homens, que redefiniam os critérios de contratação para beneficiar a candidata mulher e que a favoreciam em detrimento do candidato de sexo masculino nas avaliações para a contratação. Um dado importante revelado pelo estudo foi que, quando os avaliadores foram solicitados a seguir os critérios de contratação que eram importantes para o emprego antes de saber o sexo do candidato, nenhum deles, homem ou mulher, mostrou tendências discriminatórias em suas avaliações para a contratação. Essa descoberta sugere que, para diminuir a discriminação, deve haver uma anuência prévia sobre padrões inequívocos de mérito, antes do exame dos candidatos ao emprego.

O estudo ilustra que as pessoas podem alterar os critérios de contratação para que se adaptem às experiências e credenciais da pessoa (homem ou mulher) que gostariam de contratar, particularmente para empregos sujeitos a estereótipos sexuais, com isso utilizando o "mérito" para justificar a discriminação. Visto que os que se sentiam mais seguros de sua própria objetividade mostraram o viés discriminatório mais acentuado na experiência com a vaga de delegado, os autores sugerem que esse grupo podia achar "que havia escolhido o homem certo para o serviço, quando na verdade havia escolhido os critérios de contratação certos para o homem" (p. 478). Devido a limitações de tempo, os autores não avaliaram os graus de objetividade que os avaliadores se atribuíam na experiência com a vaga de ensino de estudos sobre as mulheres. Ver também Julie E. Phelan, Corinne A. Moss-Racusin e Laurie A. Rudman, "Competent Yet Out in the Cold: Shifting Criteria for Hiring Reflect Backlash Toward Agentic Women", *Psychology of Women Quarterly* 32, nº 4 (2008): 406-13. Para mais pesquisas mostrando que a crença na própria objetividade está associada a um aumento na discriminação sexual, ver Eric Luis Uhlmann e Geoffrey L. Cohen, "'I Think It, Therefore It's True': Effects of Self-Perceived Objectivity on Hiring Discrimination", *Organizational Behavior and Human Decision Processes* 104, nº 2 (2007): 207-23.

10. Sreedhari D. Desai, Dolly Chugh e Arthur Brief, "Marriage Structure and Resistance to the Gender Revolution in the Workplace", Social Science Research Network (março de 2012), disponível em: <papers.ssrn.com/sol3/papers.cfm?abstract_id=2018259>. Esse estudo também mostrou que, como os homens com casamento tradicional, os homens com casamento neotradicional (casados com mulheres que trabalham em tempo parcial) eram mais propensos do que os homens com casamento moderno a adotar atitudes e noções negativas sobre as mulheres no local de trabalho.

11. Para uma discussão sobre o machismo benevolente, ver Peter Glick e Susan T. Fiske, "The Ambivalent Sexism Inventory: Differentiating Hostile and Benevolent Sexism", *Journal of Personality and Social Psychology* 70, nº 3 (1996): 491-512.

12. Melissa Korn, "Choice of Work Partner Splits Along Gender Lines", *The Wall Street Journal*, 6 de junho de 2012, disponível em: <online.wsj.com/article/SB10001424052702303506404577448652549105934.html>.

13. Um relatório de 2012 da Dow Jones mostrou que empresas novas e bem-sucedidas, com injeção de capital de empresas de investimento de risco, têm uma porcentagem média mais alta de executivas (7,1%) do que as empresas novas que não tiveram sucesso (3,1%). Analogamente, Herring (2009) mostrou que a diversidade de raças e sexos nas organizações empresariais estava associada a desempenhos positivos, como aumento do faturamento das vendas e maior lucratividade em termos comparativos. Mas Kochan et al. (2003) não encontraram nenhum efeito direto significativo da diversidade racial ou sexual nos resultados gerais da empresa. Visto que equipes diversificadas têm acesso a diferentes perspectivas, qualificações e maneiras de abordar os problemas, elas têm potencial para alcançar um desempenho melhor do que o de grupos menos diversificados. No entanto, os estudos têm mostrado que esse potencial muitas vezes é prejudicado por questões de processos de grupo, como falhas na comunicação, como a hesitação de integrantes das minorias em expressar uma opinião diferente daquela da maioria. Assim, para que as equipes diversificadas possam se desen-

volver, as organizações precisam criar ambientes que estimulem a confiança, a coesão social e a tolerância perante pontos de vista divergentes entre os membros da equipe. Ver Jessica Canning, Maryam Haque e Yimeng Wang, *Women at the Wheel: Do Female Executives Drive Start-Up Success?*, Dow Jones and Company (setembro de 2012), disponível em: <www.dowjones.com/collateral/files/WomenPE_report_final.pdf>; Cedric Herring, "Does Diversity Pay? Race, Gender, and the Business Case for Diversity", *American Sociological Review* 74, nº 2 (2009): 208-24; Elizabeth Mannix e Margaret A. Neale, "What Difference Makes a Difference? The Promise and Reality of Diverse Teams in Organizations", *Psychological Science in the Public Interest* 6, no. 2 (2005): 31-55; e Thomas Kochan et al., "The Effects of Diversity on Business Performance: Report of the Diversity Research Network", *Human Resource Management* 42, nº 1 (2003): 3-21.

14. Cynthia C. Hogan, mensagem de e-mail à autora, 30 de março de 2012.

15. As informações sobre o empenho da Escola de Administração de Harvard em criar um ambiente de ensino mais inclusivo foram prestadas à autora em conversas durante uma visita ao local em 23 de maio de 2012.

16. Sean Alfano, "Poll: Women's Movement Worthwhile", CBS News, 11 de fevereiro de 2009, disponível em: <www.cbsnews.com/2100-500160_162-965224.html>.

11. TRABALHANDO JUNTOS PELA IGUALDADE [pp. 197-212]

1. Para uma análise da "retórica da escolha", isto é, a crença disseminada de que as mulheres, mas não os homens, têm a livre escolha de trabalhar ou não, a despeito dos obstáculos ideológicos, familiares e institucionais que podem impedi-las de conciliar bem o trabalho e a vida familiar, ver David Cotter, Joan M. Hermsen e Reeve Vanneman, "The End of the Gender Revolution? Gender Role Attitudes from 1977 to 2008", *American Journal of Sociology* 117, nº 1 (2011): 259-89; Pamela Stone, *Opting Out? Why Women Really Quit Careers and Head Home* (Berkeley: University of California Press, 2007); e Joan Williams, *Unbending Gender: Why Family and Work Conflict and What to Do About It* (Oxford: Oxford University Press, 2000).

2. Professora Deborah H. Gruenfeld, em conversa com a autora, 26 de junho de 2012.

3. Patricia Sellers, "New Yahoo CEO Mayer is Pregnant", CNNMoney, 16 de julho de 2012, disponível em: <postcards.blogs.fortune.cnn.com/2012/07/16/mayer-yahoo-ceo-pregnant/>.

4. "German Family Minister Slams Yahoo! CEO Mayer", *Spiegel* Online International, 1 de agosto de 2012, disponível em: <www.spiegel.de/international/

germany/german-government-official-criticizes-yahoo-exec-for-short-maternity-leave-a-847739.html>.

5. Kara Swisher, "Kara Swisher at Garage Geeks", vídeo no YouTube, 9min33s, postado por ayeletknoff, 1º de agosto de 2012, disponível em: <www.youtube.com/watch?v=jFtdsRx2frI&feature=youtu.be>.

6. Para uma discussão sobre essa percepção de mulheres individuais como representativas de todas as mulheres e de como a escassez feminina leva a estereótipos, ver Rosabeth Moss Kanter, *Men and Women of the Corporation*, 2ª ed. (Nova York: Basic Books, 1993).

7. O artigo "Sheryl Sandberg Is the Valley's 'It' Girl — Just Like Kim Polese Once Was" pode ser lido no final de Eric Jackson, "Apology to Sheryl Sandberg and to Kim Polese [Updated]", *Forbes*, 23 de maio de 2012, disponível em: <www.forbes.com/sites/ericjackson/2012/05/23/apology-sheryl-sandberg-kim-polese/>.

8. Kim Polese, "Stop Comparing Female Execs and Just Let Sheryl Sandberg Do Her Job", *Forbes*, 25 de maio de 2012, disponível em: <www.forbes.com/sites/carolinehoward/2012/05/25/stop-comparing-female-execs-and-just-let-sheryl-sandberg-do-her-job/>.

9. Jackson, "Apology to Sheryl Sandberg and to Kim Polese [Updated]".

10. Para um quadro das pesquisas relacionadas com a síndrome da abelha rainha, ver Belle Derks et al., "Gender-Bias Primes Elicit Queen Bee Behaviors in Senior Policewomen", *Psychological Science* 22, nº 10 (2011): 1243-9; e Belle Derks et al., "Do Sexist Organizational Cultures Create the Queen Bee?", *British Journal of Social Psychology* 50, nº 3 (2011): 519-35.

11. Elizabeth J. Parks-Stamm, Madeline E. Heilman e Krystle A. Hears, "Motivated to Penalize: Women's Strategic Rejection of Successful Women", *Personality and Social Psychology Bulletin* 34, nº 2 (2008): 237-47; Rocio Garcia-Retamero e Esther López-Zafra, "Prejudice Against Women in Male-Congenial Environments: Perceptions of Gender Role Congruity in Leadership", *Sex Roles* 55, nºˢ 1-2 (2006): 51-61; David L. Mathison, "Sex Differences in the Perception of Assertiveness Among Female Managers", *Journal of Social Psychology* 126, nº 5 (1986): 599-606; e Graham L. Staines, Carol Tavris, e Toby E. Jayaratne, "The Queen Bee Syndrome", *Psychology Today* 7 (1974): 55-60.

12. Naomi Ellemers et al., "The Underrepresentation of Women in Science: Differential Commitment or the Queen Bee Syndrome?", *British Journal of Social Psychology* 43, nº 3 (2004): 315-38. Professoras de gerações anteriores, que chegaram ao topo da carreira quando havia mais obstáculos ao avanço das mulheres, foram as que mostraram mais tendências discriminatórias em relação a suas alunas do sexo feminino. Essa constatação sugere que os comportamentos de abelha rainha são resultantes da discriminação entre os sexos.

13. Katherine Stroebe et al., "For Better or For Worse: The Congruence of Personal and Group Outcomes on Target's Responses to Discrimination", European Journal of Social Psychology 39, nº 4 (2009): 576-91.

14. Madeleine K. Albright, Women in the World Summit, 8 de março de 2012, disponível em: <www.thedailybeast.com/articles/2012/03/09/women-in-the-world-highlights-angelina-jolie-madeline-albright-more-video.html>.

15. Derks et al., "Do Sexist Organizational Cultures Create the Queen Bee?", 519-35; Robert S. Baron, Mary L. Burgess e Chuan Feng Kao, "Detecting and Labeling Prejudice: Do Female Perpetrators Go Undetected?", Personality and Social Psychology Bulletin 17, nº 2 (1991): 115-23.

16. Sarah Dinolfo, Christine Silva, and Nancy M. Carter, High Potentials in the Leadership Pipeline: Leaders Pay It Forward, Catalyst (2012), 7, disponível em: <www.catalyst.org/publication/534/42/high-potentials-in-the-pipeline-leaders-pay-it-forward>.

17. Janet Aschkenasy, "How a 'Good Old Girls' Network at Merrill Advanced the Careers of Four Women", Wall Street Technology Association, 16 de julho de 2012, disponível em: <news.wsta.efinancialcareers.com/newsandviews_item/wpNewsItemId-106965>.

18. Kunal Modi, "Man Up on Family and Workplace Issues: A Response to Anne-Marie Slaughter", The Huffington Post, 12 de julho de 2012, disponível em: <www.huffingtonpost.com/kunal-modi/>.

19. Joan Williams, "Slaughter vs. Sandberg: Both Right", The Huffington Post, 22 de junho de 2012, disponível em: <www.huffingtonpost.com/joan-williams/ann-marie-slaughter_b_1619324.html>.

20. Debora Spar, "Why Do Successful Women Feel So Guilty?", The Atlantic, 28 de junho de 2012, disponível em: <www.theatlantic.com/business/archive/2012/06/why-do-successful-women-feel-so-guilty/259079/>.

21. Quarenta por cento das mães que trabalham fora não têm licença por problemas de saúde nem férias, e quase 50% das mães que trabalham fora não conseguem tirar folga para cuidar de um filho doente (Institute for Women's Policy Research, 2007). Apenas cerca de metade das mães recebem alguma remuneração durante a licença-maternidade (Laughlin, 2011). Tais políticas podem ter graves consequências; famílias sem acesso a licença familiar remunerada muitas vezes se endividam e podem ingressar no contingente da pobreza (Human Rights Watch, 2011). Empregos em tempo parcial com horários variáveis não permitem muito planejamento e muitas vezes não alcançam o total de quarenta horas semanais que dá acesso aos benefícios básicos (Bravo, 2012). Há excessivos moldes de trabalho injustos e inflexíveis, geralmente penalizando mulheres com filhos. Ver Institute for Women's Policy Research, Women and Paid Sick Days: Crucial for Family Well-Being, planilha, fevereiro de 2007; Lyn-

da Laughlin, *Maternity Leave and Employment Patterns of First-Time Mothers: 1961-2008*, U.S. Census Bureau, Current Population Reports, P70-128 (outubro de 2011), 9, disponível em: <www.census.gov/prod/2011pubs/p70-128.pdf>; Human Rights Watch, *Failing Its Families: Lack of Paid Leave and Work-Family Supports in the US* (2011), disponível em: <www.hrw.org/sites/default/files/reports/us0211webwcover.pdf>; e Ellen Bravo, "'Having It All?'—The Wrong Question to Ask for Most Women", Women's Media Center, 26 de junho de 2012, disponível em: <www.womensmediacenter.com/feature/entry/having-it--allthe-wrong-question-for-most-women>.

22. Nicholas D. Kristof, "Women Hurting Women", *The New York Times*, 29 de setembro de 2012, disponível em: <www.nytimes.com/2012/09/30/opinion/sunday/kristof-women-hurting-women.html?_r=0>.

23. Um estudo dos dados em painel do EEOC com mais de 20 mil empresas de 1990 a 2003 mostrou que um aumento no percentual de mulheres em gerência de alto nível está associado a um aumento subsequente do percentual de mulheres em cargos gerenciais de nível médio dentro das firmas. O estudo também mostrou que, embora as mulheres em cargos elevados tenham influência positiva na promoção de mulheres em níveis mais baixos, essa influência diminuiu com o passar do tempo. Ver Fiden Ana Kurtulus e Donald Tomaskovic-Devey, "Do Female Top Managers Help Women to Advance? A Panel Study Using EEO-1 Records", *The Annals of the American Academy of Political and Social Science* 639, nº 1 (2012): 173-97. Um estudo sobre mais de oitocentas firmas americanas mostrou que, quando havia maior número de mulheres no comitê de remuneração dos executivos e do conselho de diretoria, a distância salarial entre executivos do sexo masculino e do sexo feminino era menor. Mas esse estudo também mostrou que a presença de uma mulher como diretora executiva não estava associada à distância salarial entre os sexos. Ver Taekjin Shin, "The Gender Gap in Executive Compensation: The Role of Female Directors and Chief Executive Officers", *The Annals of the American Academy of Political and Social Science* 639, nº 1 (2012): 258-78. Um estudo sobre 72 grandes corporações americanas mostrou que a existência de um maior percentual de gestoras de nível mais baixo nos anos 1980 e começo dos anos 1990 estava decididamente associada à existência de uma maior quantidade de políticas de recursos humanos voltadas para o equilíbrio trabalho/vida pessoal e maior proporção de funções gerenciais elevadas ocupadas por mulheres em 1999. Ver George F. Dreher, "Breaking the Glass Ceiling: The Effects of Sex Ratios and Work-Life Programs on Female Leadership at the Top", *Human Relations* 56, nº 5 (2003): 541-62.

24. *Gloria: In Her Own Words*, documentário da HBO dirigido por Peter Kunhar.

Índice remissivo

Aaker, Jennifer, 173, 220, 265n
"abelha rainha", comportamento de, 202, 204, 270n
Abzug, Bella, 195
Academia Naval dos Estados Unidos, 208, 215
ação afirmativa, 179
"Acompanhamento materno intensivo", 169
Addams, Jane, 195
Afeganistão, 17
África do Sul, 95
Agência do Censo dos Estados Unidos, 229n
Albright, Madeleine, 202, 203
Alemanha, 32, 59, 262n
ambição, diferenças de, 28-41, 211, 231-2n, 234-5n; aspirações políticas, 46; conflito família-trabalho, 38, 39, 119, 125, 180, 232n; diferenças sexuais biológicas, 32, 33;
figuras de autoridade silenciando as vozes das mulheres, 36; geração do Milênio, 30, 37, 38, 234n; índices de abandono feminino do mercado de trabalho, 27, 28, 229-30n; medo como fator, 40, 41; pressão para dar prioridade ao casamento, 31, 32; socialização e estereótipos de sexo, 31-6, 58, 59, 232-7n
"Ameaça do estereótipo", 37, 237n
American Express, 185
Anderson, Cameron, 57, 249n
ansiedade de separação, 171
Anthony, Susan B., 212
Armstrong, Tim, 113
assédio sexual, 20, 187
Atlantic, The, 32, 206, 236n, 271n
Auletta, Ken, 60, 193, 243n
aumentos salariais, 64, 89, 144, 243n, 248n; *ver também* promoções
autoconfiança, 46; corrigindo a distân-

cia entre sexos, 53, 54, 55; domínio da arte, 54, 55; simulação, 50; *ver também* inseguranças e dúvidas pessoais
Avaliações de desempenho, discriminação sexual, 190, 191

Babás, 125, 162
Banco Mundial, 54, 76, 84, 221
Barnard College, 40, 42, 206
Barnes, Brenda, 127
Barnett, Rosalind Chait, 39, 239*n*
barreira para a ascensão, 19
Bay, Willow, 92
Biden, Joe, 191
Bodnick, Marc, 65, 222
Bossypants (Fey), 155, 260*n*
Boston College, Center for Work & Family, 232*n*, 256*n*
Boston Consulting Group, 261*n*
Bowles, Hannah Riley, 66, 67, 220, 244-5*n*
Brandeis, Universidade, 39
Bravo, Ellen, 38, 238*n*, 272*n*
Brin, Sergey, 16, 81, 162, 221
Brokaw, Tom, 105
Buckingham, Marcus, 115, 219, 250*n*
Buffett, Warren, 20, 26, 162
Bullock, Sandra, 37
Burnett, Erin, 92

Califórnia, 256*n*
Califórnia, Universidade da: Berkeley, 26; Hastings, 205
Callahan, Mike, 193
Carell, Steve, 154
Carnegie Mellon, Universidade, 64
carreira, administração, 72-84; escada *versus* trepatrepa, 73, 81, 82; importância do apoio conjugal, 139, 140; objetivos de longo prazo, 75, 76, 77; planejamento familiar prematuro, 117, 118, 119, 120, 121; plano de dezoito meses, 80, 81; prioridade a empregos com potencial de crescimento, 79, 81, 82; riscos, 82, 83, 84; tarefas além da função, 83, 84, 119
casamento: diferença de ambições e prioridade sob pressão social, 31, 32; "moderno" *versus* "tradicional" e tendenciosidade dos homens, 189, 268*n*; sustento dividido entre os dois cônjuges, 39, 149; *ver também* conflito família-trabalho
catalyst, 220, 226-7*n*, 230-3*n*, 244*n*, 248*n*, 271*n*
Center for Work-Life Policy, 95
Centros Femininos Wellesley, 44
Chan, Priscilla, 147, 148
Chang, Ruth, 140
Chenault, Ken, 185
Chicago, Universidade de: Escola de Administração da, 230*n*
Choksi, Priti, 121
chorar no serviço, 112, 115, 249*n*
Cinderella Ate My Daughter (Orenstein), 118
Clark, Andy, 148
Clinton, Bill, 77
Clinton, Hillary, 55
CNN, 92, 226*n*, 269*n*
Cohen, Betsy, 100
Cohen, Geoffrey L., 266*n*, 268*n*
Colao, Vittorio, 185
Coleman, Mary Sue, 67
CollegeSpring, 91
Columbia, Universidade: Escola de Administração da, 57
comércio sexual, 17

Como enlouquecer seu chefe (filme), 103
comunicação autêntica, 100-15; compartilhamento pessoal e emocional, 111-5; construção de relacionamentos, 108, 113; dinâmica do poder em reprimi-la, 101; espera de um retorno, 105, 106, 107, 108; humor como instrumento, 111; importância do ouvir, 104; incentivo a essa mentalidade, 109, 110; linguagem simples, 103; *versus* obediência cega aos líderes, 106; reconhecimento dos pontos de vista alheios, 102; responsabilidade pelos erros pessoais, 108
conflito família-trabalho: abandono de critérios inalcançáveis, 155, 156, 157, 162, 173; aumento da jornada de trabalho como tendência nacional, 165, 261-2n; controle sobre agenda e exigências do serviço, 159-63, 167-8, 192, 193, 261n; culpa por não passar tempo suficiente com os filhos, 169, 170, 171, 172, 173, 206; custos do cuidado infantil, 125, 129, 130; diferença de ambição, 38, 39, 119, 125, 180, 232n; efeito da tecnologia nos compromissos de trabalho, 164; equilíbrio, 119-24, 155, 156, 192; expectativas culturais masculinas, 130, 143, 145; "fazer tudo", 28, 154-63, 168, 173, 205, 206; ganhos e perdas inevitáveis entre trabalho e lar, 168, 192, 205, 206; índices de saída das mulheres da força de trabalho, 27, 28, 124-6, 139, 180, 228-30n, 250-2n; medo de parecer colocar a família acima da carreira, 160, 162, 163, 192, 193; penalização da carreira por utilizar políticas de trabalho levando em conta a família, 129, 130, 143, 163, 261n; perda de oportunidades profissionais devido a planejamento familiar prematuro, 118-22, 124, 127; políticas de trabalho levando em conta a família, 129, 160, 162, 173, 185, 186, 209; políticas inflexíveis no trabalho, 20, 21, 38, 129, 208, 256n; pressões sociais para a permanência da mulher no lar, 126, 127, 169; uso eficiente do tempo no trabalho, 162, 163, 164, 172, 173
congresso dos EUA, 176
Conscious Business (Kofman), 102
Cooper, Marianne, 177, 216, 265n
Cornell, Universidade, 153
correlação sucesso-simpatia: aprendendo a enfrentar críticas, 68, 69; como dilema, 61, 62; Heidi/Howard, estudo de caso, 57-60, 190; início na escola primária, 61, 62; mulheres que minimizam suas realizações por causa disso, 59-65, 71; negociações salariais, 64, 65, 66, 67
Coukos, Pamela, 227n
Crandall, Christian S., 237n
criação dos filhos: abandono de critérios inalcançáveis, 155, 156, 157; aumento do número de horas semanais como principal responsável pela criação dos filhos, 168, 169, 263n; benefícios do envolvimento paterno, 142, 143, 148, 170; desvalorização social do trabalho em casa, 207; estudos sobre atendimento de terceiros *versus* criação dos filhos em casa, 169,

170, 263-4n; fenômeno do "acompanhamento materno intensivo", 169; "fiscalização materna", 137; mães solteiras, 38; o pai como principal encarregado, 134, 135, 136, 144, 147, 257n; papel unilateral das mulheres, 21, 28, 134, 135; políticas de emprego discriminatórias, 143; reconhecimento dos papéis masculinos, 137, 151; saída da força de trabalho e dedicação ao lar, 119, 120, 130, 144, 149, 256-7n; ver também conflito família-trabalho; envolvimento paterno
critérios duplos: aplicados a líderes em alta posição, 204; nas licenças de maternidade e paternidade, 143; para explicar o sucesso, 47
cuidado com os filhos, 21, 25; aumento do número de horas semanais dedicadas pelos genitores, 168, 169, 263n; como responsabilidade primária das mulheres, 21, 28, 124, 134, 135, 150, 180; custos, 125, 129, 130; feito pelos pais, 134, 135, 253-4n; pago versus materno, 169, 170, 263-4n
Curtis, Mary, 174

Danaher, Kelly, 237n
Decker, Sue, 71
Deloitte, 97
Departamento do Tesouro dos EUA, 77, 92, 161, 179
Departamento do Trabalho (EUA), 227n
"desconto de gênero", problema do, 64
Dia do Pagamento Igual (2011), 18
diferença salarial entre os sexos, 16, 17, 18, 37, 211, 226n, 228n, 271-2n

dilema, 62, 96
direitos das mulheres, movimento pelos direitos das mulheres: distância salarial por sexos, 16, 18, 37, 211, 226n, 228n, 271-2n; em países estrangeiros, 17, 56; interrupção de seu avanço, 18, 19, 20, 21, 27, 210; necessidade de aliança feminina de apoio, 198, 199, 200, 201, 202, 203, 207; necessidade de aliança masculina de apoio, 204, 205; ver também feministas, feminismo,
discriminação sexual, 20, 179, 182, 183, 187, 188, 202, 270n; ver também tendenciosidade sexual; sexismo
discriminação, leis contra, 187
dispersão de horas de trabalho entre trabalhadores com maior e menor grau de instrução, 262n
divórcio, 149, 249n, 258n
Donahoe, John, 156
Dostart, Steve, 208
Dow Jones, 268-9n
dúvidas pessoais ver inseguranças e dúvidas pessoais

Ear Peace: Save Your Hearing, 210
eBay, 72, 156
educação, 18, 25, 26, 29; desempenho feminino superior ao masculino, 29; discriminação por sexo em sala de aula, 237n
EEOC (Comissão para Oportunidades Iguais de Emprego), 227n, 272n
Einhorn, Rosalind, 25
Elam, Michele, 177
Elsbach, Kimberly D., 249n
Ely, Robin, 194, 256n, 260n
empresárias, 68, 200

envolvimento paterno: aumento do número de horas semanais dedicadas à criação dos filhos, 254*n*; benefícios, 142, 148, 149, 170; expectativas sociais como barreira, 130, 143, 145; homens como principais encarregados, 134, 135, 136, 144, 147, 257*n*; pais que ficam em casa, 130, 143, 145, 257*n*; políticas inflexíveis no emprego como barreira, 143, 256*n*; reconhecimento dos papéis do homem na criação dos filhos, 138, 151

Ephron, Nora, 147, 158, 260*n*

Equal Pay Day (2011), 18

"equilíbrio trabalho-vida", 39, 165, 261*n*; *ver também* conflito família-trabalho

estereótipos sexuais: "ameaça do estereótipo", 37, 237*n*; correlação sucesso-simpatia, 58-71; desestímulo aos traços de ambição nas mulheres, 33-6, 58-9, 62; expectativa em relação às mulheres, pensando e agindo "comunalmente", 63-8, 204; expectativas culturais em relação aos homens, 58, 130, 144, 145; introjetados na infância, 33-6; negociações salariais, 64-7; regras sociais de conduta, 33-5, 58-9, 62, 64, 67, 241*n*; trabalho adicional das mulheres sem remuneração, 63, 64

"estigma da flexibilidade", 260*n*

estupro, 17

Ettus, Samantha, 30, 235*n*

Facebook, 19, 24, 37, 40, 43, 47, 52, 53, 55, 63, 65, 69, 71-3, 77, 80, 82-3, 87-8, 90, 92-3, 97-8, 101, 103, 105-8, 110-2, 114, 117, 119, 121-2, 124, 143, 158, 164, 167-8, 172-3, 175, 181-2, 186, 192-3, 221; comunicação autêntica, 101, 106-12; ingresso da autora na empresa, 65, 69, 71, 82, 97, 124, 167, 168; mentalidade de assumir riscos, 40; política de trabalho levando em conta a família, 164, 173, 186

Facebook Women, 192

Family and Work Institute, 231*n*

Family Values @ Work, 38

Farrell, Diana, 71, 203, 219, 222

"fazer tudo": abandono de critérios inalcançáveis, 155-7, 162, 173; aumento da jornada de trabalho como tendência nacional, 165; ganhos e perdas inevitáveis entre trabalho e lar, 168, 205, 206; medo das mulheres que trabalham fora de falhar como mães, 169, 170, 171, 172, 173; medo de colocar a família na frente da carreira, 160, 162, 163

Feminine Mystique, The (Friedan), 150

feministas, feminismo, 23, 69, 150, 155, 177-8, 180, 195, 199, 206, 208; estigma negativo, 177, 180, 195; *ver também* direitos das mulheres, movimento pelos direitos das mulheres

Ferraro, Geraldine, 176

Fey, Tina, 45, 154, 155, 240*n*, 260*n*

Fidelity, 146

Fieler, Anna, 129, 219

"fiscalização materna", 137, 255*n*

Fischer, David, 110, 162, 222

Flynn, Frank, 57, 64, 220, 242*n*, 244*n*

Fonda, Jane, 50, 180

Forbes, 54, 55, 200, 235*n*, 242*n*, 249*n*, 259*n*, 270*n*; Cem Mulheres Mais Poderosas do Mundo, 54, 55

Força Submarina americana, 208
Fortune: Cúpula das Mulheres Mais Poderosas da, 53, 71
Free to Be... You and Me (disco), 36
Freed, Adam, 111, 219, 222
Frei, Frances, 194
Friedan, Betty, 150, 201
Frohlinger, Carol, 84
Fundação Rockefeller, 28

Gandhi, Indira, 59
Gandhi, Sonia, 55
Gbowee, Leymah, 20, 209
Geithner, Tim, 43
Geração do Milênio, 30, 38, 234*n*
Getting to 50/50 (Meers e Strober), 39, 70, 120, 220, 239*n*
Girl Scouts, 235*n*
Gleit, Naomi, 98
Glimcher, Laurie, 155, 156
Goldberg, Dave, 16, 32, 34, 50, 65, 82, 102, 124, 132-4, 140-1, 145, 150, 166, 167, 172, 223
Goldberg, Mel, 150
Goldberg, Paula, 150
Goldfein, Jocelyn, 63
Goldin, Claudia, 230-1*n*, 266*n*
Goldman Sachs, 70, 92, 96, 106
Goler, Lori, 72, 192, 222
Goodfriend, Amy, 70
Google, 15-6, 24, 51, 71, 78-82, 88, 90, 93, 98, 102, 109, 110-3, 123-4, 140, 159, 162, 164, 167-8, 175, 180-1, 184, 198, 203, 221; criação de estacionamento para grávidas, 15, 16, 209; licença-maternidade da autora, 159, 160; políticas que levam em conta a família, 162, 163, 209
Graham, Don, 90, 221
Graham, Molly, 107, 219

Grande Depressão, 25
gravidez, grávidas, 15, 16, 21, 100, 122, 133-4, 199, 201, 209; estacionamento reservado, 16, 21, 209
Greene, Chad, 110
Gruenfeld, Deborah, 62, 198, 220, 243*n*, 249*n*, 269*n*
"Guerras dos sexos", 205-7
Gymboree, 33, 237*n*

Harry & Sally — Feitos um para o outro (filme), 147
Hart, Camille, 55, 71, 161, 221
Hart, Myra M., 252*n*
Harvard Business Review, 95, 247*n*, 250-1*n*, 261-2*n*
Harvard, Escola de Administração de, 57, 60, 87, 126, 139, 194, 196, 252*n*, 269*n*
Harvard, Escola de Direito de, 46, 54
Harvard, Universidade: Escola Kennedy, 205
Hearsay Social, 91
Heidi/Howard, estudo de caso, 58, 61, 220
Heilman, Madeline E., 236*n*, 242-4*n*, 270*n*
Hemani, Abby, 115
Hemmeter, Debi, 127, 217
Henry Ford Scholars, 60
Hewlett-Packard, 84
Hochschild, Arlie Russell, 228*n*, 260*n*
Hoffman, Reid, 256*n*
Hogan, Cynthia, 191, 269*n*
Holleran, Jen, 147
Holley, Derek, 98
homens: acesso mais fácil a mentores, 27, 88-9, 93-4, 247*n*; autoconfiança em mulheres *versus* homens, 46-50; desempenho inferior ao

das mulheres na escola, 29; diferença de ambições com as mulheres, 29-41; discriminação sexual nos casamentos "modernos" *versus* "tradicionais", 188, 189, 268*n*; expectativas culturais masculinas, 58, 130, 144, 145; índices de participação na força de trabalho, 250-1*n*; maior rapidez em aproveitar oportunidades, 51; papel importante no futuro avanço das mulheres, 183, 185, 186, 204, 205, 211
Hook, Jennifer L., 254*n*
horas de trabalho: aumento, 164, 165, 262*n*; disparidade entre marido e mulher em deixar o emprego, 126, 252*n*; dispersão, 262*n*; expediente longo e produtividade, 262*n*
Huffington Post, 52, 69, 228*n*, 237*n*, 242*n*, 247*n*, 271*n*
Huffington, Arianna, 69, 218

IBM, 53, 242*n*
Ícaro, 154
Ilíada (Homero), 48
Índia, 59, 76, 221
Innovisor, 190
inseguranças e dúvidas pessoais: barreira a aproveitar oportunidades, 51, 52; como forma de parecer mais simpática, 59; depreciação das próprias capacidades, 46, 240-1*n*, 247*n*; esforço necessário para corrigir distância entre sexos, 53, 54, 55; homens *versus* mulheres, 47-50; mães com emprego fora do lar, 169-73, 206; medo de colocar a família acima da carreira, 161; medo de falar com honestidade, 101; profecia que se realiza sozinha, 50; simular confiança para superá-las, 50; síndrome do impostor, 44-6, 239*n*; tarefas além da função, 83
Instituto Global McKinsey, 71
Instituto Nacional de Desenvolvimento Humano e Saúde Infantil, 170

J. C. Penney, 33
Johns Hopkins, Escola de Medicina da Universidade, 183
judeus soviéticos, 207

Kanarek, Larry, 158, 167
Kanter, Rosabeth Moss, 139, 233*n*, 270*n*
Kelly, Ray, 108
Kennedy, Flo, 195
Kofman, Fred, 102, 221
Kolb, Deborah, 84
Kordestani, Omid, 80, 112, 221

Launch Media, 134
Leading to WIN Women's Iniciative, 97
Lean In, 213, 217
Lehman, William, 176
leite materno, bomba de sucção, 124, 162
Lemmon, Gayle Tzemach, 32, 236*n*
Levine, Marne, 111, 219, 222
Libéria, 20
licença-maternidade, 21, 38, 120, 159-62, 199, 201, 271*n*
licença-paternidade, 144
LinkedIn, 123

"machistas benevolentes", 190, 246*n*
mães que ficam em casa: desvalorização social de seu trabalho, 207; estudos sobre atendimento pago

versus materno, 169, 170, 263-4*n*; média de horas semanais dedicadas à criação dos filhos, 168, 169, 263*n*
mães solteiras, 38
Makers, série em vídeo, 193
"Man Upon Family and Workplace Issues" (Modi), 204, 205, 271*n*
Mayer, Marissa, 180, 198
McCarthy, Joe, 70
McCartney, Kathleen, 220, 264*n*
McGee, Dyllan, 193
McIntosh, Peggy, 44, 45, 239*n*
McKinsey & Company, 77, 98, 158, 228*n*, 231-2*n*
McKinsey Global Institute, 71
McKinsey, pesquisa (2012), 29
McKinsey, relatório (2011), 21
Meers, Sharon, 39, 70, 96, 204, 208, 220, 239*n*
Meir, Golda, 59, 176
mentores/orientadores, orientação: acesso mais fácil dos homens, 27, 88, 89, 93, 94, 247*n*; colegas como mentores, 99; como relacionamento recíproco, 92; equívocos na busca de mentores, 86, 87, 88, 89, 90; modelo do superior masculino/subordinada feminina, 94, 95, 96; para prender a atenção de potenciais mentores, 90, 91, 92; programas formais, 97; qualidades buscadas pelos mentores, 90; uso eficiente do tempo, 94
Merkel, Angela, 55, 59
Merrill Lynch, 203
Michigan, Universidade de, 67, 230-2*n*
mídia social, 91, 193
Mighty Be Our Powers (Gbowee), 20
Mitchell, Pat, 174, 181, 221
Mitic, Katie e Scott, 136, 222

Modi, Kunal, 204, 205, 271*n*
Mondale, Walter, 177
Moneyline, 92
Moon, Youngme, 194
mulheres: como mães que ficam em casa *ver* mães que ficam em casa; como responsáveis primárias em cuidar dos pais na velhice, 150, 151, 210; correlação sucesso-simpatia *ver* correlação sucesso-simpatia; desvalorização de suas realizações, 28, 59-65, 71; escolaridade, 17, 25-8; inseguranças e dúvidas pessoais *ver* inseguranças e dúvidas pessoais; instrução de nível superior, 17, 28, 125; na Marinha, 208; no governo, 17, 226*n*; pressão para dar prioridade ao casamento, 30, 32; regras sociais de conduta, 33-5, 58-9, 62, 64, 67, 209
mulheres com emprego: administração da carreira *ver* carreira; aprender a enfrentar críticas, 68, 69; aversão a riscos, 29, 51-3, 82-3, 245*n*; benefícios emocionais e financeiros, 39, 148, 265*n*; chorando no trabalho, 112-5, 249*n*; conflito família-trabalho *ver* conflito família-trabalho; correlação sucesso-simpatia *ver* correlação sucesso-simpatia; cuidar de casa e dos filhos como responsabilidade primária, 21, 28, 124, 134-5, 150, 179; diferença de ambições, 28-41, 231-2*n*, 234-5*n*; diferença salarial entre sexos, 16-8, 37, 211, 226*n*, 228*n*, 271-2*n*; discriminação sexual na contratação, 187, 188, 265-6*n*; discriminação sofrida em silêncio, 179, 183; em posições de liderança *ver* posições de liderança, mulheres; "encaixar-

-se" como técnica de sobrevivência, 178-81, 211; expectativa cultural de pensar comunalmente, 63-8, 80, 204; filhos *ver* conflito família-trabalho; cuidado com os filhos; gravidez, 15-6, 100, 123, 143, 187, 198-9; imagens e estereótipos negativos, 37-8, 68; importância do apoio conjugal, 139, 140, 168; índices de saída da força de trabalho, 27-8, 124-6, 139, 180, 228-30*n*, 250-2*n*; inseguranças e dúvidas pessoais, 43-6, 51-5, 59, 83, 101, 161, 169-73, 181, 206, 239-40*n*; licença-maternidade, 143, 159, 160, 162, 198-200, 209, 256*n*; mães solteiras, 38; mais lentas em agarrar as oportunidades, 51-3, 119; manifestações sobre a discriminação sexual, 179-93; medo de falar com franqueza, 101, 115; minimização de suas realizações, 28, 59, 64, 65, 71; negociações, 64-7, 80-1, 213, 244-5*n*; opções limitadas de carreira no passado, 26; orientação *ver* mentores/orientadores, orientação; penalização salarial pelo tempo ausente da força de trabalho, 129; perpetuação da discriminação sexual, 202-3, 270*n*; razões para abandonar a força de trabalho, 125-9, 139, 251*n*; relutância em pedir promoção, 84, 184, 247*n*

namoro, 32, 146
Não sei como ela consegue (filme), 37
negociações: diferenças de sexo, 64, 65; em acordos de negócios, 80, 81; mulheres e sucesso, 66, 67; salário, 64, 65

negociações salariais, 64, 65, 66, 67
Negotiating Women, Inc., 84
Neiman, Garrett, 91
Nevill-Manning, Kirsten, 106, 222
"New F-Word, The" (Cooper), 177, 265*n*
New York Times, The, 47, 242*n*, 253*n*, 255*n*, 272*n*
New Yorker, The, 60, 243*n*
Nixon, Richard, 59
Nohria, Nitin, 87, 88, 194, 256*n*, 260*n*
noite fora de série, Uma (filme), 154
Nooyi, Indra, 55
Nova York, Universidade de, 57
Novack, David R., 250*n*
Novack, Lesley Lazin, 250*n*

O'Connor, Caroline, 122, 251*n*
O'Connor, Sandra Day, 177
O'Neill, Tip, 176, 195
Obama, Barack, 111
Obama, Michelle, 55
Odisseia (Homero), 48
oportunidades de carreira: desistência por planejamento familiar, 118-24, 127; insegurança como barreira, 51-3
Orenstein, Peggy, 118
Organização para a Cooperação e o Desenvolvimento Econômico (OECD), 125, 129, 228*n*, 231*n*, 251*n*, 253*n*, 258*n*, 260*n*
Osofsky, Justin, 93

PACER (Parent Advocacy Coalition for Educational Rights), 150
Page, Larry, 16, 81, 221
Paley Center, 90
papéis sexuais no lar: alteração, 135, 136; reforçados pelas políticas de emprego, 142, 143, 256*n*

parcerias conjugais: atendimento aos pais na velhice, 151, 209, 210; benefícios dos papéis igualitários, 149, 151; divisão equitativa do serviço doméstico, 140-1, 146-7; importância do apoio à carreira, 139, 140, 168, 210; papéis sexuais desequilibrados, 28, 134, 135, 139, 150, 180; potenciais parceiros dando apoio, 145-6, 151; reconhecimento dos papéis domésticos dos homens, 137, 151, 198; tensão gerada por esposas com maior sucesso profissional, 145; *ver também* cuidado com os filhos
Parker, Sarah Jessica, 37
parto e nascimento, 132, 133
patrocinadores, patrocínio e indicações, 87-9, 95-7, 247-8*n*; *ver também* mentores/orientadores, orientação
Paul, Alice, 195
Paul, Stephen, 60
Pensilvânia, Universidade da, 26
PepsiCo, 55
Perlow, Leslie A., 260-1*n*
Perry, Vicki, 54
Pew Research Center, 30, 234*n*, 250*n*
Phi Beta Kappa, 44, 48
plano de dezoito meses, 74, 80
Poczter, Sharon, 153, 259*n*
Polese, Kim, 200, 270*n*
políticas de emprego: estacionamento para grávidas, 16, 21, 209; leis sobre licença remunerada de mães e pais, 256*n*; licença de mães e pais, 38, 129, 142-3, 159-60, 162, 198-200, 209, 256*n*; para minorar os conflitos trabalho-família, 161, 162, 185, 186, 209; penalização da carreira com o uso de políticas

flexíveis, 163, 261*n*; reforço dos papéis sexuais tradicionais, 143, 256*n*
"ponto cego do viés", 188, 189
Porn for Women (Anderson), 146, 258*n*
posições de liderança, mulheres: apoio conjugal, 139, 211; aprender a enfrentar críticas, 68, 69; aversão a riscos na carreira, 82, 83, 245*n*; barreira das políticas de emprego inflexíveis, 21, 129, 209; barreiras internas e externas, 21, 44; comportamentos de "abelha rainha", 202, 204, 270*n*; correlação sucesso-simpatia, 58, 59, 61, 68, 69; diferença de ambições, 29-41, 210-1, 231-2*n*, 234*n*, 235*n*; escassez, 17-9, 180, 199, 205; imagens e estereótipos negativos, 37, 58-9, 68-9, 199, 200; medo na base das barreiras, 40, 41; necessidade de aliança feminina em apoio, 204; necessidade de aliança masculina em apoio, 204, 205, 211; rivalidade feminina, 202, 211; soluções para questões femininas, 16, 20, 24, 209, 272*n*; tentativa de se encaixar, 178
postura física, 51
Powell, Colin, 164, 261*n*
prêmio Nobel da Paz, 20
Princeton, Universidade de, 126, 253*n*
Pritchett, Lant, 76, 84, 221
Probasco, John, 183, 184
Projeto Casa Branca, 172
promoções, 21, 186, 189, 202; auxílio de mentores, 96, 97, 247*n*; relutância das mulheres, 84, 184, 247*n*
proposta, A (filme), 37

qualidades de liderança: comunicação autêntica, 102, 115; "equilí-

brio trabalho-vida", 165; senso de humor, 111
questões de sexos, manifestações: atitude defensiva dos examinados, 190; com potenciais empregadores, 191-2; críticas, 182; importância do papel das líderes mulheres, 16, 20, 24, 209; levando a mudanças institucionais, 193-5; papel dos homens, 183, 185, 186; preocupações com conflito família-trabalho, 191-3; riscos jurídicos como barreira, 186-7; tendenciosidade, 190, 195

Radcliffe College, 44
Rangan, Kash, 77
Rao, Shailesh, 80
Rede de Pesquisas Sobre os Cuidados à Primeira Infância, 169, 170
Ride, Sally, 177
Ridgeway, Cecilia L., 243n, 245n, 249n
Riley (menina de quarto anos), 36
Rodin, Judith, 28, 231n
Roizen, Heidi, 57, 242n
Rometty, Virginia, 53
Rose, Dan, 52, 222
Rouse, Cecilia, 266n
Rousseff, Dilma, 17, 55
Rubin, Robert, 105, 106, 221

Salen, Kristina, 146, 151, 152
San Francisco, 68
Sandberg, Adele, 27, 49, 104, 132, 142, 222
Sandberg, David, 27, 33, 49-51, 75, 79, 138, 142, 222
Sandberg, Joel, 74, 75, 142, 147, 209
Sandberg, Michelle, 26-7, 55, 75, 86, 147, 169, 209
Sanford, Margery, 75

Sara Lee, 127
Scheck, Elise, 123, 222
Schefler, Amy, 115
Schmidt, Eric, 78, 112, 221
Schreier, Bryan, 90
Schroepfer, Mike, 192, 221
Schultz, Howard, 116, 221
Scott, Kim Malone, 181
secretária de futuro, Uma (filme), 37
Sellers, Pattie, 70, 73, 226n, 269n
Senado, Comitê Judiciário do (EUA), 191
Sequoia Capital, 90
Serviço de Alfândega dos Estados Unidos, 108
sexismo, 20, 176, 177, 200; "benevolente", 190, 246n
Shih, Clara, 91, 238n
"síndrome da coroa", 84, 85
"Síndrome do impostor", 45, 239n
Small, Deborah A., 244n, 265n
socialização de acordo com o sexo, 31-6, 62, 232-6n
sono, 166, 206
Spar, Debora, 40, 206, 271n
Standard Oil Company, 17
Stanford, Universidade: Instituto de Design, 122
Starbucks, 91, 116
Steel, Bob, 96
Steinem, Gloria, 137, 151, 155, 175, 180, 201, 212, 218, 255n, 259-60n, 265n
Steiner, Josh, 92
Strober, Joanna, 39, 120, 239n
Stuart, Jennifer, 158, 260n
Study on Women's Experiences at Harvard Law School, 240n
Sudão, 17
Summers, Anita, 17
Summers, Larry, 17, 31, 54, 76, 89, 95, 108, 114, 219, 221

SurveyMonkey, 140, 220
Swisher, Klara, 199, 270*n*

tarefas domésticas, 27, 135, 139, 141, 148-50, 180; divisão igualitária, 140-1, 146-7; feitas pelos pais, 134, 135, 253-4*n*
Taylor, Maureen, 81
Taylor, Robert, 99
"técnicas de cutucão", 184
TEDTalk, 44, 140, 174, 181-2, 184-5, 221
TEDWomen, 181
tendenciosidade sexual: avaliações de desempenho, 190; correlação sucesso-simpatia *ver* correlação sucesso-simpatia; maridos "modernos" *versus* "tradicionais", 189, 268*n*; meios de comunicação, 47; na sala de aula, 237*n*; perpetuação pelas mulheres, 202, 203, 270*n*; políticas de emprego e família, 143; "pontos cegos", 188, 189; práticas de contratação, 187, 188, 265*n*, 267*n*; responsabilidades domésticas, 28, 134, 135, 139
"teoria da expectativa", 243*n*
"ter tudo", 38, 153, 154; *ver também* "fazer tudo"
Thatcher, Margaret, 59
Thomas, Marlo, 18, 70, 228*n*

Uhlmann, Eric Luis, 266-8*n*
USA Today, 128

Valenti, Jessica, 69, 245*n*
Vedantam, Shankar, 59
Virani, Sabeen, 183

Você é minha mãe? (Eastman), 86
Vodafone, 185

Walker, Alice, 85
Wall Street Journal, 32, 246*n*, 268*n*
Walt Disney Company, 93
Warrior, Padmasree, 52
Washington Post, 174, 235*n*, 265*n*
Washington Post Company, 90
Washington, estado de Washington, 256*n*
Weaver, Sigourney, 37
Weber, Carrie, 45, 219, 222
Wellesley College, 158
Wellesley, Centros Femininos, 44
White, Emily, 90
Whitman, Meg, 78
Williams, Joan, 205, 260*n*, 269*n*, 271*n*
Wilson, Marie, 172
Winfrey, Oprah, 87, 151, 218, 259-60*n*
Wojcicki, Susan, 162, 180
Women in Consulting, 166
Women@Google, 180, 181
Women's Media Center, 181, 238*n*, 272*n*
Wood, Chet, 97
Working Group on Student Experiences, 240*n*
Wu, Abe, 98

Yahoo, 16, 71, 102, 134, 140, 193, 198-9, 269*n*
Yale, Universidade, 126, 158, 253*n*, 263*n*, 265*n*

Zuckerberg, Mark, 65, 74, 103, 113, 147, 222, 245*n*

1ª EDIÇÃO [2013] 20 reimpressões

ESTA OBRA FOI COMPOSTA POR ACOMTE EM MINION E IMPRESSA
EM OFSETE PELA LIS GRÁFICA SOBRE PAPEL PÓLEN DA
SUZANO S.A. PARA A EDITORA SCHWARCZ EM MAIO DE 2024

A marca FSC® é a garantia de que a madeira utilizada na fabricação do papel deste livro provém de florestas que foram gerenciadas de maneira ambientalmente correta, socialmente justa e economicamente viável, além de outras fontes de origem controlada.